Анна Матвеева

ЛОЛОТТА

И ДРУГИЕ ПАРИЖСКИЕ ИСТОРИИ

РЕДАКЦИЯ
ЕЛЕНЫ ШУБИНОЙ

Издательство АСТ
Москва

УДК 821.161.1-31
ББК 84(2Рос=Рус)6-44
М33

Художественное оформление *Ирины Сальниковой*

В оформлении переплёта использован фрагмент картины
А. Модильяни «Лолотта, или Женщина в ожерелье» (1916 г.)

Матвеева, Анна Александровна.

М33   Лолотта и другие парижские истории : [рассказы, повести] / Анна Матвеева. — Москва : Издательство АСТ : Редакция Елены Шубиной, 2017. – 443, [5] с. — (Проза: женский род).

ISBN 978-5-17-096991-3

Анна Матвеева — прозаик, автор романов «Перевал Дятлова, или Тайна девяти», «Завидное чувство Веры Стениной», сборников рассказов «Девять девяностых», «Подожди, я умру — и приду». Финалист премий «Большая книга», «Национальный бестселлер», лауреат премии Lo Stellato за лучший рассказ года.

Новый сборник прозы Анны Матвеевой «Лолотта» уводит нас в Париж. Вернее, в путешествие из Парижа в Париж: из западноевропейской столицы в село Париж Челябинской области, или в жилой комплекс имени знаменитого города, или в кафе всё с тем же названием. В книге вы встретите множество персонажей: Амедео Модильяни, одинокого отставного начальника, вора, учительницу французского, литературного редактора, разочаровавшегося во всем, кроме родного языка... У каждого героя «Лолотты» свой Париж: тот, о котором они мечтали, но чаще тот, которого заслуживают.

УДК 821.161.1-31
ББК 84(2Рос=Рус)6-44

ISBN 978-5-17-096991-3

Красный директор
рассказ в четырёх стихиях

Воздух

Бывший директор завода Павел Петрович Романов летел в Париж на свадьбу своей старшей дочери Александры.

Бывшими директорами — как и бывшими русскими — не становятся. Романов намеревался работать даже не до пенсии, а до смерти, но его вытурили с завода в семьдесят лет. Такой вот подарок к юбилею — вместе с приветственным «адресом», напольными часами и букетом цветов, глядя на который Павел Петрович подумал: лучше бы деньгами.

На заводе остались просторный кабинет, хорошая зарплата, трепет трудового коллектива и душа. Душа-то и терзала его теперь с утра до вечера, не соглашаясь ни на какие подмены — рыбалка, кроссворды, телевизор, садовые работы, ничего ей не хотелось, кроме как вернуться на завод и работать дальше. Силы-то в нём ходили ещё ого-го какие, да и завод, в этом смысле, не кончился. Павел Петрович просыпался в шесть утра, как привык за целую жизнь, — и что прикажете делать дальше?

Младшая дочь Анна считала, что ему нужно больше времени проводить с внуками — играть с Игнатом в шахматы и водить Настю на гимнастику. Романов был, в принципе, не против, но внуки утомляли его куда сильнее, чем самые нерадивые подчиненные. По сравнению с Игнатом и Настей даже вороватый снабженец Кудрявцев, с которым они бодались не на жизнь, а на смерть, выглядел ангелом — особенно спустя столько лет. Одно из первых пенсионных впечатлений Романова — теперь он скучал не только по друзьям и соратникам, но даже по тем, кого не выносил. У подлеца Кудрявцева имелись связи наверху, и сковырнуть его с места было делом хлопотным. В конце концов, Романов, конечно, победил — он всегда побеждал — а теперь вдруг начал вспоминать Кудрявцева с тёплой улыбкой. Даже слезу однажды выпустил — капелька маленькая, как из шприца перед уколом.

А внуки... Ну что тут сказать — другое время, другие дети!

Дочери Павла Петровича, что Александра, что Анна, в детстве были послушными, скромными, учились прилежно. Хоть и поздние они были дети, и отец у них директор завода, а мать — главный бухгалтер, а деды — ветераны войны (Романов-старший — тот вообще Герой Советского Союза), но девочки были точно такие же, как все советские дети. Разве что в «Орлёнок» он их в детстве отправлял пару раз, но и всё на том. И без этого считалось, что детство у детей счастливое. Самому Павлу Петровичу такого не досталось — он родился за год до войны. Жили очень бедно: мать сварит пустой суп, и детям положено было есть его, пока в кастрюле дно не покажется. И хлеб чёрный — липкий, горьковатый, но всё равно очень вкусный. Павлу Петровичу этот хлеб всю жизнь снится — и каждый раз во сне горбушка такая махонькая!

Тут как раз пассажирам привезли обед, начали раздавать коробки — Романов попросил на горячее курицу. Хотел достать сыр из пластиковой упаковки — никак не получалось. То ли он с возрастом стал такой беспомощный, то ли народ разучился делать всё на совесть? Романов склонялся ко второму. Вот и покойная супруга Антонина Фёдоровна в последние годы жизни часто ворчала, что люди совсем стыд потеряли. Разве можно так работать, если за тобой тут же приходится вызывать мастера и всё переделывать? Это она про евроремонт. Все годы свои последние угрохала на этот ремонт, а потом слегла — да так и не встала.

— Давайте я помогу, — девушка, которая сидела рядом, сжалилась над Романовым, отобрала у него упаковку с сыром и в два счёта — чик-чик — вспорола её ноготками. Ногти выкрашены в разные цвета: два посредине красные, остальные — розовые. Анна точно такой же маникюр носила и, когда отец возмутился странной модой, объяснила:

— Это фэн-шуй, папа. Чтобы деньги водились.

Деньги у них в доме всегда были в нужном количестве — Антонина Фёдоровна вела семейную бухгалтерию так же чётко, как заводскую. Детство супруге досталось тоже не из лёгких — отец-военный не видел разницы между солдатами и собственными малолетними детьми. Антонина в детстве имела два платья — зимнее и летнее, которое по потребности использовали ещё и как нарядное. Платья донашивала за старшей сестрой — так же как банты, школьный портфель и мешок для сменки. Каждый вечер, как сделает уроки, помогала матери — то гречу перебирала, то яблоки для компота резала, то простыни подрубала. Обо всём этом супруга подробно рассказывала дочерям, чтобы ценили то, что имеют. И Павел Петрович, где надо, добавлял от себя подробности. А чаще, где не надо, как считала Антонина Фёдоровна.

Девочки росли послушные, но между собой не дружили, даже в раннем детстве. Александра восприняла рождение Анны как наказание — она думала, мама с папой были ею недовольны, вот и решили завести другую девочку. Что с ней им вроде как больше повезёт.

Сейчас-то Павел Петрович понимал, где они сделали ошибку, — но с той станции поезд давно уехал, да и саму станцию уже не разыщешь. Им бы тогда ласку проявить к старшей, объяснить ей: маленькая ни на что не покушается, родители не перестанут любить большую. Но что сам он, что супруга не приучены были вести с детьми задушевные разговоры — не принято было. Детей тогда вроде как всерьёз никто не воспринимал, это сейчас все как с ума посходили. Только и слышно: детям нужно внимание, детьми нужно заниматься. А результат — обратный. Романов за долгие годы на руководящей должности привык держать ориентир на результат — итоги соцсоревнования, выход продукции и так далее. Психологические нюни были не для него, но теперь, на пенсии, ему пришлось столкнуться с ними лицом, как говорят, к лицу.

Павел Петрович жевал сыр, даже не подумав поблагодарить за помощь девушку с разноцветными ногтями — кивнул, да и хватит. Слово «спасибо» у директоров не в ходу. Съел курицу, подчистил соус ледяным кусочком хлеба — как из морозилки, честное слово!

Раньше-то он летал в бизнес-классе. Ещё в позапрошлом году.

Взял у стюардессочки чай с лимоном, размешал сахар пластмассовой ложкой.

Сегодня он увидит дочериного жениха, а завтра поведёт Александру под венец. Если он у них будет там, конечно, этот венец.

Романов с трудом представлял себе, на что походит французская свадьба. Вот у Анны было торжество — любо-дорого вспомнить! Конечно, они с матерью разорились, выкладывая денежки на лимузин, карету, артистов из Москвы, зато потом разглядывали фотографии — насмотреться не могли! (Даже забыли о плохой примете, что младшая первой замуж выскочила.)

Одно только портило снимки — жених.

Павел Петрович недолюбливал зятя Валерку и не понимал, почему Анна его выбрала — на вид пельмень недоваренный, характер склочный, да и зарабатывает меньше дочкиного. Вот и внуки, наверное, в него пошли, — ни в Игнате, ни тем более в Насте дед не видел ничего своего или хотя бы супругиного.

Игнат, вертлявый рыжий двоечник, целыми днями лупился в компьютерные игры, какие уж там шахматы! Только придёт из школы, бахнет ранцем (который теперь стали называть «рюкзаком») в коридоре — и тут же несётся к компьютеру. Павел Петрович, когда это при нём случалось, вмешивался. Запрещал приближаться к компьютеру, однажды выдернул проводки, а парень — в рёв:

— Ты что, дед, с ума сошёл? Я семь уровней прошёл!

Ну, Павел Петрович и не выдержал. Наподдал по заднице. Попробовал бы он в своём детстве так с дедом поговорить — а тот суровый мужик был, кузнец, — тут же получил бы по первое число, какой уж там седьмой уровень.

На вопли Игната прибежала Анна, в руках — плоский компьютер, как книжка. Планшет называется. И дочь, и зять бродят по дому с этими планшетами, фильмы смотрят. Анна объясняла: это чтобы время зря не тратить. Идёт Валерка по квартире, а у него в руках кто-то стреляет и матерится. А навстречу — Анна, у той другое кино — с нежностями и голой задницей во весь экран. Счастливый брак! Надо было им с матерью подумать, прежде чем кошелиться на богатую свадьбу...

Так вот, Игнат ревёт, задыхается. К матери бросается за справедливостью — как в суд! Анна рассердилась, аж вскраснелась вся:

— У тебя в подчинении столько людей было, а ты с пятиклассником справиться не можешь?

Сердце Романова грустно сжалось — дочь ткнула в него этими словами, как ножом. Он ведь действительно руководил огромным коллективом и с каждым умел найти общий язык. Нигде этому не учат — то есть сейчас-то и этому учат, и другому всякому (на днях Павел Петрович видел в городе рекламную растяжку с красными буквами: «Учим говорить "Нет!"»), но в его-то время никаких таких курсов для руководителей не было. Всё постигал на личном опыте — ошибался, конечно, но в целом поступал верно. Никто бы на заводе не сказал, что Романов несправедлив как руководитель.

А тут, смотрите, попало! Хотя если призадуматься: что такого? Отец Павла тоже лупил в своё время — не часто, за дело. Так ведь он-то на отца такую варежку не разевал.

В общем, с Игнатом у них не особенно ладилось — только перед праздниками парнишка добрел, выклянчивая подарки. Всё какие-то игры с жестокостями ему подавай да телефоны дорогущие. Однажды Павел Петрович купил к Новому году настольный хоккей, но его, кажется, даже и не распаковали, хотя с того Нового года ещё три набежало. Так и валяется коробка где-то на балконе.

Внучка Настя тоже не слишком льнула к деду — её с малолетства таскали по конкурсам красоты для девочек, вот она и вела себя со всеми как взрослая женщина. Романова оторопь брала, когда Анна хвалилась Настиными фотографиями:— семилетний ребёнок размалёван, как шалава подзаборная! Бальное платье, прозрачные перчатки, на голове — корона, с ушей длинные серьги свисают... И взгляд, главное, такой недетский — расчётливый, как у потаскухи. И поза — руки в боки, бедро вперёд. Тьфу, смотреть тошно!

Анна обижалась:

— Ты, папа, совсем отстал от времени. Разве плохо, что девочка с детства будет уметь следить за собой, что не будет распустёхой, как...

Споткнулась.

— Как мать? — спросил Романов. Сердце в груди тяжело заворочалось, как будто искало выход из грудной клетки.

— Я не то хотела сказать, — начала оправдываться Анна. — Но мама ведь правда не уделяла особого внимания моей внешности. Я даже косы заплетать не умела — мне учительница в школе показала и корзиночку, и кральки...

— Сама ты кралька! Она вам жизнь подарила, а ты такие слова говоришь, бесстыжая!

Крепко они в тот раз поругались, но уже через день дочь позвонила — извинялась, плакала. В том же разговоре попросила денег на поездку в Турцию: Настя прошла в какой-то финал детского конкурса красоты, но дорога была за свой счёт, а у Анны — долги, кредиты, Валерка, которого со всех работ гнали, как таракана...

Романов оплатил поездку, но корону Насте выиграть не удалось. Было большое расстройство, Анна говорила, что это всё козни организаторов — какая-то пробивная мамашка занесла деньги.

Павел Петрович только раз дал себя заманить на один такой конкурс — во Дворце молодёжи. У них были места в первом ряду, и Анна шёпотом на ухо попросила отца говорить тише — рядом с ними сидели главные враги счастливого Настиного детства, родители Лизы Симоновой. Эта Лиза в итоге и получила корону победительницы — со сцены отправляла воздушные поцелуи в зал не хуже, чем Лайма Вайкуле. Настя плакала во весь голос, Анна сжимала кулаки, а Романов вспотел от жалости к ним обеим, от своего бессилия помочь...

Мама Лизы Симоновой — высокая и толстая, похожая на динозавра из детской энциклопедии, — поминутно поправляла очки в розовой оправе, как будто они мешали ей хорошенько разглядеть ликующую дочь. Отец — смуглый, примятый брюнет — громко аплодировал и кричал, как в заграничном фильме:

— Это моя дочь! Это моя дочь!

Больше Романов никогда не совершал такой ошибки — сколько ни звала его Анна, он каждый раз придумывал причину отказаться. Даже на соревнования по гимнастике не ходил — больно было за Настю, которая вечно оказывалась даже не на вторых, а на десятых ролях.

Зря он это вспоминает... Врач из кардиоцентра когда ещё сказал: вы поменьше думайте о плохом, Павел Петрович. Жизнь — она ведь одинаково несчастная у всех. Радуйтесь моменту: улыбнулся вам ребёнок — уже хорошо. Птичка запела — ещё лучше. Солнышко выглянуло — совсем славно!

Но как-то не складывалось у него в последнее время с детскими улыбками, да и погода стояла мрачная, даром что апрель, да и вместо птичьего щебета за окнами в квартире звучал вороний грай.

Романов откинул спинку кресла (сзади недовольно ойкнули) и задремал. Проснулся, когда пилот объявил посадку: «Мы прибываем в аэропорт "Шарль-де-Голль" города Парижа!»

Земля

Романов редко путешествовал в одиночестве — да он и вообще редко путешествовал; чаще ездил в командировки или по обмену опытом. Санаториев не признавал, отправлял туда всё больше Антонину Фёдоровну — жаль, не помогли ей те санатории. Рано она ушла, и так тоскливо было без неё Павлу Петровичу, что обычными словами не объяснишь, а необычных он не знал. Тут ведь дело не в любви и не в сексе этом, о котором теперь столько разговоров по телевизору, — дело в том, что старые супруги после долгой совместной жизни как бы срастаются в одного человека. И когда одна часть этого человека умирает, вторая мучается не только от боли, но ещё и от пустоты, нехватки того, к чему успела привыкнуть.

Вот почему Романов позволил секретарше Люсе переехать к нему в квартиру. Единственный способ для осиротевшей половины не уйти следом за умершим супругом — начать срастаться с другим человеком. С Люсей у них был давний приятный роман: Романов не считал, что изменяет супруге, потому что Антонина Фёдоровна давно отменила интимные отношения — без слов объяснила, что считает себя для этого слишком старой. Было ей, к слову сказать, тогда под сорок — как теперь Александре.

Секретарша Люся пришла на завод совсем ещё молодой девушкой, между работой успела выйти замуж и развестись. Детей у неё не было, а вот проницательности — хоть ложкой ешь. Мужскую печаль в глазах директора она прочитала раньше всех — и тут же впустила его к себе в норку. Ни на что большее Люся не претендовала, Романов считал, что ей действительно хватает вечернего часа на диванчике и серёжек в день Восьмого марта.

О себе Люся говорила: я секретарь от Бога. Один её взгляд — и толпа посетителей отступает из приёмной. Ни разу за эти годы — а она проработала с Романовым почти двадцать лет — не забыла ни об одном звонке, ни об одной встрече. Знала, кому улыбнуться, кого поставить на место, где сказать, где промолчать. Печатала, как из пулемёта, блузки носила белоснежные, причёсана не хуже Гурченко, туфельки на острых каблучках...

Продвигаясь в очереди на паспортный контроль, Романов с грустью вспоминал ту, прежнюю Люсю. Она исчезла, лишь только секретарша превратилась в директоршу — и переехала в просторную квартиру на улице Маршала Жукова. В квартире всё оставалось таким, как было при Антонине Фёдоровне, — мебель, постельное бельё, цветы на подоконниках... К цветам супруга относилась трепетно, переживала за каждую фиалку, как за близкого родственника. А как радовалась блёклым цветочкам! Ни один букет, которыми Антонина Фёдоровна не была обделена как при жизни, так и после смерти, не вызывал в ней такой нежности. Она и в юности, вспоминал теперь Романов, пыталась выращивать в их первом жилье — общежитской комнате — какие-то традесканции, что ли? Прикалывала вьющиеся ветки к обоям швейными булавками, что-то без конца рыхлила, пересаживала, поливала...

— Я так понимаю, этот огород вам без нужды? — спросила Люся чуть ли не в первый вечер, как перебралась к Романову. Она по-прежнему была с ним на «вы» и по имени-отчеству. — Давайте я отдам цветы соседке с первого этажа, мы с ней уже познакомились.

Романов привык к зелёным зарослям на подоконниках — в последние годы с ними неплохо управлялась домработница. Даже фиалки иногда покрывались бледными цветочками, и тот странный куст, название которого директор так и не выучил, выпускал новые сочные стрелы, похожие на перья. Но Люся настаивала — у неё была аллергия на растения.

— А у меня на эту женщину аллергия! — возмущалась Анна. Дочери в кои-то веки проявили единодушие — Александра писала из Парижа рассерженные письма, не догадываясь о том, что первой их читает ненавистная Люся (Романов так и не освоил компьютер), а её младшая сестра, дня не проходило, высказывала отцу претензии. Как он мог после мамы связаться с такой... с такой...

— С какой? — устало переспрашивал отец, и Анна умолкала, не решаясь вымолвить обидное слово. Впрочем, подходящее слово нашлось впоследствии и без её стараний. Двадцать лет Люся трамбовала в себе обиды и сдерживала чувства, но как только получила, что желала, — тут же превратилась в другого человека. В безжалостную жадную дрянь.

... — Цель визита во Францию? — спросил у Романова пограничник, сидящий в стеклянной будке. Директор ни слова не разобрал, но, к счастью, в очереди за ним стояла всё та же отзывчивая девушка с разноцветным маникюром. Тут же подскочила, забулькала по-французски.

— Вы отдыхать приехали? — спросила она Романова.

— Нет, я к дочери. На свадьбу.

— Да, свадьба — это не отдых, — улыбнулась девушка.

Пограничник поставил в паспорте отметку, и Романов вошёл на территорию Франции, вновь забыв сказать попутчице «спасибо».

...Следы евроремонта, который выжал из Антонины Фёдоровны все её силы, а потом и забрал жизнь, испарились, как толпа посетителей в приёмной к вечеру. Люся в считаные месяцы превратила квартиру Романова в нечто похожее на платную больницу. Павел Петрович однажды провёл в такой две недели и до сих пор боялся, что умрёт не у себя дома, среди родных вещей, а в чужой, стерильно-белой палате. Теперь никаких сомнений: точно так всё и будет, даже если смерть явится за ним по домашнему адресу. Мягкие кресла и ковровые покрытия исчезли, а их место заняли конструкции из кожи и стальных трубок, полы с подогревом и освещение, которое автоматически включалось, реагируя на появление человека. Романов не счесть сколько раз пугался, когда лампа загоралась как сама по себе, — а Люся ликовала: хай-тек! Наконец можно людей в гости позвать!

Люди действительно приходили — незнакомые, молодые. Люсе-то ещё и пятидесяти нет, а выглядит того моложе. Романов отчаянно томился, высиживая за общим столом, накрытым, к слову сказать, стараниями ближайшей кулинарии. Как бы кулинария ни старалась, в блюдах всё равно сквозил привкус горелых кастрюль и дешёвого масла. Люся готовить не умела, а домработница у Романовых на кухню допускалась только с уборкой. Антонина Фёдоровна всё делала сама — и холодец, и суп с клёцками, и торт «Наташа». Лучше всего у неё получались пельмени с секретом. Секрет заключался не только в том, что один из пельменей обязательно делался с начинкой из теста, утыканного чёрным перцем, — а прежде всего в том, что блюдо это Антонина Фёдоровна затевала только в тех случаях, когда была недовольна мужем. Блины, к примеру, требовали хорошего и ровного настроения — иначе попросту не получались, а вот пельмени, наоборот, помогали душе выправиться. Супруга Павла Петровича никогда не выясняла с ним отношений — вместо этого она уходила на кухню лепить пельмени, да не свердловские «ушки», а орские полумесяцы. Антонина Фёдоровна выкладывала один пельмень за другим на громадную, бабкину ещё разделочную доску и, наблюдая за тем, как растёт съедобное войско, чувствовала, что тревога и недовольство покидают её с каждым новым полумесяцем, занявшим место в строю.

Люсе кулинарная психотерапия была неведома — и она с удовольствием выясняла отношения с Романовым, наказывая его за долгие годы своего молчаливого послушания. Утром бросившая службу секретарша крепко спала, днём — носилась по магазинам, вечером принимала агентов, продающих дорогие пылесосы или косметику (с Люсиной помощью они делали недельную выручку в полчаса), а ночью — ссорилась с Павлом Петровичем.

Особенно она донимала его в поездках: приходилось возить её летом на море, зимой — на горнолыжные курорты (при том, что на лыжах не катались ни сама Люся, ни тем более директор), осенью и весной — в Европу... Романов терпеть не мог гостиниц, на море ему было жарко, на снежной горе — холодно, европейские магазины его интересовали примерно так же, как музеи. Он ездил туда только ради Люси, и она, худо-бедно понимавшая по-английски, проводила его через границы, таможни и ещё какие-то трансферы, что ли. Отправляясь в Париж в одиночестве, Романов немного побаивался: справится ли? Александра обещала встретить его в аэропорту — а вдруг забудет, время перепутает? Мало у неё других забот перед свадьбой...

В этих неприятных раздумьях Павел Петрович вместе с другими пассажирами перешёл в зал, где выдавали багаж. Девушка с разноцветными ногтями, успевшая его обогнать, махала откуда-то издалека. Действительно — их рейс уже выгрузили, и чемоданчик директора, купленный, кстати, всё той же ненасытной Люсей, передвигался по ленте, гордый, как победитель.

— Спасибо, — непонятно кому сказал Романов, снимая чемоданчик с ленты.

Если он и был за что-то благодарен новым хозяевам завода, скоропостижно выславшим красного директора на пенсию, так это за то, что практически на следующий же день после этого от него ушла Люся.

Он, конечно, подозревал, что у неё кто-то есть — может, из пылесосов, может, из косметики, а может, из тех пятидесятилетних юношей, что бывали у них в гостях каждую субботу. Цену себе Люся знала, если и завышала — то незначительно, и после того как Романов потерял большую зарплату, служебный автомобиль с водителем, а главное — статус, его собственные котировки тут же обвалились. Люся не плакала, вела себя деловито. Объяснила, что мебель забирать не будет, — только личные вещи.

— Сколько сил я сюда вложила! — вздохнула она на прощанье, поглаживая косяк в коридоре. И потом, как будто вспомнив о чём-то несделанном, сказала Романову:

— Я ведь вам, Павел Петрович, лучшие свои годы отдала.

С таким лицом сказала, как будто он их должен ей теперь вернуть.

Романов и так-то был пришиблен известием о пенсии — он, конечно, подозревал, что его могут сместить, но не думал, что это случится так стремительно. Люсин исход, занявший три дня и два контейнера, тоже поначалу выглядел трагедией — директор привык к ней, они, как ему казалось, начали срастаться, — но, оставшись в одиночестве, в этой страшной квартире с хромированной мебелью и пустыми белыми стенами, почувствовал вдруг давно забытую лёгкую радость... Как будто Антонина Фёдоровна кричит с кухни — Паш, ну сколько можно звать? Пельмени остывают, кто ж их ест холодными? Как будто из маленькой комнаты, где росла Александра, доносятся вопли мультфильмов, а из гостиной — смех маленькой Анны.

Павел Петрович уснул в эту ночь крепко и счастливо, а наутро попросил домработницу купить каких-нибудь комнатных цветов.

— Я своих вам пересажу! — обещала счастливая домработница. — Мне ещё Антонина Фёдоровна давала фиалки, знаете, как разрослись?

Она в самом деле принесла несколько горшочков, из которых торчали робкие ворсистые листики. Вскоре фиалки освоились, и одна из них, бледно-голубая, перед самым отъездом директора готовилась расцвести. Стыдно признать, но Романов жалел, что увидит цветок только через три дня.

А вот другой свой цветочек — Александру — он увидел сразу, как только вышел в зал прилёта. Она махала ему правой рукой, а левой обнимала за талию невысокого и какого-то кривоватого мужичонку, похожего не столько на Алена Делона, сколько на Луи де Фюнеса в молодости. Все свои познания о французах директор, как и большая часть советских людей, вынес из комедийного галльского кинематографа. Делон, Депардье, де опять же Фюнес, Пьер Ришар и Брижит Бардо.

Романов так загляделся на будущего зятя, что запнулся — и чуть не упал на ровном месте. Тьфу ты! Сам как Луи де Фюнес.

— Как долетел, папа? Всё нормально прошло? А что, Анька так и не собралась?

Александра до последнего момента надеялась, что сестра передумает, — ведь она-то была на её дебильной свадьбе с белыми голубями и лимузином! Хотя бы из чувства справедливости можно было приехать?

— Она приболела, Сашенька, — соврал Павел Петрович, мучительно жалея старшую — в ней будто свет погас, а ведь только что сияла как праздничный торт и даже не выглядела на свой возраст!

Будущий зять что-то залопотал не по-нашему, и Александра спохватилась:

— Конечно! Папа, это Николя. Николя, сэ мон папа. Знакомьтесь!

Романов, конечно, знал, что дочкин жених по-русски ни бум-бум, но только сейчас до него дошло, что это означает на самом деле. Ни поговорить толком, ни выпить...

Вот и Валерка, младший зять, тоже был тот ещё пивун — директор каждый раз цыкал языком, когда зять, как женщина, прикрывал рюмку ладошкой. Романов-то — из старой гвардии: при виде бутылки с водкой в обморок не падал. И с народом говорил на одном языке. Встречи с рабочими, совещания, визит начальства, иностранные делегации — директор всюду держал марку. Знал, где пошутить, где тост сказать, а где — прикрикнуть и матюгнуться. Люди его уважали, не то что теперь. Хоть бы кто с завода позвонил Романову в последний год — ни одна собака не почесалась. А у него на душе саднило от привычного беспокойства: как производственный процесс, есть ли заказы?

Водитель Иван Никодимович, возивший директора на бежевой «Волге» без малого двадцать пять лет, тоже ушёл на пенсию. У него было прозвище «Никотиныч» — курил он действительно много. А если не курил — спал. Не раз Романов заставал такую картину: выходит он, положим, из мэрии или из Белого дома, а Никотиныч храпит так, что через закрытые окна слышно. Даже кроткая Антонина Фёдоровна однажды возмутилась: почему Романов его не уволит? Но ведь уволить человека, с которым проработал столько лет, — это как развестись с женой после серебряной свадьбы. Романов привык к Никотинычу, тоже по-своему сросся с ним — и не мог представить себе рабочий день, который начнётся без него. К тому же у Никотиныча были свои плюсы — он водил машину по городу аккуратно и быстро, знал все дворы и проулки, а ещё обладал чувством юмора и врождённой наблюдательностью. Некоторые его наблюдения Романова искренне удивляли. Вот как-то раз стояли они с ним в пробке на Большакова — аккурат рядом с домиком Бажова. Никотиныч хитро покосился на директора и вдруг говорит:

— Его ведь как вас звали, Павел Петрович.

— Кого? — не понял Романов.

— Да Бажова! А фамилия у вас царская. Романов! Получается, именем-отчеством вы сказочник, а по фамилии — царь.

— Чушь не пори, Никотиныч! — рассердился директор. — Брякнешь где такое, сам должен понимать, что начнётся. Какой я тебе царь? Рабочая кость!

А у самого в груди что-то прямо теплом каким-то наливалось от удовольствия. Никотиныч это тепло тут же словил и, довольный, умолк. Через полчаса уже крепко спал на стоянке у проходной, и снег рядом с машиной весь был усыпан окурками.

Эх, сейчас бы сюда Никотиныча! Мигом домчал бы Романова до нужного дома — но Александра и Николя вместо такси повезли отца в электричке. В вагоне пахло мочой, рядом сидела индийская, видимо, семья. Мать в платке спросила что-то у Александры, и дочь так быстро и ловко защебетала по-французски, что Романов приосанился. Он гордился старшей дочкой — она и университет в Париже окончила, и ещё на каких-то курсах переводчиков училась, куда брали только тех, кто проживёт во Франции не меньше семи лет. Кроме того, Александра очень походила на свою маму в молодости — и Романов, глядя на неё, иногда не понимал, что Антонина Фёдоровна здесь делает и почему она такая молодая, если он — старый.

Добирались долго, почти час, со многими остановками. Коля (так Романов звал про себя Николя) вежливо улыбался, придерживая ногой чемоданчик, который ехал в проходе. Когда вышли на нужной станции, индийская семья пошла за ними следом — и Александра показала им, где ждать поезда в Диснейленд.

— А нам ещё в метро, папа, — объяснила дочь.

Огонь

В Париже Романову до сей поры бывать не приходилось — когда работал, не имел времени, а когда начались насильственные выезды с Люсей, то выбирали они в основном Италию и Швейцарию. Сейчас, когда вышли из метро (станция, как сказала дочь, называется «Крым»), он с интересом глазел по сторонам — но не увидел ни Эйфелевой башни, ни старинных церквей.

— Ты что, пап! — засмеялась Александра. — До башни отсюда очень далеко. Ничего, мы тебя послезавтра специально свозим.

Коля терпеливо взволок чемоданчик по ступенькам метро. Странно, что у них мало эскалаторов. Жених дочери и так-то был кривобоким, а тут его вообще скосило на сторону. Ничего, пусть старается!

Чем ближе подходили к дому, тем больше нервничала дочь. Как будто хотела что-то сказать и не решалась.

Наконец, когда Коля с видом победителя поставил чемоданчик на асфальт и начал открывать дверь в подъезд довольного облезлого дома, Александра собралась с духом:

— Папа! Тебе нужно кое-что узнать о нашей с Николя семье. У нас есть определённые принципы, которых мы придерживаемся, и я буду тебе очень признательна, если ты не станешь осуждать нас и наших гостей.

— Ты о чём это? — напрягся Романов.

— Да ничего особенного! Просто мы с Николя и наши друзья — джайнисты.

Коля тут же достал из кармана марлевую повязку, как будто она должна была объяснить Павлу Петровичу, в чём дело.

— Пойдёмте в дом, — заторопилась Александра, до которой дошло наконец, что объяснять свои религиозные предпочтения лучше в квартире, чем на пороге. Вон и соседи уже в окно таращатся, прямо как в России.

После подъёма пешком на пятый этаж Романов стал в прямом смысле слова красным директором — кровь прилила к лицу, и сердце снова теснило грудь, как будто искало выхода. Александра испугалась:

— С тобой всё нормально?

Павел Петрович подышал, как научил его врач-кардиолог, и сунул в рот таблетку валидола.

В квартире Александры и Николя царили порядок и пустота. Вообразить, что здесь живёт невеста, не смог бы даже самый отчаянный оптимист: никакой одежды, свисавшей со спинок стульев, полное отсутствие баночек с косметикой. Над стареньким диваном летала муха — такая же неторопливая и сосредоточенная, как те, что преследуют коров на пастбище.

— Нелза убиват, — неожиданно сказал Коля, и Романов почему-то испугался тому, что кривобокий жених говорит по-русски, пусть и получается у него это тоже кривобоко.

— Видишь, — просияла Александра, — Николя специально для тебя выучил несколько слов по-русски.

— Почему нельзя убивать муху? — растерялся Романов. Он с удовольствием шлёпал по стенам мухобойкой, как в детстве, так и в юности. И пока в России не появились фумигаторы, лупил комаров сложенным вчетверо «Уральским рабочим» — так что газетные поля покрывались бурыми пятнами.

— Джайны верят, что у каждого живого существа есть душа. Даже у мухи!

Николя поднял вверх свои тощие плечики — и улыбнулся. Муха жужжала над головой Романова.

— Но ты будешь спать в другой комнате, — заторопилась дочь. — Пойдём, я тебе покажу.

В комнатке, прижатой к кухне, помещалась только кровать, застеленная чистым, но ветхим бельём.

Коля за стеной пытался выпустить муху на свободу, и Романов, пользуясь моментом, схватил дочь за локотки:

— Саша, ты попала в секту?

Александра засмеялась и так стала похожа на Антонину Фёдоровну, что Павел Петрович дрогнул.

— Да что ты, папа! Это не секта, а религия. Николя долго жил в Индии, он исповедует джайнизм уже десять лет. Это очень хорошая религия, добрая. Мы не приемлем насилия, соблюдаем мораль, боимся причинить вред даже самому крошечному существу.

Она достала из кармана такую же точно марлевую повязку, какой давеча щеголял Коля, и сказала:

— Видишь, это мы носим для того, чтобы случайно не проглотить маленькую мошку.

— А ты не могла себе другого жениха найти? — спросил Романов.

— Ну, папа, прошу тебя, не порти мне свадьбу! — топнула ногой Александра, на глазах превратившись из джайнистки в невесту. — Давай распаковывайся, приходи в себя. А я Николя помогу, и будем ужинать, ладно?

Она вышла из комнатки, прикрыв за собой дверь. Романов посидел на кровати с пять минут, успокаиваясь, а потом раскрыл чемоданчик. Первой на глаза ему попалась бутылка водки, завёрнутая в свитер — чтобы не разбилась.

Романов пил не больше и не меньше любого человека его возраста, долгие годы проработавшего на руководящей должности. Конечно, в памяти хранилось несколько постыдных эпизодов — но у кого таких нет? Антонина Фёдоровна под настроение любила вспомнить историю о том, как Павла Петровича однажды привели домой под руки — Никотиныч и неизвестный краснорожий в шапке, сдвинутой на затылок. Он, кстати говоря, так впоследствии и не вспомнился.

— И вот, — рассказывала супруга, — я говорю: иди, Паша, спать, а он меня не узнаёт и пальцем грозит: «Ну что это вы? Какое "спать"? Домой, домой!»

Романов смотрел перед собой — и видел не полки с дочкиными словарями, а разрумянившееся лицо жены.

В целом-то он, конечно, знал свою норму.

Интересно, а Коля пьёт? Водка-то вроде не живая.

Павел Петрович достал из чемоданчика пиджак и новую рубашку. Брюки, конечно, измялись — сам он паковал вещи плохо, а домработница аккурат перед вылетом попросила выходной.

— Саша! — крикнул директор, приоткрыв дверь. — У тебя утюг близко?

— Ты дверь не держи открытой, — напомнила дочь, — мухи налетят. А утюга у нас вообще нет. Мы постельное в прачечной стираем, внизу стоят машины. Одежда у нас такая, что не мнётся. А тебе что нужно?

— Да вот брюки, — сказал Павел Петрович. — Завтра ведь торжество, а я буду мятый, как из одного места. Мать-то у тебя даже носки гладила. И колготки ваши с Анной.

— Ой, папа, будь проще. Никаких особенных торжеств не намечается, распишемся в мэрии, а потом дома посидим с друзьями. А с брюками давай так сделаем: когда в душ пойдёшь, я их там повешу, и они от горячего пара сами разгладятся. Только ты долго воду не лей, нам потом такие счета придут — не расплатиться!

Брюки действительно разгладились — даже «стрелки», заутюженные домработницей, исчезли. Пока Романов принимал душ, на столе в крохотной, почти хрущёвской кухоньке появился ужин — миска с зёлеными ростками, отварной рис и овощи очень подозрительного вида. В кувшине — вода, процеженная через марлю. Оказывается, в Париже тоже есть марля — удивительно! Николя радушно подталкивал тарелки с угощениями поближе к тестю, а тот инстинктивно отодвигался от них, пока не почувствовал, что дальше некуда.

— Ну что, Коля, за знакомство? — спросил директор, открывая бутылку.

Николя перевёл испуганный взгляд на Александру, и она уже в сотый раз за сегодня сказала: «Ой, папа!»

— Ты что! Джайны не пьют алкоголь. У них... то есть у нас... приняты очень строгие правила. Почти что аскетические.

Антонина Фёдоровна всегда могла с точностью до секунды сказать, в какой момент муж не выдержит и взорвётся — она насчитала бы уже десять предшествующих симптомов, но её здесь не было, а дочка, пусть и была похожа на неё, такими навыками не владела. Поэтому и пропустила очевидное: Романов враз налился багрянцем и треснул кулаком по столу, так что миска с ростками упала на пол, перевернувшись в воздухе. Коля закрыл рот ладонью.

— Да что вы надо мной издеваетесь? — гремел директор, обращаясь не только к злосчастным джайнистам, но и к новому начальству завода, Анне, Валерке, внукам, Люсе и Антонине Фёдоровне, бросившей его наедине с этой новой малопонятной жизнью. — Аскетические они, видите ли!

Он запнулся от злости и сказал «выделите».

— Папа, ты пей, если хочешь, — сказала Александра, поднимая миску с пола. — Только нас принуждать не надо, окей?

Это холодное «окей» только сильнее разозлило Романова:

— Да как ты смеешь, пигалица, так с отцом разговаривать? На мои средствá, значит, выучилась и будешь мне разрешать, пить или не пить? Да я тебя спрашивать не стану! У меня не такие, как ты, по струнке ходили! Пятьсот человек в подчинении! А тут ишь какие выискались! Муху им, это самое, жалко, а живого человека — уважаемого, в возрасте (у него чуть дрогнул голос) — можно травой кормить? И не выпить?

Романов кричал, сам зверея от своего крика, а Коля с Александрой быстро говорили что-то друг другу по-французски, как бы не замечая краснолицего старика, занявшего собой всю их маленькую кухню целиком. Так люди переговариваются в клубах или на концертах, — если источник шума отменить нельзя.

Выполнив «обязательную программу», включавшую в себя краткий обзор жизненных достижений, Романов сник и залпом выпил полстакана водки. Содранное от крика горло саднило, но по телу разливались приятные, успокаивающие волны.

Он был отходчив, как все несправедливые люди.

— Ладно, это самое, — примирительно сказал он Коле, снова сидевшему с прижатой к губам ладонью. — Не пьёшь — и не пьёшь. А что, родители у него тоже из этой религии?

Александра обиженно сказала, что Николя — сирота. Его родители погибли в автокатастрофе, когда он был ещё совсем маленьким, а бабушки с дедушками с обеих сторон уже умерли.

— Ты, папа, наш единственный родственник, — сказала дочка и вдруг всхлипнула, став такой похожей на Антонину Фёдоровну, что Романов снова налился багрянцем, но теперь уже от стыда.

— Ну не плачь, Саша, — он погладил дочь по голове и примирительно махнул рукой бледненькому Коле. — Скажи своему, что отец у тебя вспыльчивый, что в прошлом он, то есть я, — большой начальник...

Разговор худо-бедно настроился. Александра бойко переводила с русского на французский и обратно. Ростки на вкус оказались не так уж и плохи, да и Колино лицо порозовело.

Выпив и закусив, директор немного расслабился, краснота на его щеках перестала быть пугающей. Квакающая французская речь (Коля то и дело вскрикивал: «Ква! Ква!») заменяла музыку. Романов поневоле сравнивал обоих своих зятьёв и, пожалуй, впервые в жизни был доволен Валеркой. Да, он тряпка-размазня, но по крайней мере не копит мух в квартире и рюмку водки с тестем выпивает — пусть и жалуется потом на «дикое похмелье». Анна держала мужа излишне строго, поэтому, считал тесть, из него и не вышло особенного толку. Работал он сейчас в какой-то фирме, занимался рекламой — но денег в дом почти не приносил.

— Счета за рекламу оплачивают в последнюю очередь, — оправдывался Валерка, когда Анна устраивала ему очередной разнос. Сама она зарабатывала прилично, директор успел похлопотать — и буквально втолкнул в нотариусы, закрытое сообщество, где почти невозможно найти свободное место. Но Романов был тогда не то что теперь — с его связями и не такие двери открывались! Он улыбнулся, вспомнив, как пару лет назад, ещё при Люсе, потерял борсетку с документами — забыл в такси. И русский паспорт, и загран — всё пропало, а на другой день у них был вылет в Милан. Романов позвонил знакомому в УВД — и ему тут же выписали новый русский паспорт и выдали заграничный. Поэтому когда нашёлся тот таксист (честный попался), у Романова оказался двойной комплект документов. Вот такие были связи.

Коля дёрнул плечиком, дослушав перевод истории:

— Я слышал, что коррупция в России перешла все мыслимые границы.

Александра перевела иначе:

— Николя восхищён твоей находчивостью, папа.

— Что-то у него не очень восхищённое лицо, — заметил Романов.

— Ну ладно, давайте спать, — сказала Александра. — У нас, папа, не принято ходить ночью — мы можем случайно нанести вред какому-нибудь живому существу.

— Вы, главное, мне вред не нанесите! — Брюшко директора добродушно колыхалось, пока Николя убирал со стола тарелки и выбрасывал недоеденные овощи в чёрный пластиковый мешок.

— Джайны не оставляют продукты на ночь, — объяснила дочь. — Там могут завестись насекомые, а дальше ты знаешь...

Романов долго не мог уснуть в эту ночь, вертелся с боку на бок, как мясо на гриле. Замёрз, да и не допил свою норму, к которой привык за многие годы. Встал, чтобы найти в чемодане шерстяной кардиган, зажёг светильник — и вдруг налетел взглядом на картинку, висевшую в углу.

Её специально повесили так, чтобы не бросалась в глаза, но зря, что ли, у Романова имелся охотничий билет? Он всё кругом подмечал, вот и гадость эту увидел. Фашистский крест — свастика, над ним — три точки, а под низом — ладонь с непропорционально длинным мизинцем.

Директора ожгло изнутри. Он распахнул дверь и гаркнул на всю квартирку:

— Александра!

— Папа, я же тебе говорила, мы ночами не ходим, — раздался из другой комнаты хриплый голосок дочери. — Что там опять случилось?

— Да то случилось, что деды твои не зря своими жизнями на поле боя рисковали, чтобы ты ихним врагам поклонялась!

— А-а, — протянула дочь. — Ты увидел свастику. Говорила Николя, чтобы на время спрятал, — так и думала, что не поймёшь. Свастика, дорогой папочка, у многих народов означает приветствие и пожелание удачи.

— Мне многих народов не надо, — гремел директор, — одного хватит! Ты, что ли, тоже как Валерка?

— Папа, если ты не успокоишься, соседи вызовут полицию, — взмолилась Александра. — У нас с ними и так *подтянутые* отношения.

Раньше директор не замечал, что дочка путает русские слова, — и это его по-настоящему расстроило. Не меньше, чем свастика на стене.

— Я это сниму, — сказал Романов уже не так громко. — Я не могу спать, когда на стене висит оскорбление для всей моей страны.

— Хорошо, — согласилась дочь. — Спокойной ночи, папочка.

Романов ещё раз рассмотрел картинку со свастикой — это была, кстати, не картинка, а вышивка меленькими стежками — и заметил, что крест отличается от фашистского: тот был повёрнут слегка под другим углом.

Но всё равно мерзость. Он не потерпит.

Снял вышивку со стены и бросил в угол.

За окном торчал месяц — размытый, в дымке. Как будто его пытались стереть ластиком с неба, но бросили это занятие, уснув на полдороге.

А вот к директору сон никак не шёл. Он сел на своей кровати и сгрёб подушку в объятья, не подозревая, как похож в эту минуту на героя картины «Иван Грозный и сын его Иван».

Мысли крутились вокруг дочек и зятьёв. Конечно, Валерка лучше Коли — но, может, это только отсюда так кажется. Дома-то Валерка его тоже постоянно расстраивал: свастики по стенкам не вешал, зато президента ругал чуть не матерными словами, и родную страну хаял, и даже над Днём Победы потешался.

— Что празднуют — сами не понимают! — говорил Валерка, пальчиком поправляя очки на переносице. Романов всякий раз давил в себе желание ударить его в указанное пальчиком место — по-настоящему давил, толкал внутрь себя, как в молодые годы они толкали пробки в бутылки, когда под рукой не было штопора.

Директор чувствовал, что зять его презирает — хотя и лебезит перед ним накануне первого и пятнадцатого числа каждого месяца. В эти дни Романов обычно выдавал семье дочери деньги — и несколько раз, сердясь на Валерку, урезывал обычную сумму вдвое.

Анна, конечно, выговаривала мужу — но он, как подросток, сколько-то сдерживался, а потом всё

равно срывался и начинал ругать власть, начальство, трусливую общественность. Он и был по
сути своей настоящий подросток — но при этом
отец двоих детей.

А Колю вообще не поймёшь.

Романов засопел, вспоминая Антонину Фёдоровну, которая советовала во всём находить хорошие стороны. Вот, например, то, что Александра
идёт вслед за мужем, а не пытается его оседлать
и пришпорить, как делала младшая дочь со своим
Валеркой, — это, конечно, неплохо. Может, со
временем им надоест вся эта индийская дурь — и,
чем мух разводить, родят Романову ещё одного
внука. Нормального, понятного мальчика — чтобы на рыбалку ходить, зимой — хоккей, летом —
футбол...

Александра, рассказывал подушке Романов,
всегда склонялась к вегетарианству: ещё когда
они с сестрой были маленькими, Анна грохнула
на лестнице мешок с яйцами — не донесла из га-
стронома. Александра плакала над этими яйцами,
как над живыми людьми:

— Из-за тебя, Анечная, столько цыплят зря отдали свои жизни!

При этом старшая любила читать книжки про
испытания, муки и пытки.

Только под утро Романов тяжело вздохнул, вы-
ронив совсем уж старческое «о-хо-хо-хо-хо-хо»,
положил терпеливую подушку под голову и закрыл глаза, засыпая.

Ему приснилось, что он учит дочек рисовать
пятиконечные звёзды:

— Начинаем выводить как букву «А», но от правой ножки проводим лучик влево наискось, а по-

том — вправо и вниз, к левой ножке. Вот какая звёздочка получилась! Загляденье!

Свастику они выучились рисовать без него. Дурное дело нехитрое.

Вода

Утром Романов проснулся от запаха — удушливого и тревожного, хорошо знакомого с детства. «Мыши!» — вспомнил директор и натянул на себя тощее одеяло.

Как будто отозвавшись, по комнате деловито пробежал довольно упитанный мышонок. Он мельком глянул на Романова, но не нашёл его хоть сколько-нибудь примечательным и проявил таким образом коллегиальность с новым руководством завода.

— Антисанитария, — ворчал Павел Петрович, нашаривая ногами тапки и начисто позабыв, что никаких тапок ему здесь не дали, а свои он как-то не догадался привезти. Не в больницу, чай, ехал — на свадьбу к дочери!

Из кухни пахнуло больничной едой.

— На завтрак — рис! — крикнула Александра. — Давайте, мальчики, скорее!

Павел Петрович предпочёл бы яичницу из трёх яиц с поджаренным чёрным хлебом и докторской колбасой, но решил, что не будет портить невесте настроение. Вместе с Колей, уже побрившимся и всё ещё настороженным, директор сел за стол и покорно съел миску суховатого риса. Пили процеженную воду, и Романову почудилось, что он начинает чувствовать в ней какой-то вкус.

— А кем работает твой Коля? — спросил директор у дочери.

Александра стала объяснять, что Николя учился на ювелира, в Индии у него была фирма, но потом ему пришлось вернуться во Францию, и здесь он никак не может найти работу. Поэтому живёт на пособие, но оно довольно приличное, так что им хватает.

— А как в твоей школе переводчиков относятся... ну... к этим вашим повязкам и метёлкам?

Вчера дочь показывала ему небольшую метёлочку, которую джайны носят с собой — подметают улицу, чтобы не затоптать ненароком какую-нибудь букашку.

— Культурное многообразие никто не отменял, — усмехнулась дочь. — В Европе уважают право на выбор, папа.

Она хотела добавить «Это ж не Россия», но вовремя спохватилась — и промолчала. Не стоило затевать с отцом дискуссий, он всё равно не поймёт. Да и некогда — уже через час нужно быть в мэрии!

Романов удивился, что дочь всё ещё не одета — Анна на своей свадьбе трижды переодевалась, и каждый раз это делалось подолгу, с капризами и нервами. Александра на пять минут скрылась в ванной — и появилась оттуда в бежевых брюках и простой белой блузке.

— Так и пойдёшь? — изумился отец.

— А ты думал, я, как Анька, надену на себя торт из кружев? Мы против бесцельной траты денег.

— Но это же память, — расстроился директор. — И я присылал деньги на платье, я же помню!

Александра покраснела.

— Мы решили потратить их на нужды нашей общины. Всё, папа! Давай облачайся в свой костюм — и поехали!

Случайные прохожие, видевшие их тем утром, ни за что не догадались бы, что это жених с невестой и её отцом. Коля был в затрапезной рубашке и джинсах, и на его фоне Александра выглядела почти нарядной — ну а самым разряженным оказался Павел Петрович в добротном синем костюме, белой рубашке и бледно-голубом галстуке. В начищенных туфлях отражалось парижское небо с облаками. Рот у Коли был закрыт белой повязкой, Александра из уважения к отцу сняла свою повязку и положила в карман.

У входа в мэрию — красивое здание с башенкой — их поджидали друзья — такие же точно чуды, как выразилась бы Антонина Фёдоровна. Одеты кое-как, повязки, метёлки, а самый старый из всех, с кожей шоколадного цвета, был завёрнут в белую ткань, как ребёнок, играющий в привидение.

Работница мэрии и глазом не моргнула, когда эта странная компания вошла в комнату, где Александру и Николя объявили мужем и женой.

Ни цветов, ни подарков, ни поцелуя — дочь и зять расписались в книге, кивнули работнице мэрии и буднично вышли из красивого здания в свою новую жизнь.

— Папа, наши друзья пойдут пешком, — объяснила Александра. — Джайны не пользуются транспортом, потому что какое-нибудь живое существо может попасть под колёса. Николя — с ними, а мы с тобой поедем. У джайнов не принято осуждать чужую культуру.

— Так вы же только что поженились! — возмутился директор. — И сразу расстаётесь! Не по-людски это, Саша! Давай уж я тоже со всеми пойду.

— Ой, правда? — обрадовалась дочь, в секунду превратившись в юную Антонину Фёдоровну. — Спасибо, папа!

По дороге Александра рассказывала о самом старом госте — он был настоящий монах, и волосы у него на голове были не выбриты, а вырваны с корнями!

— Это настоящий образец аскетизма, и для нас большая честь, что он будет делить с нами трапезу. Впрочем, джайны очень мало едят.

Романов глянул на «образец аскетизма», который шёл впереди, переступая тощими голыми ногами в сандалиях, и с тоской представил себе предстоящую трапезу.

В квартире уже суетились незнакомые девушки — они показались Романову симпатичными, и он попытался втянуть брюшко. Был накрыт стол — миски с овощами, творогом, очередными ростками, вода в кувшинах, плотно закрытых сверху крышками. Ни водки, ни рюмок.

Молодожёны сели во главе стола, Романова посадили по правую руку от дочери. Александра сияла и с такой любовью смотрела на своего кривобокого мужа, что у Павла Петровича что-то дёрнуло в сердце — как будто пытались повернуть заржавевший вентиль. Вспомнил давнюю бабушкину присказку — о тех, «кто слаще морковки ничего не едал». Вспомнил покойную супругу — всё бы отдал, лишь бы она сидела сейчас рядом и крепко держала его ладонь под столом: «Потерпи, Паша! Что теперь поделаешь?» Он как будто ощутил кольца

Антонины Фёдоровны — они всегда впивались ему в руку, когда она урезонивала мужа.

У молодожёнов были дешёвенькие серебряные колечки. Ювелир-то мог бы и побогаче спроворить, мелькало у Романова, пока симпатичные незнакомые девушки наполняли его тарелку безвкусной едой.

Монах действительно почти не ел, зато сказал несколько слов надтреснутым, редко используемым голосом, и склонил голову.

— Это он про тебя, папа! — обрадовалась Александра. — Он рад приветствовать тебя и поздравляет с тем, что у тебя... такие хорошие дети!

Романов с огромным трудом улыбнулся. Ржавый сердечный вентиль крутили в груди как будто несколько рук сразу. Внутри горел огонь.

Ему был нужен воздух.

И твёрдая, пусть даже чужая, земля под ногами.

— Сашенька, Коля! Мне пройтись нужно. Кружок по району сделаю — и вернусь.

— Но папа, мы только сели, — попыталась возразить Александра.

— Ничего страшного! Поешьте, там, это самое... Помолитесь, или как оно у вас называется?

— Медитация, — сказала дочь. — Только ты недолго, ладно? Ты же совсем не знаешь город.

— Конечно, недолго. Я сотовый взял, так что не волнуйся. Как это у вас говорят, это самое, на связи?

Не глядя на гостей и улыбаясь всем сразу неестественно широкой улыбкой, Романов вышел из комнаты и забрал из холодильника бутылку.

Директор действительно собирался сделать небольшой круг, точнее — квадрат, обойдя ближайшие улицы и выпив на какой-нибудь скамейке. Но как только он свернул за угол, рядом с булочной, где были выставлены длиннющие батоны, похожие на мечи, остановилось такси.

Первое за всё это время такси в дочкином районе. Водитель приветливо выглянул из окна и что-то спросил.

Романов пожал плечами — не понял ни слова.

Тогда водитель стал делать приглашающие жесты, открывая перед Романовым дверцу.

Директор решил, что водитель его с кем-то путает, и стал мотать головой.

Таксист не унимался и хлопал рукой по сиденью пассажира, как делают маленькие дети, требуя, чтобы мама села рядом.

А что, если правда поехать?

Он этого Парижа вообще не видел, хоть Эйфелеву башню посмотрит.

Вот и сердце в груди улеглось, как будто перестали крутить вентиль.

— Вези, это самое, к башне! — велел директор, садясь и пристёгиваясь.

Водитель рванул с места. Рот у него не закрывался, слова вылетали как орехи из рваного пакета. И все до единого — непонятные. Проще орех зубами раздавить, чем разобраться, о чём он толкует.

— К башне! — пояснял Павел Петрович. — К воде!

Он помнил, что башня стоит на берегу реки. А река всегда — главный ориентир.

— Вода! Буль-буль! — повторял директор, опасаясь, что водитель его не понимает, но он услужливо кивал, ехал и довольно быстро остановился у речки. Речка была узенькой и никакой башни видно не было. Наверное, ближе не подъедешь — как-никак достопримечательность.

Романов расплатился с водителем и спустился к деревьям, обступившим реку, как любопытные старухи. У изножья каждого дерева — металлический круг, напомнивший директору газовую конфорку, какие были ещё на старой квартире. На одной из «конфорок» лежали свежие собачьи какашки, похожие на сигары.

Башню не видать ни спереди, ни сзади.

Над рекой висел пешеходный мост.

Павел Петрович почувствовал себя изношенным и старым, как холодильный агрегат, которым пользовались несколько поколений семьи и теперь к нему же предъявляют претензии: с чего это он вдруг сломался под праздник?

Как будто агрегату есть дело до ваших праздников.

Когда дочки были школьницами, в девчачью моду вошли заколки-автоматы — мать где-то купила такие и Анне, и Александре. Младшая взяла в привычку вхолостую щёлкать замочком своей заколки, и Павел Петрович терпеливо разъяснял ей, что каждое техническое устройство рассчитано на определённое количество использований — рано или поздно оно выйдет из строя.

Вот и человек устроен так же, размышлял директор.

Под мостом шёл кораблик с туристами. Какой-то ребёнок на борту помахал директору, и он вяло ответил.

Карман плаща оттягивала бутылка, похожая на гранату, которой можно взорвать себя и часть мира вокруг, если будет совсем невтерпёж.

Но только часть.

— Отец, закурить не будет? — сиплый голос прозвучал так неожиданно, что директор чуть не выхватил бутылку из кармана — а мысленно уже вырвал чеку.

Бомж. Морда — красная, глаза — стеклянно-синие, и на одном — бельмо. Слегка доработанный флаг Франции — или России. Пахнет от него не хуже, чем от стоячей воды, — но ведь по-русски говорит!

И это слово — «отец», такое нужное и своевременное...

— Не курю, — почти с сожалением сказал Романов. — Бросил.

Бомж достал из кармана (если это был карман) коробку спичек и тряпку с завёрнутыми в неё окурками. Прикурив, задул огонь и бережно сложил обгоревшую спичку обратно в коробок.

Романов никогда не думал о том, что у него может быть нечто общее с бомжами, — он считал их наростами на теле общества. Всего один раз, когда они с Люсей отдыхали в Италии, он испытал интерес к бездомной женщине, жившей прямо на пляже, где купались отдыхающие. Днём её никогда не было, на лежаке под выцветшим зонтом оставались какие-то пакеты и коробки. Появлялась бездомная к вечеру, когда отдыхающие спорили, в какой ресторан пойти ужинать. Она приносила с собой канистру пресной воды, мешок с яблоками, сорванными, по всей видимости, где-то поблизости, и устраивалась на своём лежаке, глядя, как темнеет море, сливаясь с песком и небом. Бездомная была красива, хотя и очень немолода, — и в ней жила особенная, изощрённая тайна. Тогда Романов впервые в жизни пожалел, что не знает по-иностранному и не может поговорить с ней. Предлагать ей деньги было глупо — люди с такими лицами не принимают подаяний.

Ночами на её лежаке горел фонарик, и Романов вглядывался туда с балкона гостиницы, но различал только этот слабый свет — и слышал, как бьётся о берег невидимое в темноте море.

Бомж стоял рядом с директором — заросший до самых глаз мужик, на каких пахать можно, но никто не пашет, потому что «не запрягли».

— Выпить хочешь? — спросил директор, и синие губы бомжа растянулись в страшную улыбку.

Его звали Саней, и он считал себя парижанином. Объяснил, что башню *отец* здесь ищет напрасно — это не Сена, а канал Сен-Мартен. До башни отсюда пилить и пилить.

— И на кой она тебе сдалась? — смеялся Саня, ловко вливая в себя водку.

Директор рассказывал Сане о том, что он всю жизнь возглавлял завод по производству медных труб.

— Огонь, вода и медные трубы, — понимающе сказал Саня.

Отсюда, из Парижа, директор видел свой завод царством, которое у него отвоевал более удачливый властитель.

Со слезами на глазах вспоминал снабженца Кудрявцева, жаловался на Люсю, тосковал по жене.

Саня предложил директору окурок, и тот добил его с удовольствием, как в детстве.

Допили водку быстро, а темнело — медленно. Но вот зажглись фонари, и в небе взошёл ясный месяц, похожий на спелый банан.

Романов рассказывал Сане про своих дочек, Анну и Александру, про зятьёв Валерку и Колю, про то, что мух давить нельзя, а вот людей — можно.

— Но ведь у них всё было, пусть мы и держали их строго, но всё было, всё! — Романов обхватил Саню за плечи, бомж не возражал. — Когда в новый дом переехали, балкон был такой, это самое, что мать заливала его как каток! Дочки на коньках катались по балкону, где ты ещё такое видел?

Саня божился, что нигде.

Директор плакал, глядя на воду канала Сен-Мартен. Сегодня было много воды — процеженной, стоячей, солёной.

Проклятые руки снова начали крутить в груди железный вентиль.

— Отец, у тебя звонит, — сказал Саня, жадно вглядываясь в пульсирующий карман.

Александра.

— Папа, где ты? Я чуть с ума не сошла! Николя весь квартал на три раза обошёл, мы уже хотели полицию звать. Ты почему на звонки не отвечал? Зачем ты так со мной поступаешь?

— Прости меня, доченька, — сказал Романов. — Сейчас приеду, я всё запомнил: станция «Крым», потом налево и ещё раз налево. Деньги есть.

— Ты что, пьяный? — испугалась Александра. — Вот лучше бы, правда, дома сидел!

Павел Петрович нажал отбой — и протянул телефон Сане. Тот бережно спрятал подарок в карман — если это, опять же, был карман, а не дыра в лохмотьях. Они обнялись и простились, и в тот же миг пошёл дождь из тех, что обрушиваются без предупреждений. Как будто над головой опрокидываются бочки с водой — одна за другой.

Лужи вздулись пузырями.

Директор бежал к метро, но прежде чем спуститься вниз, успел заметить ещё одного бомжа — этот человек лежал под дождём на вентиляционной решётке метро. Бомж закрыл лицо одеялом и грелся теплом, которое вместе с шумом дарили ему проходящие поезда.

Казалось, он крепко спит.

Рыба в воде

повесть

1

В общем-то я никогда не сомневалась в том, что счастлива, — даже когда всё вокруг убеждало в обратном, да не тихо, вкрадчивым шёпотом, а воплем во весь голос. Какое там счастье, если жизнь разваливается и ты сама тоже, вполне возможно, вскоре развалишься на куски, но при этом внутри тебя — звенящий ангельский хор... Сумасшедшие счастливы просто оттого, что живы. А всем остальным нужны ещё какие-то причины для радости: чтобы повысили зарплату, чтобы перестала мучить совесть и установилась приятная тёплая погода без осадков, но при этом чтоб не погиб урожай, и пусть не будет войны, а сына удастся отмазать от армии... Человеческие желания засоряют самое вещество жизни, и вот мы уже не понимаем, чему радоваться, а чего бояться. Мы словно уклоняемся от пуль — но ведь среди них есть и те, что с лекарством.

...Лекарства мне почти не помогали, но стоили при этом таких денег, что муж каждый раз платил за них, зажмуриваясь. Нет ничего хуже разговоров о болезнях — я избегала их, сколько могла, а потом ушла в свою хворь целиком, как под воду с головой. Тогда уже и говорить было не о чем: да и как поговоришь, если кругом вода. Такое странное состояние — чувствуешь себя чугунной болванкой, не имеющей никакого отношения к живой женщине по имени Таня, и ждёшь момента, когда можно будет оставить неподъёмное тело в квартире, надоевшей до смерти, и взлететь к потолку семиграммовым воздушным шариком, а потом выпорхнуть в окно, взять курс на восток и промчаться над всем Челябинском, глядя сверху на пыльные крыши...

— Что именно вас беспокоит? Где болит?

Наматывали круг за кругом — от терапевта к онкологу, от хирурга к остеопату, веер листочков с направлениями на анализы, липкий от геля для УЗИ живот, лекарства, которые я принимала курс за курсом, и они поначалу, кажется, помогали, но болезнь — или что это было? — научилась обходить препараты стороной, как рыба — подводные камни.

— С чего всё началось, можете рассказать?

Мы с мужем были в театре. «Лебединое озеро». Места оказались очень неудачными, но ещё до начала спектакля муж договорился с администраторшей, чтобы нас пустили в ложу. Дима, мой муж, нравится администраторшам, вахтёршам, бабушкам из регистратур в поликлинике — у него немного старомодная красота, именно такие мужчины считались видными в пору юности всех этих бодрых, работящих старушек. «Похож на начальника». На самом деле Дима имеет весьма опосредованное отношение к начальству — он личный водитель Карла Евгеньевича, директора завода N-маш. Карл Евгеньевич и сам любит посидеть за рулём, но ему такие выверты не положены по статусу — и мой муж, чередуясь со сменщиком Серёгой, возит его по всем делам, как ценный груз. Серёга — маленький и краснолицый любитель пива, классический шофёр, из тех, что полагают: начальство существует для водителей, а не водители для начальства. Поэтому Карл Евгеньевич предпочитает моего мужа; впрочем, его все предпочитают — и я до сих пор не понимаю, почему он выбрал меня, а не какую-нибудь красавицу с местной пропиской.

Так вот, мы сидели в ложе и смотрели, как танцуют маленькие лебеди. Сцепившись руками крест-накрест, маленькие тощие девчонки прыгали по сцене, как воробушки, и наша соседка по ложе сказала своей подруге:

— Между прочим, это довольно сложная хореография.

Маленькие лебеди допрыгали до нашего края сцены, и я вдруг даже через музыку, поверх её, как будто это были помехи в эфире, услышала их тяжёлое изнуренное дыхание. Рыбы, вытащенные на берег. Танец маленьких лошадей. И вот в тот самый момент я впервые и почувствовала — точнее, впервые не почувствовала своих ног. Подумала, виноваты туфли — лодочки на высоких каблуках, которые были надеты сегодня только во второй раз. Я незаметно сняла их, но странное онемение не исчезло, а стало подниматься вверх по ногам. Первый акт давно завершился, соседки по ложе исчезли, даже прозвучал первый звонок ко второму акту, а я всё никак не могла встать с места. Дима испугался, сказал: поехали-ка лучше домой, Бог с ними, лебедями и озёрами, но мне было жаль денег за билеты, поэтому мы остались до самого конца. На поклонах я ощутила в ногах мелкую дрожь и обрадовалась ей, как доброму известию.

Приступ повторился через неделю, на работе. Я банковский юрист и должна сказать, что девочка из посёлка Париж Нагайбакского района мечтать не смела о такой должности. Та девочка, с которой у меня теперь не больше общего, чем с любой другой шестнадцатилеткой, выросла в парижской глуши, посёлке-обманке, куда заезжают иногда любопытствующие автомобилисты: нет, ну надо же, Париж! А ещё тут есть Берлин, Лейпциг, Фершампенуаз — подумать только!

Казаки из кряшенов — крещёных татар, бивуаки которых стояли на Елисейских Полях в 1814 году, — получили высочайшее дозволение называть свои станицы в честь взятых европейских городов. Предки наших соседей (моя семья не из казаков — крестьяне Муравьёвы, ничего примечательного, ни одной фамильной тайны) вошли в Париж первыми, и прозвище родной станицы напоминало о героической молодости дедов, когда те ловили золотистых доверчивых карпов в Фонтенбло и пугали монмартрских кабатчиков криками: «Быстро, быстро!» Наш Париж — обыкновенный посёлок, каких на Южном Урале сотни; впрочем, с недавних пор здесь есть вышка сотовой связи в виде Эйфелевой башни.

Меня все эти славные истории не занимали: сколько себя помню, столько и мечтала уехать из

Парижа, где перед Эйфелевой башней лежат коровьи лепёшки, а школьное крыльцо перекосило ещё в прошлом веке. Я хотела жить в большом городе, где есть асфальт, театры и большие магазины, а не сельпо, где продавщица в грязном халате торгует и книгами, и луком-севком. Пусть не Москва, не настоящий Париж, всего лишь Челябинск, отделение N-банка на улице Сони Кривой — для меня это всё равно был огромный шаг. Такой огромный, что ноги не справились, и тело, оторванное от родной земли, в конце концов возмутилось.

Тот приступ во время рабочего дня был много хуже первого, «балетного». Я не смогла встать с места, даже когда все начали собираться домой — моя начальница Мария Марковна спросила, что случилось, а я не могла ничего объяснить и позвонила Диме. Он вынес меня из здания банка на руках и сразу же увёз в больницу: так началась лечебная эпопея, которая по сей день ничем не закончилась. Мы привыкли к обследованиям, муж теперь уже не уходит из поликлиник в бахилах как делал поначалу, но по-прежнему не понимает: почему, за что, как с этим справиться?

В Париже о моей хвори узнали не сразу — мы так бы и не рассказали правду, потому что родителей надо беречь. Папы моего давно нет на свете, а у мамы столько забот: огород, скотина, работа... Не хотелось увеличивать этот список.

Старшая сестра Наташа — у нас с ней разница в одиннадцать лет — приехала той весной в Челябинск, чтобы купить выпускное платье для Евки. Племянница оканчивала школу и собиралась в Екатеринбург — поступать в театральный. То, что она не взяла с собой Евку, может показаться странным только тем людям, которые ни разу в жизни не видели Наташу и не имеют понятия о том, как она устроена. Сестра ни разу в жизни ни в чём не сомневалась, она до отказа набита премудростями и ценными советами, которые буквально сыплются из неё на ходу. Ясно, что у Евки не было ни единого шанса самостоятельно выбрать себе наряд для выпускного — к тому же племянница обожает свою маму и считает, что она обладает изысканным вкусом (сделаем вид, что не помним ту юбку с вырезом до трусов, в которой Наташа отплясывала на моей свадьбе). А жаль, что Евка не приехала — я люблю свою племянницу, к тому же она гасит бурное Наташино кипение. Сестра крепко обняла меня на пороге, после чего начала последовательно одаривать парижскими деликатесами: огурчики, помидорчики, вареньице ешьте сразу.

— Чего такая бледная, Тань? — спросила Наташа, когда мы с ней уже расставили все банки по полкам, все точки над всеми буквами. — Болеешь?

Я сказала, что плохо спала сегодня, но сестра, ожидающая моей беременности едва ли не больше нас с Димой, сделала хитрое лицо:

— Понятно!

Они с Димой допоздна сидели за столом, а я ушла спать в половине десятого и утром не смогла встать с постели. Объяснить это сестре можно было единственным образом, самым простым и самым сложным, — сказать правду. Наташа, бесстрашный воин, мой лучший, мой невыносимый друг, расплакалась, как маленькая девочка. Я даже не догадывалась, что так дорога ей: она из породы однолюбов, не в расхожем смысле этого слова, а в другом, главном, значительном, и я всегда считала, что сердце её одноместное и там хватает места только на Евку.

Конечно же, Наташа повезла новость в Париж — вместе с выпускным платьем фиалкового цвета, туфельками сорок первого размера (Евка у нас крупная девушка) и кремом для депиляции, каких в Париже до сих пор не продают в связи с полным отсутствием спроса. И вскоре я начала получать письма от мамы — бесконечные, многостраничные письма в конвертах. Мария Марковна удивлялась, глядя, как я открываю конверты из Парижа:

— Неужели ещё кто-то пишет такие письма?

Несмотря на Интернет, который есть в Париже, пусть и не в каждой избе, мама предпочитает старую добрую «Почту России» — да и пишет точно в том же стиле, какого придерживались её мама и бабушка, высланные на Южный Урал из Пензенской области как неблагонадёжные элементы, зажиточные крестьяне, кулаки. Сначала мама долго здоровается и передаёт приветы моему мужу, подругам и начальству. Затем подробно рассказывает о погоде и хозяйстве, учениках и парижских новостях (кто умер, кто женился), ну а после приступает к советам — как мне устроить свою жизнь, лечиться и вести себя в семье.

«Помни, Татьяна, мужчина любит жену здоровую, а сестру — богатую. Не позволяй болезни нарушить ваши отношения. Терпи, сколько сил есть, а вообще нужно найти хорошего врача, чтобы он понял, в чём здесь дело. У нас в семье такого не водилось, ногами отродясь никто не мучился — другое дело, если спина или по женской части...»

И здесь же, без лирических переходов и растушёвок: «Я договорилась с Батраевыми, что они дадут нам адрес бабки в Фершамке. Бери за свой счёт, и Дима пусть попросит у начальства по семейным обстоятельствам».

Поселок Фершамка — то есть Фершампенуаз, Нагайбакский районный центр — большое село, где при желании можно найти и крем для депиляции, и бабку-знахарку.

В мастерство этой бабки ни я, ни муж не верили — но не смели ослушаться мамы. Даже Наташа на её фоне похожа скорее на спящий вулкан: с мамы сталось бы приехать в Челябинск, закатать меня в ковёр и увезти на лошади в Париж. За долгие годы жизни рядом с нагайбаками мама тоже стала похожа на казачку — во всяком случае, характером.

Дима сказал, поедем на майские — Карл Евгеньевич улетит к дочери в Европу, банк отдыхает «как вся страна». Не нужно никого просить, никаких «за свой счёт» и «по семейным обстоятельствам» — зальём полный бак и здравствуй, Родина! Увидеть Париж, чтобы не умереть.

2

Сверкающее майское утро, город ещё не проснулся. Дима развернул карту области, заляпанную синими каплями озёр (будто бы кто-то тряхнул над ней кистью — или расплакался), и сказал:

— Слушай, мы сто лет в Париже не были!

Это правда, мы редко бываем на моей родине — и некогда, и не хочется. Я год от года старательно забываю поселковую жизнь. И не люблю, когда спрашивают, где я родилась.

Пока Дима соображал, как укоротить дорогу до Парижа, я достала из сумки вчерашнее мамино письмо. Пропустив — как школьник пропускает описания природы в классическом романе — многословные зачины и добрые пожелания (мама, помимо прочего, питает слабость к восклицательным знакам — и выстреливает всю обойму разом), перешла к основной части послания.

«Я тут подумала, Татьяна, что все эти твои недомогания имеют в себе причиной метеорит! Ты начала болеть, когда он упал, так ведь?»

Действительно, мы ходили в театр в конце февраля 2013 года — спустя неделю после падения метеорита, когда знакомые при встречах рассказывали о том, как на них обрушилась дверь и как в результате свекровь попала в больницу, а у соседей вылетели все стёкла... Мы отделались легко, даже и в голову не пришло сопоставить падение небесного тела на грешную южноуральскую землю с мо-им «обезножьем», как выразилась опять-таки мама.

«Нужно найти кусочек метеорита, — продолжала она свою мысль, — попроси у Димы, он договорится с кем-нибудь, у кого есть. Возьми этот кусочек, плюнь на него три раза, а потом закопай под деревом в лесу (пусть Дима тебя отвезёт) и прочти молитву».

Спрятала письмо обратно в конверт, не добравшись до финала. Мамина мудрость действует на меня примерно так же, как падение метеорита на экономику Челябинской области.

Доехали до Коркина, откуда лет десять назад Диму забирали в армию. Я смотрела на мужа и думала: почему он не бросит меня? Так поступили бы десять мужчин из десяти... Забеременеть у меня никак не получается, а тут ещё и это... Я бы на Димином месте, скорее всего, ушла от себя — нашла бы какую-нибудь другую жену, молодую, здоровую, с нетронутым запасом живучих яйцеклеток.

— Ты что так смотришь, нехорошо тебе? — заволновался Дима. Перед нами шёл караван тяжёлых медленных фур — и никакого просвета на встречной. Я не умею водить машину, то есть в теории я знаю все правила, но на практике они мне так ни разу и не пригодились. Дима много раз усаживал меня за руль, и я какое-то время ехала по прямой, но как только ситуация на дороге начинала требовать включенности, поступка, решения, я тут же бросала руль и останавливалась.

— Ваше место на дороге только в качестве пешехода, — важно сказал инспектор ГИБДД, которому я трижды пыталась сдать вождение.

Фура, что шла перед нами, замигала поворотником и съехала на обочину. Дима перестроился на очень кстати опустевшую встречную и обогнал, как в детской игре, сразу несколько грузовиков и грязненькую «пежо» с екатеринбургскими номерами, которая и держала весь этот караван на привязи, как рыбёшек на кукане.

Мы вырвались вперёд, и целый мир лежал перед нами вплоть до Южноуральска, где ремонтировали дорогу. Полчаса стояли у временного светофора, успели выпить чаю из термоса и съесть полпакетика сушек. Ноги мои вели себя вполне прилично — то есть они в буквальном смысле слова могли меня куда-нибудь вести.

Когда Южноуральск наконец остался позади вместе со своим ремонтом, мы полетели по опустевшей трассе. Небо голубело как озеро, озёра синели как небеса. Облака напоминали медуз. По соснам, тянущимся вдоль трассы, хотелось провести рукой как по струнам.

И тут я поняла, что не чувствую правую ногу. Хуже того, онемела ещё и правая рука — такое случилось впервые. И если к предательству со стороны ног я уже привыкла и худо-бедно к этому приспособилась, то измена руки выглядела полным концом света.

Облака больше не напоминали медуз, небо могло быть какого угодно цвета, озёр я вообще не видела.

Мы съехали на обочину, включили «аварийку». Дима судорожно искал лекарства в сумке, я трясла правой рукой, как посторонним предметом, не чувствуя ничего, — и в конце концов ударила ею со всей силы о лобовое стекло. Сил моих нет! Вернёмся — найду метеорит и буду плевать на него с молитвой...

— Ты что творишь? — рассердился муж. — Прекрати немедленно! На вот, выпей.

Я проглотила сразу три белых таблетки и две жёлтых, запила всё это чаем. На запястье всё ещё мёртвой руки расплывалось красное пятно, в перспективе — синяк.

Мимо, торжествуя, проехал грязненький «пежо», следом, как в кортеже, проследовали шесть фур. Мощные волны сотрясали нашу машину. Минут через десять Дима спросил:

— Идти можешь?

Я поставила ноги на землю, тело тряслось, как у пьяной. Но вдруг высокий зелёный стебель щекотнул колено — и я это почувствовала! Рука оживала значительно дольше, и я успела дойти — уже одна, по делу! — до ближайших кустов. Комары — медленные, мягкие и грациозные, как балерины, — впивались мне в плечи, и я наслаждалась их укусами, потому что ощущала их. От земли пахло хлебом. Солнце висело над макушкой, как прожектор.

Через полчаса мы снова обогнали караван грузовиков под предводительством «пежо», потом прошёл дождь — весенний, яростный и быстрый, — и вот уже указатель «Пласт», а значит, совсем скоро — Фершамка и Париж, можно обойтись без услуг заплаканной карты. Машина летела вперёд, туда, где небо распахивалось пополам, как книга, прочитанная до середины.

Вдали над Парижем висела громадная синяя туча. Время от времени она вспыхивала раскалённой добела молнией, и это было похоже, как если ударишься локтем («нервом», как выражается мама) о самый острый в доме угол.

Позади вновь вырос тот самый «пежо» — он явно собрался нас обогнать, водитель выжимал из своего автомобиля все соки, перестраиваясь на встречную полосу. Дима мигнул поворотником: обгоняй! Из открытого окна «пежо» свисала рука пассажира — локоть был круглым и чёрным от въевшейся грязи.

Мы въехали в Фершампенуаз и сразу же остановились — посреди дороги лежала большая лохматая псина.

— Собьёт кто-нибудь! — сокрушался Дима, осторожно объезжая собаку. Псина даже не повернула головы в нашу сторону. Иногда мне тоже хочется лечь на проезжей части — но мужу я этого, конечно, не скажу.

Пролетев Фершамку, тряслись ещё двадцать километров по условно хорошей дороге. Туча лежала над посёлком широкополой синей шляпой. Дождя здесь не было, и только молнии по-прежнему вспыхивали — как будто кто-то в небесах махался шашками. Гром раскалывал воздух на кусочки. Девушка-туристка в жёлтой футболке обвилась вокруг указателя «Париж» как вокруг шеста в стрип-клубе — позировала для фотографии.

Дима остановил машину на улице Форштадт. Евка бежала к воротам, теряя калоши.

3

Ах, Париж, мой Париж... Всё вспомнилось в секунду, большой каменный город отъехал на задний план. Нет и никогда не было на свете N-банка, нашей с Димой квартиры, кино, клубов и сети вай-фай. Яркие крыши, палисадники, распираемые сиренью — уже кое-где поржавевшей, процветающей... Ранняя весна была в Париже — в Челябинске сиренью ещё и не пахло. Гуси деловито топчутся вокруг поленницы. Коровы, опьяневшие от воли и воздуха, пьют из лужи. Мама с такой силой стискивает меня в объятьях, что я взвизгиваю от боли и радуюсь этой боли не меньше, чем маме. Наташа кричит из огорода, чтобы мы не копались и накрывали на стол, хотя сама вот именно что копается в земле.

Говорят, был сильный дождь — как из водяных пушек, но теперь небесное войско передислоцировалось, и гром едва слышен — как чей-то стихающий гнев. Мама тащит меня на веранду и крутит во все стороны — будто я новая кукла, которую она собирается купить. Евка ноет, чтобы я срочно посмотрела какие-то фотографии. Дима уже в огороде, пытается отнять у Наташи лопату.

— Не так плохо, как я думала, — заключает мама, окончив осмотр. — Но тощая какая, смерть смотреть! Один нос остался. Так что к бабке завтра всё равно поедем, Батраева сказала, её даже батюшка из Магнитки благословляет. Бабка истинно верующая, берёт только продуктами. Икру привезла?

Вручаю маме сумку с продуктами — банки с икрой, колбаса, шампанское, конфеты. Традиционный городской набор.

— Теперь я буду вас кормить! — торжествует мама.

А вот об этом я забыла — и напрасно! Я мало ела и до болезни, а теперь каждый приём пищи — испытание. Готовлю для Димы, но сама глотаю разве что кусочек, и даже его мне всегда слишком много. Маму и так-то легко обидеть — она от любого слова вспыхивает, как сухая трава от непотушенной сигареты. Ну а если закрывать тарелку ладонью и пытаться улизнуть из-за стола, не перепробовав всех блюд, — это будет обида такой силы, что Эйфелева башня покачнётся.

Пытаюсь схитрить:

— У меня диета. Лечебная.

— Ну немножко-то можно нарушить? Чай, к матери приехала, не к Матрёне Сидоровне!

Про Матрёну Сидоровну я слышу с детства, но так до сих пор и не уяснила — реальный это человек или же собирательный образ неумелой неряхи.

Пока Евка накрывает на стол, я сижу на диване и смотрю на старые часы-ходики, которые прожили в нашем доме значительно дольше меня. Их когда-то давно выдали отцу как премию — я помню, что он ими очень гордился. Там даже есть гравировка: «Муравьёву П.С., победителю соцсоревнования».

Часы — будто услышали мои мысли — пробили четыре раза. И тут же заскрипела калитка, а потом — ещё и ещё раз. Соседи шли к столу с тарелками, банками и кульками: впереди всех статная тётя Лида Батраева с внуком Коленькой. Коленька нёс тарелку с пирогами на вытянутых руках — и я вдруг подумала, что мой ребёнок, который решил не рождаться восемь лет назад, был бы сейчас такого же возраста. Коленька на одни пятёрки учится в школе, изучает нагайбакский язык в кружке, играет на баяне в самодеятельности, пишет стихи и делает множество других совершенно недоступных мне вещей.

Мама — классный руководитель Коленьки, второй, после бабушки, его штатный обожатель.

Все рассаживаются за столом и начинают есть: одни — окрошку с пирогами, другие — моё лицо.

Тётя Лида не выдерживает первая:

— В Париже́-то сколь не была, Татьян?

— Года два, — признаю я.

(На самом деле — значительно дольше.)

Соседи укоризненно вспыхивают, но мама вступается:

— У Татьяны работа серьёзная, некогда ей.

— Бледная какая, — замечает Рая Ишмаметьева, моя бывшая одноклассница. У неё уже двое детей — она достаёт телефон, и, тыкая в экран пальцами, показывает сына и дочку на ёлке, в лагере и на море.

Рядом с Ишмаметьевой сидит Лиза Иванова — в детстве мы с ней часто бегали друг к другу в гости через улицу. У Ивановых стояла ванна во дворе, и там в жаркие дни была налита холодная вода для купания. Лиза однажды предложила мне освежиться, я, конечно, согласилась — а потом получила от мамы по первое число. И Наташе досталось, что не усмотрела:

— Они там все в этой ванне плещутся, и мужики тоже! В одной воде! Чтоб не смела больше, дрянь такая!

Слово «дрянь» мама произносит как «дрень».

Лиза терпеливо ждёт очереди, чтобы показать мне снимки своих двойняшек — девочки, Оля и Поля. Она делает губами чмок-чмок, а внутри у меня тоненький голос произносит вдруг: «Чтоб вы все сдохли со своими детишками!»

Я никогда не слышала этого тоненького голоса прежде. Батраева нахваливает собственные пироги, потом плавно переходит к славословиям в адрес Коленьки — мальчик давно привык к всеобщему обожанию, и лишь изредка в глазах его вспыхивает усталая радость.

Дима берёт мою руку под столом.

Как много удобного в жизни! Вот эти столы, скрывающие наши руки и ноги, например. Или ещё — правила дорожного движения. Я пыталась однажды объяснить мужу, как совершенны эти правила: лучше не изобрести, как ни старайся. Но он меня, по-моему, не понял.

Тётя Зина и дядя Володя Комаровы сидят за другим концом стола — и я исподволь разглядываю постаревшего, но всё ещё красивого дядю Володю. Он был первым мужчиной, к которому меня потянуло физически, — но я тогда не поняла, что за напасть такая происходит, и пряталась от Комаровых целую зиму. Даже здороваться перестала. Дядя Володя ничего такого не делал, просто входил в избу — и у меня дыхание срывалось, а ноги начинали дрожать. Сейчас смешно вспомнить, но Диме я про это рассказывать не буду.

Лиза и Рая так смотрят на моего Диму, что тоненький голосок внутри затихает — я его больше не слышу. Они таких мужчин только в сериалах видели — пусть даже слегка устаревших, вроде «Санта-Барбары», которую мы смотрели в детстве. Иванова даже школу прогуливала, чтобы захватить утренний повтор!

Тётя Лида Батраева тем временем чувствует, что застолье идёт не так, как она себе представляла. На пироги налегает только Дима, да и Коленька, незаслуженно забытый, молчит, как игрушка с подсевшими батарейками.

— А ну, Коленька, сыграй!

Откуда-то волшебным образом появляется баян — как рояль из кустов, — и вот уже над крышами Парижа летит, переливаясь каждой нотой, вальс «На сопках Маньчжурии».

Мама разливает чай по щербатым чашкам, Евка расчёсывает комариный укус, и Наташа бьёт её по руке:

— Ты что, с ума сошла? Скоро последний звонок, хочешь с синяком на ноге красоваться?

Меня клонит в сон — это от таблеток; и, кстати, нужно принять ещё три белых и две розовых. И одну, самую мелкую, на ночь.

Спать мы ложимся в сенях, здесь прохладно и пахнет сушёными травками. Дима обнимает меня, и я засыпаю крепким лекарственным сном без сновидений.

4

— Татьяна, подъём! — кричит под окном мама. Окна в нашем доме с недавних пор пластиковые, и выглядит это смешно — как деревенская старушка в очках Prada. Но мама обновой, конечно же, очень гордится. Диму подняли затемно: мужик приехал, *должон* помогать, налаживать, выравнивать, копать, колоть, переносить, выкорчёвывать, отвозить, подсоблять и так далее.

После завтрака — разве что чуточку менее обильного, чем ужин, — мы наконец грузимся в машину. Я до последнего надеялась, что мама останется дома, но у неё есть свои собственные просьбы к могущественной фершампской бабке. Зовут её, как выяснилось, не по-деревенски — Аврора Константиновна.

— Метеорит не нашли ещё? — деловито интересуется мама, пристёгиваясь ремнём так ловко, как у меня в жизни не получалось.

— Давно нашли, — пытается пошутить Дима. — В музее выставлен.

— Да я про другое! — Мама начинает объяснять процедуру излечения при помощи метеорита заново — теперь уже для Димы. Голос у неё громкий, как у любой учительницы со стажем.

За окном проплывает Эйфелева башня — светло-серая конструкция, «в ногах» которой, как семечки, просыпана стайка подростков. Париж давно проснулся, день не слишком жаркий — то, что надо для работы. Вся страна отдыхает: самое время трудиться.

Когда приезжаешь в те места, где жила ребёнком, то ищешь встречи с самой собой. А находишь высоченное небо, степные травы, медленную реку Гумбейку, белёные дома с голубыми ставнями...

Наташа болтает не хуже радио, эта поездка в Фершамку для неё — целое событие, приятная пауза между огородом и школой, где сестра преподаёт информатику. Евка вздыхает — ей хочется рассказать мне свои новости, но это невозможно, Наташину речь не остановишь. Сестра трижды обходит по кругу каждую тему, возвращаясь к началу, — и кладёт словесные кирпичи так тесно, что другому человеку лучше сразу же спрятать подальше свой мастерок: не втиснешь ни словечка!

— Наташк, не галди! — просит мама, и сестра обиженно замолкает. Обиды хватает ровно на три минуты, а мы тем временем уже в Фершампенуазе, и Дима сверяет адрес, записанный на бумажке тётей Лидой Батраевой, с табличкой на угловом доме. Дом — недалеко от церкви, мама считает это хорошей приметой.

У меня, конечно, именно сегодня нет никаких приступов — а ведь бабка наверняка потребует предъявить симптоматику. Она вырастает на крыльце за секунду до нашего появления. Старуха как старуха: русская, в платке, с калёным южноуральским загаром на лице и руках. Полноватая, но крепкая, а глаза — молодые и очень светлые, как будто невидящие.

— Вы куда таким табором? — кричит она нашей компании, топчущейся у ворот как давешние гуси. — Приму только больную.

И машет мне: заходи — а ведь видит всех нас впервые в жизни.

— Так ведь, Аврора Константиновна, — настаивает мама, — мы поддержать её хотели и тоже посоветоваться!

Бабка круто разворачивается и как будто стреляет по маме в упор:

— Приму! Только! Больную!

Мама покорно загружается в машину, но через миг выскакивает из неё и кричит:

— Татьян, продукты возьми!

Но мы уже в доме — бабка захлопывает дверь и, мне кажется, ещё и сплёвывает на пол от злости.

5

Здесь темно и почему-то холодно, как в погребе. Аврора Константиновна ведёт меня в дальнюю комнату, где все окна зашторены, а вместо лампы горит подсветка длинного самопального аквариума. За стеклом мечутся рыбы — я не разбираюсь в породах и названиях, но сказала бы, что это золотые рыбки, которым не удалось вырасти до заданных природой параметров. Они с мизинец величиной, и в аквариуме их целая стая.

Аврора Константиновна усаживается за стол, покрытый поверх клеёнки (мама произносит это слово как «кле́янка») ажурной скатертью, вязанной крючком. Мне она велит сесть напротив и какое-то время разглядывает моё лицо так пристально, что я чувствую движение её взгляда. Как будто она касается моей кожи пальцами.

Хихикает:

— Всё с тобой ясно, милая. Никакая ты не больная, ты у нас — помирающая. Давно смерть зовёшь?

Я молчу.

Аврора Константиновна резко обтирает губы двумя пальцами, как часто делают старухи, — будто снимает улыбку с лица. Меня пугают её повадки — она и так-то не слишком нормальным делом промышляет, а с этими смешками, с этими жуткими словами о том, что я будто бы зову смерть, картинка получается попросту безумная.

Встану и уйду.

Поднимаюсь на ноги, но они меня не удерживают, и я очень медленно, как будто с большой высоты, падаю на пол.

Бабка и не думает меня поднимать. Хуже того, она снова хихикает:

— Видала я таких, как ты. Жисть надоела, а как с её уйти, они не знают. Вот и мучают близких и тело своё мучают. То нога нейдёт, то рука неймёт.

— Помогите мне встать, — прошу я. Кисточки дурацкой вязаной скатерти раскачиваются надо мной, как что-то, уже виданное однажды. Очень давно... Виданное, привычное, любимое. Родное мамино лицо, ласковый взгляд...

— В колыбели себя вспомнить — дело нехитрое, — смеётся бабка. — Вставай с полу-то, чего разлеглась?

Я опираюсь рукой о половицу и поднимаюсь.

— Это у вас метод такой, с оскорблениями? — спрашиваю старуху, а она вдруг отвечает серьёзно:

— Ты сама себя обскорбляешь, никто другой здесь не нужен. Ангела обижаешь — а вон он у тебя какой хлопотник. Заботник! Такую дурь удумала — помереть при здоровом теле, при муже, какого люди с детства своим девкам вымаливают, да вымолить не могут, а тебе дали — и опять не сладко. Опять не хорошо!

— Да вы даже не спросили, какой у меня диагноз!

— А зачем он мне? Ты и сама его не знаешь, и врачи не ведают. Я тебе сейчас скажу диагныз — называется он «дурь на ровном месте». Ну не можешь пока родить — так дай своему ангелу время. Он похлопочет, будет у тебя дочка, или парень, я пока не вижу — мутное там у тебя все. Не любишь свою жизнь — а пока ты её не полюбишь, какое тебе дитя? Сама ты ещё дитя, жестокое, бессчастное... Зачем чужим детям проклятья шлёшь? За что к матери столько лет не приезжала? Мужа для чего испытываешь — разве не видишь, он для тебя любую жертву принесёт? Но и у него терпения — на копейку осталось.

— А что я сделаю, если ноги не ходят? Вы думаете, я их своей волей отключаю? Новости медицины!

— Никаких новостей здесь нет, — вздыхает бабка и тут же, как будто вспомнив о смешном, хихикает. — История известная. Дай-ка банку вон с той полки.

Я поднимаю руку — и действительно задеваю рукой полку с пустыми банками.

Бабка опускает банку в аквариум, как ведро в колодец. И вот уже там мечется золотисто-белая рыбка — ошарашенная не меньше, чем я.

— Вези в город, — говорит бабка, — смотри на неё каждый день и всё поймёшь. Не сделаешь так — к следующей весне схоронит тебя твой Дима. И памятник поставит — с элементым метеорита.

6

На пути к выходу Аврора Константиновна дряхлела с каждым шагом. Вот только что рядом со мной сидела пусть и очень немолодая, но при этом полная сил женщина — а на солнечном свету она обратилась вдруг древней старухой. Морщины врезаны в лицо, как шрамы. Трясущейся рукой старуха перекрестила меня и шепнула что-то в сторону. Евка крикнула из машины, что мама с Наташей пошли в кафе «Бонсуар» — там работает чья-то сватья.

— А мы остались, чтоб ты нас не потеряла! Бабушка сказала, она следующая пойдёт. Сейчас я сбегаю, позову!

— Не бежи! — махнула рукой старуха. — Всё у ей хорошо, пусть говорит меньше и слушает больше. Так и передайте.

Евка вытащила из машины пакет с продуктами, и я попыталась всучить его старухе, но Аврора Константиновна покачала головой в несомненно отрицательном смысле:

— Еды у меня вдосталь. А вот услугу оказать попрошу. Поедете в город — сделайте крюк до Аркаима. Там у меня внучек работает, экскурсии ведёт. Отвезёте ему письмо.

И сунула мне в руку конверт.

Мама, прибежавшая через пять минут после того, как дверь в старухин дом закрылась без всяких разночтений, долго возмущалась:

— Мне о ней другое рассказывали! Что внимательная, готовая помочь... К ней же все наши, с Парижа́, переездили — и никогда не было, чтобы отказалась принять! И зачем она тебе рыбу дала, Татьяна, что с ней делать? Съесть или выпустить?

Успокоилась мама только в Париже. Уже почти без крика рассказывала, что Аврора Константиновна появилась в Фершамке два года назад — унаследовала дом от старшего брата, который жил бирюком. И что не сразу раскрылся этот её особый дар. Брехливые собаки у бабкиного дома смолкали, а младенцы начинали улыбаться, даже если только что плакали навзрыд. Кто-то спросил совета, Аврора Константиновна помогла и всех с той поры принимала. Но никогда, говорила мама, и никто не рассказывал ни о каких рыбах и не предупреждал, что старуха такая вздорная.

Евка — и даже Наташа! — пришибленно молчали. Племянница держала на коленях банку и поглаживала стекло, а рыбка, как будто чувствовала ласку, притихла и только шлёпала иногда губами.

— Как ты её назовёшь? — спросила Евка.

— А нужно как-то называть? — удивилась я. — Это же просто рыбка.

— Пусть будет Лаки! Так нашего кролика зовут. И рыбке подойдёт!

Мама забила багажник банками с компотом, который они не успели выпить за зиму, Наташа так крепко обняла меня, что все внутренние органы, кажется, сдвинулись с места. Евка шепнула: «Позвони!»

И вот уже Париж бежит, провожая меня во всей невозможной красе.

У таблички с названием позировала очередная девушка. Дорогу нам перебежала птица — и это было странно: ведь птица умеет летать. Может, у неё отнялись крылья и она мечтала о смерти под колёсами?

Дима в очередной раз свернул в сторону Фершампенуаза — на трассу можно было выехать только там.

— Аркаим совсем не по пути, — с досадой сказал он.

Лаки, кажется, уснул в своей банке — впрочем, я не знаю, как спят рыбы и спят ли они вообще. Никогда этим не интересовалась. Точно так же я никогда не интересовалась Аркаимом и не стремилась там побывать. Сюда стекаются чудики со всех концов необъятной, но смотреть здесь, как я успела понять по фотографиям и рассказам причастившихся, особо нечего. С тех пор как в Аркаиме нашли следы древнего — невозможно представить себе, насколько древнего, какие-то страшные тысячи лет — поселения, сюда началось паломничество любопытствующих, а потом какой-то астролог заявил, что это родина древних ариев и что именно здесь проживал (и говорил) Заратустра. Между прочим, в Париже тоже нашли что-то подобное — не то могильники, не то остатки колесниц, — но денег на добротное археологическое исследование найти не сумели и закопали находки обратно — до лучших времён.

Сейчас в Аркаим приезжают в основном свёрнутые на энергетике с эзотерикой люди — они загадывают желания на горе Шаманке, просят любви на горе Любви и восходят босиком на гору Разума. Экскурсию к поселениям древних, так и быть, ариев заказывает далеко не каждый — но Юра, внук Авроры Константиновны, проводит именно такие экскурсии.

Мы приехали в заповедник к часу дня. Прямо за парковкой разлилась широкая лужа, похожая на озеро. Дима нёс меня через это озеро на закорках; прижимаясь щекой к тёплой спине мужа, я думала: «Вот так и езжу на тебе всю свою жизнь!»

Рядом с домиком, увешанным объявлениями «Горн счастья!», «Продаются поющие чаши» и «Не трогайте змей руками!», сидел охранник, одуревший от скуки и зноя. Здесь было намного жарче, чем в Париже — настоящее пекло.

— Нам бы Юру увидеть, — сказал муж, но страж заповедника ничем не мог нас порадовать: сейчас все обедают, Юра появится ближе к трём, к началу экскурсии.

— Погуляйте пока, — любезно предложил охранник, обведя широким жестом выцветшую землю вокруг домика. Вверху на холме шагали по кругу и заряжались энергией маленькие фигурки.

— Хуже точно не будет, — заявил Дима, и мы пошли, вдыхая жаркий банный воздух, к Шаманке. Лаки с его банкой я оставила в машине, надеясь, что он не помрёт раньше времени. А впрочем, мне было всё равно.

У подножия горы сидел мужчина в панамке — торговец книгами о мощном энергетическом потенциале Аркаима. Две женщины с озабоченными лицами выбирали из кошельков монеты, чтобы «дать без сдачи». Мы с Димой полезли в гору: под ногами хрустели осколки яшмы, в воздухе висел крепкий запах полыни.

— Ты как? — спросил муж, когда мы добрались примерно до середины подъёма и маленькие цветные фигурки на вершине превратились в людей, сосредоточенно наматывающих круги по спирали, размеченной камешками. Отсчитаешь нужное количество кругов, а потом вставай в центре спирали и *качай энергию.* Из любопытства мы прошли один такой круг и встали посредине, глядя сверху на Аркаим. Будто бы «древние» мазанки, палаточные городки, будки туалетов, о которых сложена песня «Ты узнаешь её по запаху», и бликующая на солнце ядовито-жёлтая пирамида, выстроенная на краю этой странной вселенной. Меня шатало то ли от усталости, то ли от ожидания чуда, которое всё никак не происходит — но при этом томит, мучает возможностью, изводит надеждой. А может, это шальная энергия изливалась из космоса прямиком на темечко горе Шаманке и задевала меня по касательной.

Время ползло как тот дождевой червяк, которого я видела на прошлой неделе, — он тёк по асфальту как медленный ручей, с каждым преодолённым сантиметром приближая свою смерть под каблуком. Дима проголодался. Мы взяли в столовой два комплексных обеда, и я съела салат из огурцов почти полностью, а муж, как обычно, доел за меня остальное. За соседним столиком сидел худенький смуглый юноша в зелёной футболке — браслеты на запястьях, серьга в ухе, волосы собраны в хвост. Похож на индейца: узкое лицо, губы, не привыкшие к улыбке, в чертах — монументальность, в жестах — готовность к мгновенному действию. Мне тридцать два года, и когда я встречаю людей моложе, то всегда чувствую к ним противоестественную (а скорее вполне естественную) ревность (а скорее зависть). Они могут столько всего изменить в своей жизни: раствор ещё не схватился, все двери открыты...

Юноша уничтожал такой же точно комплексный обед, как и у нас, было видно, что к еде, как и ко всему прочему в своей жизни, он относится серьёзно. Не знаю, что на меня вдруг нашло, — может, правда перебрала энергии, — но я догадалась, что это Юра, внук Авроры Константиновны. Слишком уж своим он выглядел в этой столовке, где скучающие подавальщицы и посудомойки собрались у дальнего стола и галдели, как чайки. Но я не решилась задать ему вопрос сразу же, а потом он допил компот и ушёл, даже не взглянув на нас. И то правда — чем бы мы его заинтересовали?

Время-червяк доползло до нужной отметки.

— Письмо отдадим и поедем? Или, может, сходим на эту самую экскурсию? — осторожно предложил Дима. — Если ты не слишком устала...

7

Желающих увидеть раскопки Аркаима было не много — группка женщин в цветастых платьях окружала высокого и очень нескладного мужчину в рыбацкой шляпе. Тихо, но непреклонно подвывал чей-то ребёнок, осатаневший от жары. Все, включая нас, размахивали купленными билетами, как веерами. Появился экскурсовод — тот самый индеец Юра. Хотела отдать ему конверт сразу же, но лицо Юры было таким строгим, что я не решилась вытряхивать его из этой строгости упоминаниями о личной жизни, бабушке и посёлке Фершампенуаз. На меня часто нападают приступы робости, когда я в буквальном смысле слова не могу открыть рта и попросить, например, чтобы разменяли пятьсот рублей. Не могу, и всё. Пусть лучше Дима вручит конверт в конце экскурсии, и дело с концом.

Юра шёл впереди, офлангованный мужчиной в рыбацкой шляпе с одной стороны и самой цветастой из женщин — с другой. Оба всячески старались произвести на экскурсовода впечатление своими знаниями древней истории: мы с Димой шли следом и ловили эти знания на лету, как отличники в школе. Лесная тропа, комары, муравьи, пересекающие дорогу живой нитью, — Юра затормозил перед этой нитью и бережно перешагнул через неё, а вдохновенно токующий мужчина в шляпе раздавил часть каравана своим гигантским ботинком. Показалось поле — такое вполне себе колхозное, с грязной разъезженной дорогой, где там и сям попадались смачные коровьи лепёшки.

— Откуда здесь это? — возмутилась цветастая женщина. — Заповедник ведь...

— Местные пасут, — сказал Юра. — Ничего не можем сделать.

Мужчина в шляпе, оглядываясь в поисках поддержки и восхищения, сообщил, что вообще-то живёт в Москве (здесь была выдержана пауза, чтобы мы могли оценить это известие по достоинству), но давно мечтал увидеть Аркаим и так рад, так рад, что он наконец здесь...

Впереди появилось что-то похожее на раскопки — как сказал Юра, это один из типичных домов Аркаима, где жили сразу несколько поколений одной семьи. Рассказывал он интересно и как-то очень быстро перенёс нас в давнее прошлое, когда по степи носились табуны диких лошадей, а привыкшие к набегам кочевники укрепляли свои города, даже если им на протяжении многих десятилетий не угрожала опасность.

Солнце светило в упор, женщины разлеглись на земле поодаль и загорали, задрав цветастые юбки до трусов. Ребёнку выдали что-то умиротворяющее — судя по всему, телефон с компьютерной игрой: Юра вздрагивал от электронных пописькиваний, но не терял нить повествования. Мужчина в шляпе изнывал, ожидая, когда можно будет задавать умные вопросы. Дима шепнул, что отойдёт на минутку, — да, заповедник, он всё понимает, но приспичило, значит, приспичило. Я была в прошлом — вместе с Юрой и древними ариями. Смотрела сквозь сощуренные веки на место бывшего колодца (и видела колодец!), на следы несущих столбов (и видела столбы), а потом зрение вдруг выключилось, женщины вскочили на ноги, ребёнок выронил телефон.

Юра моментально всё понял — и, пока мы крутили головами, побежал на крик. Бледный Дима широко разводил руки:

— Вот такой величины дрянь! Зубы сантиметра по три, не меньше. Я ж думал, на гвоздь накололся — но откуда тут гвоздь? Удар — как шприц воткнули!

— Нужно отсосать яд, — сказал Юра. — Давайте, это срочно! Гадюка, по следам вижу.

На голени у Димы вспухали две красные точки.

— Толщиной с мою руку и длиной с метр! — повторял муж, пока Юра оказывал ему первую помощь. Ребёнок снимал происходящее на телефон, пока москвич не сделал его матери замечание. Мать огрызнулась, но телефон у пацана забрала, и тот заверещал на всю степь.

— В больницу, срочно! — сказал Юра. — Есть кому отвезти?

— Есть, — сказала я прежде, чем Дима успел ответить. Он слабел на глазах, зато меня распирало от внутренних сил.

Лужу на въезде мы кое-как перешли вброд, Юра усадил мужа на пассажирское место.

Я помнила, как снимать с ручника, жать на газ и рулить. У нас коробка-автомат, даже я справлюсь, что бы там ни говорил тот гаишник. Вот и рыбка Лаки на заднем сиденье согласно шлёпает губами в своей банке.

Юра сказал, что до ближайшей больницы — километров сорок. Объяснил, как ехать.

Я повернулась, чтобы проститься с ним, — и почувствовала, как в кармане шелестит конверт:

— Забыла! У нас же письмо от вашей бабушки из Фершамки!

Юра нахмурился:

— У меня нет бабушки в Фершамке. Вы меня с кем-то перепутали!

Не было времени выяснять. Я тронулась с места, заглохла и снова запустила мотор. Машина неловко выкатилась на дорогу, и я уже ни о чём больше не думала — только крутила руль и давила на газ. Хорошо, что на дороге в тот час почти не было транспорта.

В общем, оказалось, это не так уж и сложно — вести машину, если с тобой рядом умирает человек.

Как потом стала говорить моя мама, «Наша Танька за рулём — как рыба в воде!».

8

С недавних пор в нашем отделении банка — новый управляющий, на редкость красивый мужчина. Отказать такому невозможно ни в чём, и он, говорят, этим вовсю пользуется. Но я его вспомнила совсем по другой причине: ходили слухи, что в прошлом у шефа — тюремный срок, привет из дерзкой юности. Я считала, что это просто слухи, пока не услышала из его уст слово «больничка» — в телеэфире, когда речь шла о спонсорской помощи отделению лучевой терапии! Слова, а вовсе не поступки выдают всех нас с головой. Так вот, то место, куда я привезла Диму, было «больничкой» в прямом смысле слова: крохотное двухэтажное здание, собака на цепи и врач с похмелья.

— Как себя чувствуете, больной? — спросил он у Димы.

— Как лом проглотил, — прошептал муж.

Врач вкатил Диме укол от столбняка и стал зачем-то перевязывать ногу — очень сильно к тому времени распухшую.

— Послушайте, я, конечно, не разбираюсь в медицине, но, по-моему, перевязывать нельзя! — Утраченная робость молча смотрела на меня откуда-то издалека выпученными глазами.

— Девушка, — раздражённо сказал врач, — мне виднее. Едьте в свой Челябинск и записывайтесь на приём к хирургу. «Скорую» не надо, жить будет!

Я к тому времени успела позвонить Диминому сменщику Серёге — и выяснить, что он чудесным образом не успел ещё выпить сегодня. Сказал, приедет и чтобы я не вздумала ехать за рулём сама. Одно дело — от Аркаима до больнички, другое — трасса до Челябинска.

Насквозь мокрый от пота Серёга явился поздно к вечеру — Дима лежал на заднем сиденье, нога была фиолетовой, место укуса раздулось и стало похоже на воздушный шар. Позвали местных парняг, те помогли перенести мужа в Серёгину машину и обещали присмотреть за нашей до завтра. Серёга посулил им бутылку и ещё какую-то городскую радость, если всё будет нормально (парняги поняли его в одном смысле, я — в другом).

Глубокой ночью санитары затаскивали Диму на носилках в хирургическое отделение главной городской больницы и кто-то кричал:

— Принимайте укушенного!

— Да у нас тут каждый день поступают такие... *укушанные*, — не вдохновился дежурный врач, думая, что привезли очередного наркомана. Тут я возмутилась:

— Как вы смеете! Его гадюка в ногу ужалила!

Врач подскочил на месте:

— Где, покажите мне? Господи, какой идиот вам перевязку сделал?

...Дима пролежал в больнице больше двух месяцев. То светло ему было, то темно, то трясло, то тошнило. Ходить без костылей он начал только в августе, но опухоль с ноги никак не спадала. Завод оплачивал больничный, и я сначала хотела уволиться из банка, но меня отговорила Мария Марковна.

Когда Диму выписали, я в первый раз за все эти месяцы осознала, что хворь моя давным-давно не появлялась. Некогда было, честно сказать, об этом думать — вообще ни о чём не было времени думать, потому что жизнь согнула меня в кольцо и покатила это кольцо по дороге весело, как играющий ребёнок.

Змея в два счёта вычеркнула из жизни всё, что было важным раньше: бесплодие, мытарства с диагнозом... Одна-единственная змея — и всё меняется полностью.

9

Тогда, в мае, когда мы с Серёгой уже под утро вернулись из больницы, мне больше всего хотелось вылить воду из банки в унитаз вместе с рыбкой. Серёга обещал завтра же *(слушай, уже сегодня же!)* перегнать машину из Аркаима — поедет вместе с приятелем, который потом сядет за руль, и не примет за свою услугу ничего, кроме банки компота из багажника. Я кивала и слушала, не понимая, о чём он толкует и почему не уходит. Потом догадалась: Серёга голодный, а жена его, он сто раз уже говорил, уехала на майские в Екатеринбург. Пожарила яичницу с колбасой, сварила макароны — Серёга, хоть маленький и тощий, ел с большим аппетитом. И как только тарелки опустели, распрощался.

Мы с Лаки остались вдвоём — я смотрела на него сквозь стекло, и он разевал рот, как будто бы пел для меня, но на самом деле он, конечно же, тоже хотел есть и демонстрировал это единственным доступным рыбе образом. А у меня не было специального корма — да и вообще, я не кормить его хотела, а утопить в унитазе.

Интересно, это он или она — как у рыбок определяют пол?

Когда происходит что-то очень плохое, нужно прежде всего уничтожить все напоминания об этом: стереть из телефона звонки, удалить фотографии, выбросить вещи, которые как-то связаны с тем, что случилось. Я всегда так поступала — и убить эту рыбу, из-за хозяйки которой мы попали в Аркаим, было вполне правильным – с моей точки зрения — решением. (Конверт с пустым листком внутри я выбросила сразу.)

Лаки (будем считать его мальчиком — я и детей наших видела только мальчиками, и тот, кто раздумал рождаться у меня восемь лет назад, тоже не был девочкой) смотрел прямо на меня, уткнувшись в стекло и шлёпая губами. Мы были с ним одни — и он полностью зависел от того, что я сделаю.

Или не сделаю.

Я отщипнула крошку от не доеденного Серёгой куска батона и бросила в банку. Лаки тут же проглотил эту крошку. Посмотрел на меня с благодарностью.

На другой день по дороге из больницы я зашла в зоомагазин и купила маленький аквариум, в каких обычно держат улиток; к нему прилагались продолговатая лампа и фильтр для воды. Продавщица, расстроенная моими ничтожными познаниями в аквариумистике, посоветовала помимо баночки с кормом приобрести грунт и пару зелё-

ных кустиков («Чтобы рыбке было чем заняться!» — клянусь, она так и сказала). Дима лежал в палате интенсивной терапии, а я покупала всю эту
ерунду и чувствовала, что поступаю абсолютно
правильно.

Аквариум — чужая жизнь за стеклом: ты наблю-
даешь её изо дня в день, но не можешь понять и по-
стигнуть. Безмолвие маленького существа и вместе с тем — его основательность, отсутствие сомнений в том, что жизнь стоит усилий... Я смотрела,
как Лаки рассекает воду плавниками, и думала: достаточно вытащить его на воздух, и он тут же
умрёт, но в этой маленькой водяной тюрьме готов
отбывать свой рыбий срок до конца. Сколько,
кстати, проживёт такая рыбка? Год, два?

Дима, вернувшись домой, удивился, когда увидел на полке аквариум и деловитого Лаки, шныря-
ющего между веточками водорослей:

— Совсем о нём забыл!

— Ты не против?

— Главное, чтобы не змея, — отшутился муж.

Серёга, который заехал к нам тем же вечером
с пивом, рассказал уместную, как ему показалось,
историю про змей (нам теперь все рассказывали
истории про змей). Брат чьей-то жены или сестры (этого никогда не понять, во всяком случае,
в Серёгином изложении) завёл дома террариум
и поселил там громадную змеюку, кормить которую следовало исключительно мышами. Оказывается, замороженных мышей можно купить
в специализированных магазинах. Мышиные
тушки брат жены или сестры хранил в морозил-
ке, и всё было в порядке, пока к нему не приехала
мать или невеста (здесь снова разночтения), по-

желавшая сделать обед своему любимому сыну или жениху. Открыла морозилку, нашла мышей — и упала в обморок. Сотрясение мозга!

— Змею в террариуме она, конечно, не заметила? — съязвил Дима, но Серёга не обиделся, всем лицом переживая свою историю, мысленно оттачивая детали для будущих исполнений.

— Между прочим, следующий год — Змеи, — сказал Серёга на прощанье.

10

Письма из Парижа приходили каждый месяц. Мама рассказывала новости: Евка провалила экзамены в театральный и устроилась работать в какой-то екатеринбургский общепит. Касса номер три свободна, вам с собой или здесь? Собиралась штурмовать институт в следующем году — она не из тех, кто запросто расстаётся с мечтами.

Кроме того, в письмах были советы, как «выхаживать» Диму, рецепты мазей и слова молитв, которые нужно читать над местом укуса дважды в день. Опухоль полностью не исчезла, хотя Дима давно вышел на работу: к большому облегчению Карла Евгеньевича. Что мы только не пробовали: веер листков с направлениями на анализы, липкий от геля для УЗИ живот, лекарства... Как будто заново играли в позабытую игру, где нет ни правил, ни условий — важно только участие.

Дни шли, месяцы летели, год спешил к финалу, торопясь, как уроборос, укусить себя за хвост. В декабре в нашем отделении устраивали корпоративное торжество — на улице Сони Кривой плотно стояли машины, как лодки, вытащенные на берег.

Сотрудникам разрешили взять с собой супругов, что бывает редко. Дима не упирался, и потому мы пришли на вечеринку вдвоём — он всё ещё заметно хромал и носил не по моде широкие брюки. Мария Марковна села рядом с нами и, когда в поздравлениях звучало упоминание года Змеи, всякий раз вздрагивала с сочувствующим видом, как будто осуждала бестактность ведущего. Она тоже была с мужем — симпатичным немолодым дяденькой, который как дитя радовался конкурсам и розыгрышам, но не обращал на жену никакого внимания: они были рядом, но не вместе, и всячески избегали касаться друг друга... Начальница занимала беседами Диму, и он вдруг задрал штанину до колена — я увидела, что Мария Марковна смотрит на его лодыжку как на картину великого художника, то есть с восторгом и благоговением.

— Моя дочка, — сказала вдруг Мария Марковна (она никогда не говорит «наша дочка», но только «моя»), — ведёт гимнастику в спортивном центре «Карма», и я думаю, вам надо к ней записаться. Вдруг поможет, правда, Таня?

После долгих январских каникул Дима действительно начал ходить в спортивный центр «Карма» — прыгал там вместе с молоденькими девчонками, изживавшими комплексы, и послеродовыми женщинами, боровшимися за фигуру. Как ни странно, опухоль начала понемногу спадать. Я, конечно, нервничала — там столько юных тел, к тому же дочка Марии Марковны была не просто хорошенькой, но по-настоящему красивой девушкой, обладающей к тому же нетронутым запасом яйцеклеток... Нервничала, но не показывала виду — а когда становилось совсем не по себе, наблюдала за Лаки: как он плавает среди зелёных веток, разевая рот. Я как будто ждала ответа от рыбы — но ответа не было, а впрочем, когда его нет, это и есть самый честный ответ.

В марте приехала Наташа — остановилась на ночь по пути в Екатеринбург. Жаловалась на Евку: звонит редко, встречается с какими-то парнями, домой носу не кажет...

—Да, — спохватилась Наташа, — чуть не забыла: бабка-то ваша померла!

Лаки плеснул хвостом в аквариуме.

— Как померла?

— Ну а как помирают, не знаешь, что ли? Легла и скончалась. На другой день к ней пришли порчу снимать, а она лежит там и, что интересно, благоухает.

— В каком смысле благоухает?

— Ты что, будешь каждое слово за мной повторять? — справедливо возмутилась Наташа. — Благоухает, как все святые люди. Даже батюшка из Магнитки подтвердил, что имеем дело с особым случаем. И, между прочим, порчу с тех, кто бабку обнаружил, как рукой сняло...

— А когда это случилось? Почему вы не написали?

— Просто письмо не дошло ещё... Две недели назад это было. Таньк, а ты видела, что рыбёшка почернела?

Я смотрела на Лаки каждый день по многу раз, но почему-то не заметила очевидное — плавники и хвостик подёрнулись чёрной траурной каймой, на брюшке появилось темное пятно... Бросилась за советом в Интернет — на сайте для аквариумистов сообщили, что у золотых рыбок (а я, за неимением другой информации, считала Лаки «золотой» рыбкой) часто встречаются грибковые заболевания, симптомы которых точно подходили к нашему случаю. Всё, что можно сделать, соболезновали авторы сайта, это поддерживать достойный уровень жизни питомца до самого конца.

Маленькое стойкое существо, скользкий оловянный солдатик, мой Лаки умирал у меня на глазах. Я смотрела на его смерть сквозь стекло и ничем не могла помочь. То ли от трусости, то ли из сострадания хотелось прекратить всё это раньше — в конце концов, это всего лишь рыбка, и ничего не изменится, если я выплесну воду раньше времени, но... на стенках аквариума вдруг появились маленькие улитки, тоже, несомненно, живые, да и сам Лаки как будто не соглашался признавать факт своего умирания — и отчаянно боролся за жизнь, хотя плавал уже с заметным трудом, и нетронутые розовые хлопья корма размокали в воде, превращаясь в кашицу.

Вскоре пришло обещанное письмо от мамы: она подробно описывала смерть Авроры Константиновны и её похороны. «Народу было — как будто попа провожали! Из Магнитки два автобуса приехало, наших парижских тьма, и вся Фершамка. Из семьи бабкиной только внук был — Юрий. Симпатичный такой мужчина, серьёзный. Кандидат исторических наук. Сказал, будет дом продавать — он у вас там, в Челябе, живёт, ему в Париж не наездишься. Ишмаметьевы тут же подсуетились, Райка такая ушлая стала, — и купили дом, хотя бабка, можно сказать, ещё не остыла. Аура, говорит, хорошая, надо брать. С аквариумом, правда, не знали, что делать, — у дочки оказалась аллергия на рыб. У ней на всё аллергия — и на тимофеевку, и на курей, и вот, оказалось, на рыб. Райка всем раздала этих рыбок — по банкам разлила и раздала. Ну и я тоже взяла парочку для баловства. Приятно глядеть, как они плавают, — вроде как сама с ними в водице струишься...»

После лирического отступления мама вернулась к описанию похорон: подтверждала, что от гроба исходило благоухание, немного напоминавшее, как всем показалось, запах белого пиона. Святая, говорят, была женщина, великодушно признала мама и с новой страницы, с красной строки принялась давать советы Диме.

«Найдите змеиного яду — можно у китайцев поспрашивать. Этот яд надо развести в воде один к двадцати и в полночь окропить им больное место, а потом аккуратно промыть раствором марганца и прочитать молитву. Говорят, наутро и следа не будет...»

И так далее, на трёх листах.

Начитаешься — и станешь кандидат истерических наук!

Лаки умирал несколько месяцев. Часами «висел» в одном и том же месте — я каждое утро, просыпаясь, шла к аквариуму с закрытыми глазами: боялась, что это уже случилось, но каждый раз рыбка немного дёргалась, как будто тоже видела меня через стекло и узнавала размытое лицо неведомого чудища, которому было дано имя на рыбьем языке. Лаки стал уже совсем прозрачный, грязно-серый, позолота сошла с хвоста и плавников... Но всё равно он продолжал жить, цеплялся за каждую новую минуту, шлёпал губами и понемногу ел, хотя силы покидали его — а улиток вокруг становилось всё больше и больше.

Умер он без меня — и я малодушно обрадовалась этому. Дима вернулся с работы первым и пальцами выловил из аквариума мёртвую рыбку. Он даже успел отвезти каким-то своим знакомым аквариум с улитками и поставил на полку книги, чтобы я не ударилась взглядом о пустое место. Да, таких мужей и вправду вымаливают с детства...

Я увидела полку с книгами и заплакала так, как не плакала даже в тот день, восемь лет назад, когда наш сын решил не рождаться. Дима перепугался:

— Давай купим других рыбок! Или кошку заведём — ты же хотела?

Но я плакала не потому, что жалела Лаки или вдруг осознала, как мне будет его не хватать. А потому, что поняла наконец, о чём говорила мне Аврора Константиновна.

Даже если ты стоишь, выражаясь языком водителей, «не в том ряду», это вовсе не означает, что придётся пропустить поворот.

Я думала, в ту ночь мне приснится Аврора Константиновна, — а увидела во сне папу. Он мне никогда не снится; мама считает, это потому, что «у него всё хорошо». Но и в том сне у папы всё было хорошо — он так ласково смотрел, что у меня потекли слёзы по щекам, и я силилась удержать этот сон как можно дольше, но он, конечно же, рассыпался, истаял... И я ничего не запомнила, кроме этого ласкового взгляда, — ничего.

11

Ровно через год на майские праздники мы снова поехали в Париж; взяли с собой Евку с екатеринбургским «женихом», уже отучившимся год в театральном. Дима с удовольствием поглядывал на свои новые ботинки из змеиной кожи, которые он купил из чувства мести, и я боялась, что мы врежемся куда-нибудь, потому что на дорогу он смотрел значительно реже. Я даже предлагала сама повести машину — у меня уже полгода как были самые настоящие, законные, а не купленные права. Но Дима не согласился — на пятом месяце беременности не стоит нервничать из-за идиотов на дороге. Словно отозвавшись на его слова, впереди показалась грязненькая «пежо» с екатеринбургскими номерами. Евка с женихом курлыкали на заднем сиденье и не поняли, почему мы смеёмся. И водитель «пежо» тоже не понял, но записал это на свой счёт — и всю дорогу до Пласта пытался нас нагнать и обставить.

Указатель с надписью «Париж» обнимали сегодня сразу три девушки. Мама бежала к воротам, теряя калоши. Наташа разрыдалась, глядя на свою взрослую дочку, а потом обнимала меня бережно и радостно. Тётя Лида Батраева спешила к столу с пирогами и внуком.

— Коленька в этом году поедет в настоящий Париж, — прокричала она ещё до того, как все уселись за стол. — Выиграл конкурс стиха!

— Ты когда в декрет? — спросила зоркая Рая Ишмаметьева, а Лиза Иванова притащила целый альбом новых фотографий своих двойняшек: уже после третьей страницы рябило в глазах.

Вечером мы с Димой пошли гулять к Эйфелевой башне. Розовое небо с позолоченными облаками, стайка подростков, просыпанных как семечки... Только в Париже бывают такие закаты.

Врачи сомневались, что я смогу родить здорового и, скажем честно, живого ребенка. Тот страшный случай девять лет назад... Моя неведомая хворь и килограммы лекарств... Гадюка, укусившая будущего отца... В карте беременной — как в маминых письмах! — сплошные восклицательные знаки.

— Мы — и вы — должны быть готовы ко всему, — заявила участковая.

Я думала, мне принесут ребёнка в реанимацию — как приносили всем, и даже той несчастной, у которой выжил только один из близнецов. После кесарева прошло уже девять часов, я давно пришла в себя, знала, что ребёнок жив, но мне его не показывали и ничего не объясняли... Врач пришёл поздно вечером, сказал, что педиатры решили перестраховаться — и мы с малышом увидимся позже.

Прошёл ещё один день, меня перевели в послеродовое отделение — и я вздрагивала от каждого звука, скрипа, плача в коридоре. Малыша всё не несли, Дима звонил каждые полчаса, мама и Наташа в Париже были на низком старте... Я всё ещё не видела сына, и тоска моя по нему стала вдруг такой огромной, какой была пустота внутри, там, где он ещё недавно переворачивался с боку на бок.

Я вышла из палаты на несколько минут, с трудом дошла, кривясь от боли, до окна в конце коридора, а когда вернулась, в палате стояла колыбелька с маленьким свёртком: наш сын внимательно смотрел на меня и шлёпал губами, как рыбка. Я так ждала его, а он всё равно ухитрился стать нежданным! И кто это додумался оставить малыша без присмотра, когда матери нет в палате?

Вот так мы увиделись в первый раз.

...В общем-то, я никогда не сомневалась в том, что счастлива, даже когда всё вокруг ломалось и расклеивалось и любить свою жизнь можно было только под наркозом. Даже в такие дни где-то вставало солнце, пели птицы, ползали змеи (куда без них) и рыбы плескали плавниками в воде. Балерины выходили на сцену, «пробуя» её ножкой, как холодную воду, над Парижем шёл синий дождь, и где-то очень далеко от Южного Урала готовился к падению новый метеорит.

Мой город
рассказ

Я столько знаю о Париже!

Водить по нему экскурсии — это у меня сейчас самая заветная мечта.

С прежней мечтой сыночек помог, он всегда был такой умница... К сожалению, очень поправился в последние годы, особенно на лицо. Но какой сын! Я даже сама себе завидую, что у меня такой мальчик вырос.

Он знал, как я мечтала жить в Париже, и купил три года назад маленькую квартирочку. Правда, уже за Периферик, и район не очень спокойный, но не надо думать, что я придираюсь. Это ж всё равно Париж! Страшных денег стоила эта квартирочка. Сын мне всю сумму не озвучил, но я могу себе представить.

Я живу здесь с октября по апрель, а потом уезжаю домой, потому что сад не оставишь ведь.

И внуков — правда, невестка мне только гулять с ними разрешает, и то редко. Пока я дома, она уезжает с детьми в парижскую квартирочку. Так мы с ней чередуемся. Она и за городским моим жильём смотрит. Невестка — неплохой человек, но какой-то холодный. И глазки у неё слишком маленькие — я когда с ней познакомилась, сразу подумала: как она через них вообще что-то видит?

Сил у меня ещё много, я бы и на пенсии работала, но мне сын запретил. «Отдыхай, — сказал, — мама. Ты и так нам всю жизнь посвятила!»

Первые дни в Париже я с утра до вечера бродила по улицам. Запоминала названия улиц на синих табличках — красивые, как стихи! Вожирар, Контрэскарп, Монтень! Не то что у нас — Смазчиков, Заводская, Металлургов. А тут ещё недавно, аккурат в мой прошлый приезд, рядом с Широкореченским кладбищем построили торговый центр «Радуга» — и остановка транспорта там называется «Отрадная».

В Париже такого быть не может.

Какие здесь у них, то есть у нас — никак не могу привыкнуть! — кладбища! Ну вот лично я бы всё отдала, чтобы на таком упокоиться. Я уже сыну слегка намекнула на Пер-Лашез — хотя мне больше нравится Пасси, но это шестнадцатый аррондисман, там точно не получится. И сыночку не нравятся такие разговоры, хотя смерть — это вполне естественная тема в моём возрасте.

— Тамара Гавриловна, да вы нас всех переживёте, — говорит невестка, причём таким голосом, как будто её это не радует. Ничего, когда женит своего сыночка, то начнёт меня понимать — а я ей тогда помашу ручкой откуда-нибудь с Пер-Лашез.

Очень мне нравится это кладбище, прямо целый город из надгробий. Я там люблю гулять утром, когда ещё туристы не пришли, не листают на каждом углу свои книжки и не спрашивают: где здесь Уайльд да где здесь Пиаф? У Пиаф на могилке иногда магнитофончик играет, и она поёт этим своим ржавым голосом: «*Non, je ne regrette rien!*» Магнитофончик включает женщина, которая приходит сюда с уборкой — вот как я к своим на Широкую речку. А я смотрю на эту женщину и думаю: как же она не понимает, что мёртвым нужен покой, а не музыка? Может, Эдит не хочется слышать свой голос оттуда, из-под земли?

Некоторые люди совершенно нечуткие.

Так вот, в первые дни в Париже я всё запоминала и фотографировала, а потом сын мне купил книги — и путеводители, и различную художественную литературу. А я такой человек, который ещё с детства тянулся к знаниям, — но жизнь сложилась не таким образом, чтобы мне эти знания давались. Я окончила только училище, но работала всегда с совестью. Старалась всем делать как для себя. Я и сейчас, когда вижу, что работают без уважения к людям, — мне такой человек глубоко противен.

Про Париж мне рассказывала в детстве одна женщина. Мы жили на улице Народной Воли в коммуналке, и у нас была соседка, бывшая учительница французского языка. Старенькая совсем, губы как будто зашиты морщинками — но говорила красиво, складно, я и теперь так не сумею.

Помню, был такой голодный, холодный год — я лет семи, наверное... И вот мама ушла в ночную смену и оставила меня с этой Ксенией Андреевной.

А Ксения Андреевна вообще не умела готовить, мама говорила: только продукты переводит. Поэтому мама оставила нам с ней какую-то кашу. Совсем мало каши было, я это помню. А у Ксении Андреевны была такая чудная тетрадь — как будто в тканевой обложке. И она там записывала что-то быстрым почерком — вела дневник по-французски. Я кашу ела, она дневник вела. Жаль, что не сохранился.

Ксения Андреевна всё детство жила в Париже и внушила мне убеждение, какой это прелестный город.

— Тамарочка, у вас впереди целая жизнь, — говорила Ксения Андреевна. — Обещайте, что вы когда-нибудь побываете в Париже! Вы там найдите, пожалуйста, такое место, как площадь Дофина, встаньте где-нибудь подальше от других и скажите негромко: «Ксения Андреевна, я приехала! Я в Париже!»

А я же была совсем ещё крошка: ну что такое семь лет? Я ей пообещала, что выполню — так всё и сделаю.

И можете над этим смеяться, но я в один из первых дней пришла на площадь Дофина — отвернулась, правда, к стенке, чтобы совсем уж не пугать людей, — и полностью, как она просила, отчеканила всё до последнего слова. А потом ждала, как дурочка, будто сейчас что-то случится — гром прогремит, или я увижу Ксению Андреевну живую, какой она мне запомнилась. Конечно, ничего не случилось. Оно никогда не случается — во всяком случае, со мной.

Сейчас, когда я уже сама таких лет, мне кажется, что Ксения Андреевна просто очень хотела кому-нибудь запомниться на всю жизнь. У ней своих-то никого не было — в комнате висела над столом фотография ребенка в чепчике, но на обратной стороне (я раз подсмотрела) было написано «Мисенька, 1911–1912 г.». И крестик нарисован. То есть этот Мисенька умер совсем ещё младенчиком. Вот поэтому Ксения Андреевна была такой одинокой: время её уходило, и она решила остаться хотя бы в моей памяти таким образом. И не прогадала. Вот же, сколько всего я забыла — а её помню! Губы так и шевелятся перед глазами, как живые. Морщинки — штопкой.

А может, Мисенька была девочкой? В Париже одно время была такая Мися Серт, я про неё читала. Она оказывала влияние на всех гениев, с которыми встречалась в Париже. Ей посвящали различные стихи, музыку, Ренуар её портреты рисовал. В книге были фотографии этой Миси — если в двух словах, вообще некрасивая. У нас на Урале таких — косой десяток в каждой деревне. Я думаю, она всем нравилась только потому, что была под рукой — мужчины вообще не любят кого-то специально искать. Они выбирают из тех, кто поблизости.

А вот я своего мужа сама выбрала — пусть он и считает, что первый влюбился. Я его сразу заметила, только он пришёл в заводоуправление. Жили мы хорошо, долго, сына вырастили, а потом муж лёг — и в минуту умер. И я могу точно сказать: нет в жизни ничего страшнее, чем не успеть уйти первой. Счастье, что сын со мной остался — и вырос таким прекрасным человеком.

В Париже мне очень хорошо. Я его быстро выучила — небольшой такой город, компактный. Французский язык тоже учу — он как будто мне вспоминается, будто я уже когда-то знала все эти слова. Я даже книги французские в магазинах понемногу начала листать — что-то разбираю. И говорю — правда, только самое необходимое: бонжур, пардон, лядисьон сильвупле.

— Я тобой горжусь, мама, — сказал мне недавно сын.

Я столько всего узнала о Париже! Так много, что мне тяжело носить в себе эти знания — я бы с удовольствием поделилась ими, но только с теми, кому это интересно. Люди ведь разные бывают, и в Париж приезжают все подряд, а не только умные да хорошие.

И если бы я вела экскурсию, то начинала бы не с Нотр-Дама и не с Башни — а с базилики Сен-Дени. Она как-то сразу правильно настраивает. Это усыпальница всех французских королей — некоторых, правда, выбросили оттуда в революцию, но потом парижане собрали останки и снова захоронили. Парижане умеют признавать свои ошибки. И ещё такой интересный факт: когда вскрывали гробы, то были все поражены, потому что у Людовика Четырнадцатого оказалось совершенно чёрное лицо, и смердел он неописуемо.

Лично мне самой больше других королей нравится Генрих Четвёртый — я вот как-то сразу поняла, что он был с юмором мужчина. Как и мой покойный муж.

Некоторые короли вылеплены там прямо с голыми пятками. Они лежат как будто поверх своих гробов, а под ногами у них — собачки или другие животные. А лица у многих королей — с улыбками, как будто им нравится так лежать, что все на них смотрят. Есть и детские надгробия — просто кукольные. Страшно подумать, какие там захоронены маленькие дети. Как Мисенька у Ксении Андреевны.

После базилики я своих туристов повезла бы в метро до станции *"Cité"*. Вот тогда уже можно и Нотр-Дам посмотреть, и к набережной выйти — там есть такое место, откуда собор выглядит точно как корабль. Если глаза сощурить, кажется, что он возьмёт да и уплывёт вместе со всем островом — в гости к Башне.

Потом мы перешли бы по мосту на остров Сен-Луи и ели бы мороженое в «Бертильоне» (моё любимое — кассис, чёрная смородина). А если группа хорошая попадётся, я им в это время буду рассказывать разные истории — я их много знаю! Вот, например, недалеко от Нотр-Дама жили два человека, цирюльник и пекарь. Цирюльник убивал школяров, которые жили у священников, и продавал мёртвые тела пекарю — а пекарь делал с их мясом пирожки и продавал тем же самым священникам. Потом преступление раскрылось, и злодеев сожгли. Может быть, это не самая подходящая история, как мама говорила — «не к столу». Тогда я могу рассказать другую — про святую Женевьеву или святого Дениса, который шёл со своей отрубленной головой в руках целых шесть километров!

Дальше я бы перевела всех на левый берег — и там первым делом в Люксембургский сад! Мы бы взяли всей группой стулья и смотрели бы на статуи королей.

А вот с музеями надо хорошенько подумать. Военные захотят в Дом инвалидов. Врачи — в музей Родена: им нравится, как у его статуй напрягаются мышцы — как у живых. Это я однажды подслушала русского хирурга: он восхищался «Мыслителем» и у всех спрашивал, где здесь выставлен «Человек со сломанным носом». Лувр все любят, а Помпиду — не для каждого. Мне самой такая архитектура не очень нравится — когда все кишки наружу. И внутри там тоже не самые приятные картины.

Да, я много знаю о Париже. Жаль, что меня никто не возьмёт в экскурсоводы — сын узнавал, и я так поняла, для этой должности нужно специальное образование.

Так что эта моя мечта никогда не сбудется. Ну и не страшно! Правда, я всё равно не понимаю, зачем мне нужно специальное образование, если я даже могу показать место, где нашли головы царей с Нотр-Дама? Статуи сбросили во время революции, а потом совершенно случайно обнаружили отдельные головы во время стройки на правом берегу. Только в 1977 году обнаружили — это как раз год рождения моего сыночка.

Видите, я и даты все помню, а самое главное — я так люблю Париж!

Когда я поняла, что не стану экскурсоводом, то стала смотреть на туристов немного другими глазами. Я поняла, что не очень их люблю, — и мне не нравится, что они такими миллионами приезжают в мой город. Я даже стала чувствовать к ним какую-то неприязнь, особенно когда они фотографируются на фоне Башни — изображают, что держат её за маковку двумя пальцами.

А на кладбищах я их прямо перестала выносить!

Сыночек говорит: может, это у тебя, мама, ревности? Может, ты не хочешь делиться с другими своим Парижем?

Я сначала отмахнулась от этих слов. А потом, уже ночью, стала думать. Может, я правда ревную? Я люблю Париж как человека, а когда любишь человека — тогда без ревностей не обходится. Мы с мужем очень хорошо жили, но я всегда его ревновала — и карманы проверяла, и воротники у сорочек нюхала.

А тут не одного человека, а целый город контролировать; это ж не каждый сможет.

Но у меня ещё много сил. И я точно помню, когда впервые сделала то, что делаю теперь каждый день — как работу, которую нужно выполнять на совесть.

Первый раз — это когда ко мне на Пер-Лашез подошли две девчонки в драных джинсах. Одна спрашивает на хроменьком таком французском: экскузе муа, мол, мадам, где тут лежит такой артист, как Джим Моррисон?

А я его могилку хорошо помню — там всегда уйма народу, тоже иногда музыка играет, и некоторые даже песни орут. Мы и стояли-то с этими девчонками недалеко, у художника Жерико — и я прямо представила, как они сейчас начнут там фотографировать себя на телефоны и по-всякому кривляться. Они русские были, я сразу поняла — только у нас, русских, всегда такие лица, как при исполнении. Даже у самых молодых.

Я понятия не имею про этого Джима, он к Парижу вообще, по-моему, никак не относится. А вот Жерико, он — да. Я всегда в Лувре смотрю на его картину «Плот "Медузы"». Я люблю такие картины — когда смотришь, и внутри всё клокочет! Не то что в Помпиду: выльют ведро краски на холст, приклеят сверху какие-то волосы — и вот вам искусство!

В общем, я этих девчонок отправила с любезным лицом совсем в другую сторону — к писателю Прусту.

И внутри мне так хорошо от этого стало! Так приятно было смотреть, как они идут не туда — теряются, путаются, сердятся.

Вот так я и начала прятать Париж от туристов — потому что я о нём столько знаю, но знания эти никому, оказывается, не нужны. Даже невестка очень грубо попросила меня не забивать головы внукам всякими баснями — а я им всего-то рассказывала про взятие Бастилии:

— Тамара Гавриловна, им и так много задают по программе. Пусть лучше отдохнут летом, побегают.

Ну да, пусть бегают, конечно. Невестке виднее. Только я с тех пор вообще решила молчать — и даже если меня спрашивают, отвечаю неправильно.

В метро ко мне часто подходят — у меня лицо вообще-то приветливое, говорят, доброе. Сын считает, я похожа на какую-то пенсионерку из сериала про убийства.

Спрашивают: как проехать в Венсеннский замок? Я знаю, как проехать, я даже знаю, что в кухне этого замка сварили английского короля, потому что он умер, и англичане не знали, как его везти на родину, чтобы он не испортился. Я знаю, но называю неверную станцию — и уезжают эти голубчики в Дефанс. В другую сторону.

Спрашивают: где фуникулёр, чтобы на Монмартр подняться? А я их пускаю совсем по другой дороге — идут они, несчастные, как святой Денис с головой в руках, всё дальше и дальше от фуникулёра. Вообще, люди всегда очень легко теряли в Париже головы. И святой Денис, и король с королевой на гильотине, и эти каменные цари Нотр-Дама...

Меня о многом спрашивают, а я всегда с любезной готовностью отвечаю.

И нет, мне не стыдно. Я считаю, что Париж каждому сам откроется, если человек того заслуживает, и любит его по-настоящему. А если не откроется, значит, и не надо будет приезжать сюда в другой раз. А то тут прямо как намазано всем.

Я же вот, например, была и в других городах — сыночек возил меня в Лондон, поездом. Я его сразу же невзлюбила, этот Лондон, там всё не как у людей. Большой он какой-то слишком, и на лестнице в метро меня в первый же день чуть с ног не сшибли — они же не только ездят не по той стороне, они и ходят так! Нет, спасибо, я в Лондон больше не поеду.

Я буду жить в своём Париже и выучу его наизусть, как моя бабушка знала наизусть Псалтирь. Пусть даже ей это никогда в жизни не пригодилось, она всегда этим очень гордилась.

А я если чем и буду гордиться, так это тем, что живу в таком городе. Он самый из всех любимый.

Мой, и только мой Париж.

Немолодой и некрасивый
рассказ

*Незнакомая речь хлещет в уши, непонятная и дикая,
как волна, что брызжет пеной под ногами.*

В. Короленко

19 марта

Вчера утром снова упал самолёт, полторы сотни людей погибло — в том числе два оперных певца и двенадцать малолетних детей. Я не боюсь летать, откуда-то знаю, что смерть моя — пешеход и земледелец, но когда самолёты падают, путешествие становится опасным независимо от тебя. И очень жаль погибших пассажиров: представляю, как они паковали вещи, боялись опоздать на рейс, радовались, что рядом с ними в салоне — свободное место...

Мама справедливо считает, что я слишком часто оставляю семью без присмотра, а тут — ещё и на целый месяц. Она, впрочем, и сама ездила в своё время по всему СССР, а мы с папой и сестрой Ксенией оставались без женского пригляда то на неделю, то на две. Папа жарил нам пельмени и докторскую колбасу. Бельё стирала Ксения — после стирки оно выглядело почти так же, как до неё, а у меня заводились колтуны в волосах, потому что я ленилась их прочёсывать.

Олег попросил не будить его ночью — ему и так придётся вставать ни свет ни заря, провожать в школу Ленку. Сейчас закажу такси — и тоже лягу, попытаюсь поспать хотя бы пару часов. Цветы перенесла в гостиную и составила рядами на полках, чтобы маме было удобнее поливать. Клеродендрум собрался цвести — он всегда делает это накануне моего отъезда. Как маленькие дети, которые заболевают именно в тот момент, когда мама начинает собирать чемодан.

Господи, дай мне сил на завтра! Ну или хотя бы терпения. Целый месяц без Олега и Ленки, без родителей, мастерской, без цветов...

В путешествиях никогда не знаешь, какой билет тебе выпадет.

20 марта

Ну вот, я на месте — в этой самой резиденции для художников. Квартал Марэ — такой особенный Париж, ничего общего с другими районами. Наш администратор Жан-Франсуа сказал, что «руки Османа сюда не дотянулись». Дома старые, улицы узкие — всё как я люблю.

В прошлый раз, когда я была в Париже, то даже не смотрела в сторону Марэ — мы клубились вокруг Нотр-Дама и площади Конкорд. Потом кто-то предложил взять вина и пойти пешком до Башни. Я в кровь стёрла ноги новыми босоножками, а потом ещё и упала на смотровой площадке. Это всё было сто лет назад, и тогда я привезла из Парижа два шрама. Один был чуть ниже колена и долго не заживал. Второй проходил прямо по сердцу, его никто не видел, но он был намного хуже первого. Очень тяжело я тогда влюбилась, будто заразилась чем-то, честное слово.

Долетели нормально, хотя перед взлетом нам заботливо выдали бесплатные газеты с огромным репортажем про тот упавший самолёт. Со мной рядом сидел молодой человек в узеньких брючках — он меня полностью устраивал как сосед, пока мимо не пошла в туалет его знакомая и не уселась на обратном пути на свободное третье место. Они начали обсуждать каких-то своих друзей — в основном Настюху и Саню, и Узенькие Брючки проявили себя не с лучшей стороны. Бедную Настюху он буквально по косточкам разобрал, как ископаемого динозавра, да и Сане, в общем, досталось. Самое интересное, что на втором часу этой беседы я тоже поневоле втянулась в разговор, как пассивный слушатель, — и когда Узенькие Брючки вдруг замолкали, с трудом сдерживалась, чтобы не пихнуть локтем: а дальше?

Интересно, как там Ленка и как цветы? Волнуюсь за брунфельсию — ей нужны влажный воздух и прохлада. А мама, наверное, просто польёт её из лейки, хоть я и приклеила листочки с рекомендациями к каждому горшку. Олега к цветам подпускать нельзя — во-первых, у него аллергия в лёгкой форме, во-вторых, он цветы не любит, и они платят ему тем же.

Очень хочу спать, но всё-таки опишу моих здешних «сожителей». В резиденции помимо меня живут трое: британский скульптор Джереми, итальянский фотореалист Антонио (просит звать его Антоном — пожалуйста!) и американская коллажистка Кара. Джереми — немолодой и некрасивый, с каким-то окаменевшим, как будто сам себя изваял, лицом. Кладбищенская гвоздика. Антон, напротив, красавец — и в курсе этого! Цветущий розан. Кара — голубоглазая, в возрасте. Увядающий колокольчик. Все, кроме меня, говорят на прекрасном английском, включая Антона и Жана-Франсуа...

В скайпе с домашними пообщаться не удалось — в резиденции нет вай-фая. Кормят прилично, кровать удобная, мастерская — просто огромная!

— Ну а как иначе — вы же работать сюда приехали, — заметил Жан-Франсуа. Он мне не нравится — глаза хитрые, масленые. Мухоловка.

23 марта

Этот месяц в Париже был распланирован заранее — расчерчен по клеточкам, разбит на периоды, усеян восклицательными знаками. Я умею держать себя в узде, в струне и в тонусе, надсмотрщики мне не нужны, как, впрочем, и подпинывания. Пока всё по плану. Два дня усердно работала. Сделала несколько удачных набросков, писала с натуры на рынке — продавцы сначала были не в восторге, но, когда увидели, что получилось, признали: «Сюпер!» В первый же вечер Антон предложил пойти «выпить» — но я его разочаровала тем, что не пью ничего кроме чая даже на свадьбах и похоронах. «На похороны пока не приглашаю», — заявил Антон.

Джереми, по-моему, вообще никуда не выходит — с таким же успехом можно было сидеть у себя дома: наверняка у него в Лондоне есть громадная мастерская с панорамными окнами. Я даже не видела его ни разу после знакомства, только кашель на лестнице слышала. Суховатый такой кашель. Захотелось поделиться с ним своим «каметоном».

В цветочных лавках продают тюльпаны, камелии, гортензии (их покупают для пересадки в грунт), ещё я видела ирисы, клематис, гигантские лилии и мелкую ромашку. И, конечно, розы — куда нам без роз.

Кара спросила, что именно я рисую, — и, когда узнала про цветы, то выглядела, мягко говоря, разочарованной. Прямо как Олег, когда узнал, что мои работы перестали покупать. Ещё три года назад картины хорошо продавались, а когда большие «Ирисы» купил какой-то банк за триста тысяч, Олег стал относиться ко мне как к курице, которая снесла вдруг неожиданно для всех золотое яйцо. Муж тогда звонил мне каждый день с работы и спрашивал:

— Ты гуляла сегодня? А что ела? Поспи после обеда обязательно!

Зря старался, золотые яйца я больше не произвожу — работы пылятся в Дуниной галерее и, по-моему, начинают её раздражать. Правда, парижской поездкой Дуня гордится больше меня — она ещё полгода назад начала рассказывать клиентам, что «художница уезжает в Париж работать». Обычно это действует — слово «Париж» вообще очень хорошо унавоживает всё, что связано с искусством.

В соседнем доме есть кафе, где бесплатный вай-фай — местный официант уже узнаёт меня. Ленка утверждает, что пересдала тройку по немецкому. Мама на высоте — обслуживает каждый цветок в отдельности, я ей очень благодарна. Брунфель-сия в порядке, клеродендрум цветёт вовсю. Вот только антуриум нужно поливать чаще — а я забы-ла об этом сказать.

От Ксении никаких известий, мама волнуется. Сестра у меня очень оригинальная женщина: жи-вёт в Индии, увлечена аюрведой и йогой. Детей у Ксении нет, как и мужа. Зато фигура — точёная.

Собираюсь в Помпиду, там проходит выставка Лихтенштейна. Но если честно, мне больше хо-чется гулять по городу, чем торчать в музеях. Не говоря уже о том, что нужно работать — *я же за этим сюда приехала.*

26 марта

Всё-таки надо вести дневник каждый день — как бы ни устала! Потом это забудется, а мне не хочется, чтобы забывалось...

Но обо всём по порядку.

На выходе из Центра Помпиду я никак не могла прикурить сигарету — вдруг налетел ветер, сухой и с пылью, как в пустыне. Крутилась так и этак, па-лец обожгла зажигалкой, как вдруг кто-то под са-мым ухом спросил по-английски:

— Помочь?

Джереми! Ни за что не узнала бы его на улице — в резиденции он выглядит старым и каким-то угрюмым, а здесь, на площади перед музеем, вдруг показался ровесником. Черты лица — суровые, крепко притёртые, скульптурные — вдруг стали мягче. Падают замки и скрипят засовы: из-за этого тяжёлого лица, как из-за двери, вдруг появляется настоящий Джереми. Глаза у него синие... хотела сказать, как васильки, но что может быть банальнее, чем сравнить цвет с цветком? Хорошо, что я не писатель, а художник!

Ветер стих так же быстро, как поднялся, — и на прощанье успел затушить мою сигарету. Джереми не курил, но не стал читать мне лекции о здоровом образе жизни. Кашляет он сильнее меня, курильщицы (я вообще не кашляю, тьфу-тьфу).

Джереми спросил, бывала ли я в мастерской Константина Бранкузи, — призналась, что нет. Эта мастерская здесь же, у Центра Помпиду, и мы пошли туда вместе. Джереми намного выше меня, хорошо несёт голову и мало говорит. Я тоже молчу, потому что чувствую себя голой без родного языка. Невыносимо — знать, что хочешь сказать, и не иметь под рукой привычного инструмента...

Мастерская Бранкузи окружена стеклянными стенами, правда, не со всех сторон. Можно разглядывать обстановку, в которой работал скульптор, можно любоваться его работами. Джереми прилип к стеклу намертво — и я с ним. Кое-что узнала (не совсем безнадёжна): отливка «Птицы», фрагмент «Бесконечной колонны», чудесные женские головки и знаменитый «Поцелуй». Кажется, всё это так просто, так мало использовано средств — говоря моим языком, листья, не цветы, — но поди придумай! Джереми долго и подробно рассказывал, волнуясь, о Бранкузи, я кивала с умным видом. Половины слов вообще не разобрала, но успела потупить глаза, когда услышала: «Принцесса Х». Эта скульптура шокировала в свое время даже терпеливую парижскую публику — фаллос, похожий на телефонную трубку, вот такая принцесса. Будь Джереми русским, я сказала бы ему, как удачно подобрано название, — но Джереми не русский, не поймёт.

Часа полтора провели в этой мастерской; потом я всё же решилась напомнить, что мы опаздываем на ужин.

Вечером Джереми сказал, что завтра после обеда едет в Люксембургский сад и что мы можем поехать вместе. Он будет очень рад.

Обычно я на любые просьбы и предложения сначала говорю «нет», а потом, как правило, добавляю: «А впрочем, давайте». Мама говорит, что я ещё в детстве так делала: отказывалась от пирога, и тут же тянула руку за куском. Что ж, ей виднее. Но на приглашение Джереми я согласилась сразу. Повзрослела, наверное.

Перед сном вспоминала синие и голубые цветы: дельфиниум, незабудка, фиалка, примула, лобелия, гиацинт, анютины глазки, вьюнок, аквилегия, мои любимые ирисы и те скромные цветочки, которые росли в бабушкином саду. Она их называла «мускарики», хотя на самом деле это гадючий лук.

27 марта

Только что закончила акварель с тюльпанами. Сейчас самый сезон: в каждой цветочной лавке стоят букеты розовых, белых, желтых тюльпанов — нераскрывшиеся, они похожи на новые кисточки в стакане. Рядом — герберы, длиннющие мечи гладиолусов, розы, камелии, гортензии, но больше всего тюльпанов, нарциссов и орхидей.

Я никогда не покупаю букеты и срезанные цветы, и поэтому так часто хожу по рынкам и цветочным лавкам — жаль, что далеко не всем продавцам нравится видеть, что я рисую их товар... Один мсье даже сделал мне замечание — пришлось уйти. В идеале было бы сесть рядом с каким-нибудь цветочным партером или клумбой, но в Марэ я ничего похожего не видела. Возможно, ещё рановато для уличных цветов — Жан-Франсуа жаловался, что март в этом году очень холодный.

Ленка вроде бы снова увлеклась немецким — сказала мне в скайпе, что незабудка по-немецки, как и по-русски, — «не забывай меня», «vergissmeinnicht».

— Ты скучаешь? — спросила дочка.

Если честно, ни по кому я здесь не скучаю. Олег не ходит с постным лицом и не донимает меня ссылками на смешные видео (сюда он их, к счастью, не посылает), мамины упрёки до Парижа не долетают, как и сообщения от дочкиной классной руководительницы, потому что телефон мой всё время выключен. Сообщения я могу и так себе представить: «Срочно сдать деньги на выпускной» (Ленка учится в шестом классе, но выпускные в нашей школе — каждый год), «Была удалена с урока географии за безобразное поведение», «Родительское собрание — в среду, в пять».

Мама появляется за Ленкиным плечом и рассказывает о цветах — у бегонии нашёлся засохший лист, а монстера вдруг начала «плакать».

— Значит, дождик будет, — говорю я, вспомнив свою красавицу-монстеру с фигурно вырезанными листьями. — Не поливай пока, завтра расскажешь, как дела.

Папа, наверное, сердится, что маме приходится каждый день ездить к нам через весь город... Но не бросать же цветы!

Олег однажды заявил:

— Тебе эти горшки дороже нас с Ленкой.

Но ведь цветы полностью беззащитны, в отличие от людей. Они не могут пойти на кухню и налить себе водички, не могут спрятаться в тени или подставить листья свету... И доверить их я не могу никому, кроме мамы. Она моей любви к «горшкам» тоже не разделяет, — но делает всё как надо.

Ой! Джереми кричит снизу, что готов ехать. Бегу.

29 марта

Очень странные вещи происходят здесь со мной. Я давным-давно поставила крест на этой стороне жизни — да не какой-нибудь чернильный крестик, а добротную мраморную скульптуру, возможно даже с плачущим ангелом. Эта сторона жизни — любовь и всякое там личное счастье. У нас с Олегом нет ничего похожего ни на первое, ни на второе, зато у нас есть Ленка — и пока она не достигнет того возраста, когда дети становятся взрослыми детьми, мы будем и дальше катить в гору камень совместной жизни, тоже временами изрядно тяжёлый. Как тот самый крест.

У Олега голубые глаза, но их не хочется сравнивать с незабудками и гиацинтами. Его глаза похожи на тысячные купюры.

И тут появляется этот Джереми — не мой и немой (потому что не говорит на русском, а мой английский — калика перехожий), немолодой и некрасивый... И всё это вдруг оказывается НЕ важно.

Единственное, что меня сейчас интересует, — Джереми посылает кому-нибудь в Лондон ссылки на смешные видео? Впрочем, вру, не единственное. Ещё мне очень хочется увидеть его работы — пусть даже какие-нибудь эскизы или те маленькие пластилиновые фигурки, с которых начинается долгий путь к готовой скульптуре.

И я очень боюсь, что они мне не понравятся. К сожалению, так часто бывает: прекрасный, интересный человек оказывается посредственным художником, и тогда очарование рассеивается, как если бы его и не было.

Поэтому я не напрашиваюсь «в гости», хотя мастерская Джереми — прямо под моей. К Антону, например, я заглянула в первый же день. Антон — типичный нарцисс (во всём, кроме внешности — *роза это роза это роза*), и без питательной подкормки чужими восторгами и комплиментами (искренность его не интересует) он начинает вянуть, как всё та же роза, поставленная в одну воду с гвоздикой. Фотореализм — жанр на любителя; как правило, им увлекаются мастера с плохо развитой фантазией, да и ценители его не могут похвастаться изысканным вкусом. «Прям как настоящее!» — кого сейчас этим можно удивить? Работы Антона — почти что фотографии, добротно сделанные, но начисто лишённые даже намека на индивидуальность, манеру и, увы, талант. Я хвалила их, ощущая собственную фальшь, как запах вянущих цветов.

Терпеть не могу увядающие цветы — потому и не держу дома никаких букетов.

Кара меня к себе не приглашает, да и в гости не набивается, как, впрочем, и Антон — ему важно предъявить свою состоятельность, а не оценивать чужую. Джереми и вовсе ведёт себя так, будто мы не художник и скульптор, но давным-давно спетая пара, с удовольствием проводящая время в Париже.

В Люксембургском саду — клумбы там пока ещё не при полном параде, я видела только анютины глазки чернильного цвета — мы долго ходили по аллеям, разглядывая статуи королей. Клотильда Французская, Анна Австрийская, Мария Стюарт... Джереми осматривал каждую внимательно, как врач — пациентку, а у меня в голове неожиданно (точнее, вполне ожидаемо) включился Бродский:

> И ты, Мари, не покладая рук,
> стоишь в гирлянде каменных подруг —
> французских королев во время оно —
> безмолвно, с воробьём на голове.
> Сад выглядит, как помесь Пантеона
> со знаменитой «Завтрак на траве».

За Бродского, Волошина и других поэтов, населивших мою голову бесчисленными стихами, нужно благодарить маму (как, впрочем, и за то, что эта голова вообще имеется в природе и что она — моя). Она истово любит поэзию, и всё наше с Ксенией детство прошло в ритме и в рифму. Однажды кто-то рассказал маме, что сыновья одного известного эмигранта каждый день на чужбине обязательно учили русское стихотворение, и мама тут же подхватила традицию. Не знаю, что думает об этом Ксения, но меня этот опыт изменил навсегда; более того, именно стихи потянули за собой музыку, а музыка — живопись. Я и сейчас почти к любому поводу могу пристегнуть нужные строчки.

Во время нашей прогулки я читать стихи не решилась — а вместо этого пыталась объяснить Джереми, что предпочитаю английские сады французским — во-первых, мне показалось, ему это будет приятно, во-вторых, надо же было сказать наконец что-то умное, вычитанное, к слову сказать, в незапамятные времена в журнале «Домовой». В основном-то я мычу и мурлычу, иногда повторяя какие-то фразы, застрявшие в памяти со времён университета. Например, оборот, которым злоупотребляла наша англичанка: *«Perfectly right you are»*. Джереми улыбается, когда слышит от меня эти слова, и я повторяю их снова и снова, лишь бы вызвать его улыбку. Видно, что она — редкий гость, черты лица не приспособлены к улыбке, не знают, как вписать её в рисунок. Тем приятнее мне веселить Джереми, пусть даже он смеётся над моим убогим английским.

Французские сады — воплощённый порядок: чёткие стрижки деревьев, геометрия и прекрасная видимость; тогда как британские, если верить той давней статье в журнале, разбиваются с единственной оглядкой на природу и её законы. Там всё буйствует, цветёт и развивается, как того требуют растения, а не человек. Мне ещё раньше приходило в голову, что французские сады больше подходят англичанам — британцы ведь такие правильные, воспитанные, вежливые, тогда как французам свойственны разного рода завихрения и отклонения, да и революционное прошлое к лицу скорее запутанным кустам, нежели продуманным партерам. Но эту мысль я на английский переводить не решилась. Проклятая школьная лень! «Попомнишь, как прогуливала занятия!» — голос учительницы Эммы Акимовны вдруг долетел из прошлого, прямиком из свердловской школы на улице Ясной, в Люксембургский сад. Звучал он так же громко, как голоса птиц, которых мы здесь слушаем ночью за окном, поневоле, но с наслаждением.

В мае во дворе нашей школы зацветали яблони — и было непереносимо сидеть на уроках, когда за окном колыхались эти душистые пенные волны. Мне кажется, учителя понимали нас — они тоже всё время поглядывали в окно, издали любуясь весной. Издали — потому что весна для учителей — это же самый ад: конец года, экзамены! Только Эмма Акимовна плевать хотела на яблони и всё требовала сдать ей неправильные глаголы, но я их не учила, и вот поэтому плаваю теперь в прошедшем времени, иду на дно, как тяжёлая колода.

Птицу, которая поёт за окном в резиденции, я искренне считала соловьём, но Джереми уверенно сказал, что это *"starling"* — «скворец».

Под конец нашей прогулки пошёл сильный дождь — моя монстера не ошиблась с предсказанием, вот только город выбрала неверный. Дома никаким дождём, конечно, и не пахло, Ленка сказала, было сухо и тепло, она ходила в школу в ветровке. А Париж залило по-страшному — мы буквально сбежали из сада в метро.

Вчера мы ездили в парк Монсо — снова вдвоём, так что Кара уже начинает поднимать вопросительно левую бровь (лучше бы она так не делала — это её ужасно старит). Кара справедливо считает, что Джереми больше подходит ей по возрасту, но мы ведь *работать сюда приехали*, так что вслух никто ничего не произносит, а скептически поднятую бровь можно и пережить.

Сегодня Джереми не выходит из своей мастерской, и я прислушиваюсь, чтобы не пропустить момент, когда он появится, — и вынести, к примеру, мусор. До конца сессии — больше двух недель, но я уже сейчас скучаю по Джереми, как будто всё уже закончилось, и он вернулся в свой Лондон, а я — домой, к цветам и Ленке.

31 марта

Утром поймала себя на том, что мыслю английскими цитатами из песен — и даже пытаюсь объясняться с их помощью. Песни вспоминаются все как на подбор нелепые — из детства, когда мы переписывали друг у друга альбомы *"Modern Talking"* и *"Bad Boys Blue"* на двухкассетном магнитофоне.

Что я скажу Джереми? *"You are one in a million"*?

Нет, здесь, скорее, подойдёт какая-нибудь "ABBA" — *"As good as new, my love for you"*...

Представляю себе лицо Джереми, когда я вдруг резко повернусь на дорожке очередного парижского сада и запою:

– *One man, one woman.*
Two friends and two true lovers...

Петь я буду фальшиво и с акцентом.

Призрак Эммы Акимовны громко смеялся за окном — вот это уж точно не соловей и даже не скворец.

После завтрака ко мне подошла Кара — как все не самые сообразительные иностранцы, она говорит со мной громко, будто с глухой. Кара считает, что, если повысить громкость собственной речи, бедняжка русская тут же начнёт её отлично понимать!

Она буквально орала во весь голос:

— Что ты делаешь сегодня? Не хочешь съездить со мной в Ботанический сад?

Я, конечно же, не хотела — тем более Джереми сказал, что найдёт меня днём и мы что-нибудь придумаем. Но отказаться было невежливо — и эта её вздернутая бровь, она меня по-настоящему пугает.

У Кары пышные волосы, которыми она очень гордится — распускает по плечам, отбрасывает за спину... Волосы и правда очень красивые — табачного цвета, густые, ухоженные. Я бы тоже такими гордилась.

Глядя прямо в эти волосы, я сказала, что после обеда можно и съездить — тем более мне нужно порисовать с натуры, а небо сегодня чистое, как вымытое стекло. Мама не на шутку увлеклась заботой о цветах — сегодня она даже притащила к компьютеру орхидею пафиопедилюм и поставила её передо мной с таким видом, как будто мы сейчас начнем здороваться и шептать друг другу нежные слова. Орхидея зацвела — второй раз в жизни! Такой красивый, нежный и робкий цветок, что с ним действительно хочется поздороваться: он будто расписан тонкой кисточкой. Я попросила маму не убирать орхидею — рисовала, пока мама рассказывала новости: Олег разбил горшок с дербянкой,

Ксения позвонила и сказала, что летом точно приедет на целый месяц, а Ленка идёт на день рождения к мальчику и просит на подарок полторы тысячи рублей.

После обеда зашла Кара — я пригласила её войти в мастерскую, и американка долго разглядывала мои акварели. Она так крутила губами, что они двигались вправо-влево вместе с носом — это можно было истолковать по-разному.

— Фантастик! — сказала Кара и предложила на минутку заглянуть к ней. По дороге мы столкнулись с Джереми — он был очень хмурым, но сказал, что вечером в «Комеди Франсэз» идёт спектакль по русскому драматургу Максиму — я сразу догадалась, что это Горький, и точно так же сразу согласилась встретиться с Джереми у театра в восемь пятнадцать.

В мастерской Кары лежало несколько готовых коллажей — картины сложены из бумажных обрывков, перьев, листьев, мелькнул картонный рулончик из-под туалетной бумаги. Когда я не решаюсь сказать коллеге правду, то прячу её за удобным: «Любопытно!»

Боже, как мне не хватает здесь удобных и обжитых русских слов: английское *"interesting"* звучит равнодушно и вяло. Кара дёрнула плечиком, и мы пошли прочь из резиденции. Жан-Франсуа крикнул вслед, что завтра вечером приедут спонсоры, и мы должны показать им то, над чем сейчас работаем.

Кара одевается как протестный подросток из моей юности: ботинки на тяжёлой подошве, куртка в замысловатых пятнах, рваные джинсы... Я выгляжу рядом с ней буржуазно — в Париже во мне после долгого летаргического сна очнулась женщина, и эта женщина таскает меня по бутикам Марэ, не ведая сострадания. Вчера я купила чудесные башмачки из тонкой кожи — сегодня выяснила, что они ещё и очень удобные.

Мы доехали в метро до левого берега, но вышли далеко от нужной станции, потому что обе плохо знаем Париж, — и заблудились. Оказались на каком-то бульваре, рядом с парфюмерным магазином — оттуда так сильно пахло жасмином, что я не выдержала и попросила американку зайти внутрь буквально на минуточку. Кара благосклонно согласилась и спросила, продают ли в России духи?

Я шла на запах жасмина, как на зов — мне нравятся чистые цветочные ароматы. Роза — это роза, жасмин — так жасмин, гиацинт — пусть гиацинт. Никаких букетов. Кара сказала, что любит ландыши. Ядовитый цветок, заметила я, и американка удивилась: *really?* Мы купили жасминовые духи и спросили у продавщицы дорогу к Ботаническому саду — она махнула рукой в сторону и вверх. По пути я коряво, но вдохновенно рассказывала Каре всё, что знаю о цветах. Белая роза, по легенде, появилась из капель пота пророка Мухаммада (слово «пот» я показывала на себе, неприлично нюхая подмышку). Сатана пытался подняться на Небо, откуда его свергли, по прямым стволам шиповника — но Господь разгадал его планы, изогнул эти стволы, а Сатана — раз так! — от злости согнул и шипы. Гвоздики появились благодаря несчастному пастушку, который разозлил Артемиду. Охотница вырвала его глаза и, раскаявшись, бросила их на землю – из них тут же выросли красные цветы.

— Какой ужас! — искренне пугается Кара. Чтобы успокоить её, я рассказываю о фиалке — малень-

кий нежный цветок был эмблемой Наполеона,
фиалки росли на могиле Жозефины... Фу-ты,
опять могила!

Слова мои не для Кары: я репетирую с ней то,
что расскажу вечером Джереми. Или не расскажу — мы с ним мало говорим, но словно бы питаемся присутствием друг друга, пьём его, как растения — воду из почвы.

— Для художника ты слишком много болтаешь, — сказал мне давным-давно человек, в которого я так неудачно влюбилась в другом, далёком
Париже.

Мы с Карой почти дошли до Ботанического
сада, как вдруг она ойкнула и встала на месте.
Я обернулась — на золотистых волосах лежала,
подтекая, крупная жирная клякса. Голубь от всей
души пометил мою американку. Её била крупная
дрожь омерзения, меня тоже, но я всё-таки достала из сумки пачку влажных салфеток и попыталась оттереть с её волос эту дрянь, но дрянь, конечно, не поддавалась: парижские голуби хорошо
питаются, не всякая чайка так сумеет... Предложила повернуть домой, но Кара сказала: нет, пойдём
в сад, как договаривались. Чтобы утешить её,
я сказала, что в России это хорошая примета —
к деньгам! Какие странные у вас приметы, удивилась Кара. И тут же, будто мало было голубя, с поводка у худенькой старушки сорвалась вовсе не
худенькая собака. Переполненная радостью, возможно, узнавшая в Каре какую-то свою знакомую
из прошлой жизни, собака в три прыжка подскочила к нам и встала грязными лапами на плечи
коллажистке, оставляя на куртке сочные, свежие
отпечатки. Старушка извинялась — дезоле, — Кара

чуть не плакала, внезапно пошёл дождь, и Ботанический сад мы так и не увидели, спрятавшись в метро. На пути в резиденцию мы обе вымокли; «Надеюсь, эту твою Кару хорошенько отмыло», — шутила потом моя добрая мама. А я подумала, что «Кара» по-русски звучит как «Наказание» — кара небесная, вот что такое был этот наш сегодняшний поход.

Вечером на сцене «Комеди Франсэз» ходили меж берёзок горьковские дачники. Артисты старательно произносили сложные отчества, загадочная русская душа всходила над сценой, как луна, от меня громко пахло жасминовыми духами, Джереми взял мою руку за три минуты до антракта. Я угадала его жест ровно за секунду до этого — как всю жизнь просыпаюсь ровно за секунду до звонка будильника.

12 апреля

День космонавтики, а у нас в России — ещё и Пасха. Тот редкий случай, когда космонавты на орбите всё-таки увидели Бога.

До отъезда — пять дней. Записи мои заброшены, работы недоделаны, зато мы с Джереми обошли все парижские сады и парки: от Булонского леса до висячего сада на крыше вокзала Монпарнас, от Монсури до Сен-Клу, от Пале-Рояля до Тюильри. В моем родном городе есть два дендрария, ЦПКиО имени Маяковского (с гипсовыми статуями и маньяком в анамнезе — поэтому в народе его зовут «парк Маньяковского»), есть скверы и парки, названные в честь Энгельса, Павлика Морозова и какого-то съезда комсомола. Под деревьями там лежат сметённые в кучу человеческие зависимости — шприцы, окурки, банки из-под пива.

В Париже мы ходим по паркам и садам, иногда Джереми берет меня за руку — и всё. Я искоса поглядываю на него — немолодой и некрасивый, залысины, морщины. Кара сказала, он очень известный скульптор, что всем нам и не снилась такая слава.

Я увидела его работы случайно. Когда приезжали спонсоры, они заходили к каждому по отдельности, и тем же вечером мы с Антоном встретились внизу. Решили выпить чаю в *моём* кафе, — итальянец сказал, что его агент пристроил несколько работ в галерею, не хочу ли я посмотреть? Мы шли до этой галереи пешком, и я устала соответствовать красоте Антона — с ним рядом нельзя быть самой собой, нужно постоянно втягивать живот и обворожительно скалиться. Он действительно очень красив.

Картины Антона по-прежнему походили на фотографии, а вот статуэтка, стоявшая у входа на большом кубе... Я с трудом удержалась, чтобы не схватить её — хотелось гладить, поворачивать так и этак, проводить пальцем по гладкой поверхности и чувствовать, как она срывается в шероховатость обратной стороны. Ничего особенного, хмыкнул Антон, но лицо его тут же вытянулось — рядом лежали визитки с именем скульптора.

Я отдала бы все свои деньги (если бы они остались после трёх недель жизни в Париже) за эту статуэтку — но она стоила поистине небесную сумму.

И ведь не сказать, не объяснить, чем она мне так понравилась, ни на одном языке мира... Пыталась найти сходство с кем-то любимым, ох уж это вечное наше «похоже на». Гадаев? Кремер? Эрнст Барлах? Нет, нет и нет. *Прости меня, прелестный истукан*, хоть бы фотографию на память сделать — но я постеснялась, а потом, когда бы ни пришла, галерея почему-то оказывалась закрыта.

В музеи мы с Джереми ходили мало — у нас были сады, живой Ван Гог, настоящий Моне, подлинный Ренуар, неподдельная Серафина Луи. Сложно писать цветы, когда видишь перед собой не подсолнухи, кувшинки и пионы, а «Подсолнухи», «Кувшинки» и «Пионы». *Фиалки волн и гиацинты пены...* Париж наконец расцвёл, распустился, как тот капризный тугой бутон, который никак не соберётся с силами — и показывает лишь краешек яркого лепестка, как кокетка, приподнявшая юбку.

Джереми держит меня за руку, и я каждый раз думаю, что после его прикосновений она превратится в нечто другое — он может изваять её заново, сделать не такой, как была, и вообще не рукой.

На днях мы случайно забрели в сад на улице Розье — вход с улицы через двор старинного особняка. Рядовой газон, каштаны, скамейки... Я рассказываю Джереми о том, что ботанические рисунки цветов — всё равно что анатомические портреты людей, и ещё о том, что десмодиум умеет размахивать листьями, как руками, и о том, как опасен борщевик, и о том, что хурма — родственница эбенового дерева, и о том, что неопалимая купина называется ещё и «огонь-трава»! Вечерами я ищу в Интернете всё новые и новые слова в Гугл-переводчике — простодушном помощнике безъязыких влюблённых. Мама говорит, что очень соскучилась, «горшки» — в полном порядке, клеродендрум всё никак не отцветает, «тебя ждёт». В почтовом ящике — девять писем от Олега, в каждом — ссылка на видео или полезную статью. Дуня перевела деньги за проданные «Гиацинты» — их хватит на один мизинчик статуэтки Джереми. Ленка ходила с какой-то своей подружкой в оперный театр на прогон «Травиаты» — самое лучшее, призналась дочь, это когда режиссер завопил на артистов:

— Ещё раз, с третьей цифры!

И даже те, кто к тому времени умер, безропотно вскочили на ноги и снова начали петь!

Вот и я здесь тоже пою — в мыслях перебираю цитаты из старых песен исчезнувших групп.

19 апреля

Чемодан набит под завязку — там подарки для Ленки, Олега и родителей, краски, сыр и те шмотки, которые меня заставила купить очнувшаяся после летаргии женщина. Я знаю, что эту женщину начнёт клонить в сон уже в аэропорту, но пока что она не сдаётся и заставляет меня бродить по бутикам в последнее парижское утро — вместо того чтобы спокойно посидеть в саду Розье с сигаретой. Раньше я не замечала, что этот сад — типичный *hortus conclusus*, только вместо монастырских стен в нём — жилые дома. Антон и Джереми уже уехали. Джереми оставил мне свой адрес в Лондоне. Если я вдруг... Никакого «вдруг», конечно же, не будет: все цветы рано или поздно отцветут, срезанные — завянут, а нарисованные — продадутся.

Надеюсь, что мы с Карой не опоздаем в аэропорт — заказали одно такси на двоих. Кара уже не кричит на меня, как раньше, и вообще, она очень милая женщина, хоть и напоминает порой свои коллажи. А впрочем, кто из нас не похож на свои работы? Разве что Джереми — та его статуэтка юна и прекрасна, и, глядя на неё, можно додумать всё то, что не было услышано.

Он показал эскизы вчера, перед отъездом — что ж, в отличие от некоторых, Джереми не зря провёл этот месяц в Париже. Он очень внимательно меня рассмотрел — и рассказал об этом бумаге, а в Лондоне расскажет вначале своей жене, потом гипсу, а затем и бронзе.

Его жена — художник-портретист с европейским именем (в обоих смыслах слова — её зовут Луиза, и её знают по всей Европе). У них две дочери, старшая — моя ровесница.

Как же это временами хорошо — плохо знать язык! Эмма Акимовна, где бы вы ни были, я торжествую. Я рада, что не смогла рассказать Джереми о том, что большую часть цветов нельзя пересаживать во время цветения, и о том, что Жанна Эбютерн хотела быть художницей, а не моделью Модильяни.

В аэропорту мы с Карой расцелуемся — и неожиданно легко расстанемся. Каждая прыгнет в свою прежнюю жизнь, будто и не было этого месяца, Парижа и садов.

Сейчас я поставлю точку — и спущусь вниз. Жан-Франсуа будет сладко улыбаться нам с Карой (уже неинтересным, вчерашним) и прокручивать в уме список дел на завтра: уборка, отчёт перед спонсорами, подготовка к встрече следующего десанта гостей: корейский фотограф, два немецких пейзажиста и граффитист из Дании. Уже доносятся, долетают дыхание новых историй, запахи свежих картин и ароматы цветов, которым ещё не пришло время распуститься.

И всё-таки самые прекрасные сады — на картинах, а лучшие любовные истории — те, что не рассказаны до конца. Или же вовсе не начаты.

Дорога в никуда
рассказ

Когда-то её научили слушать эту музыку, и с тех пор она так и слушает всю жизнь одно и то же — мода меняется, а у неё по-прежнему звучат *"Talking Heads"* и *"King Crimson"*, *"Dead Can Dance"* и почему-то *"Sparks"*, попавшие сюда явно из другого набора. Некоторые женщины остаются верны освоенной в молодости причёске, которая с годами становится уже не причёской, а особой приметой. А здесь в этой роли — музыка, ставшая личной историей. *Road to nowhere* — слегка гнусавый, но бодрый голос Бирна: она стесняется открыть окно машины, вдруг кто-нибудь услышит.

Особенно Григорий. Он любит русский рок, и спасибо, что не шансон.

Её отец, ехидный старичок, услышав имя гостя, пропел как бы в шутку:

— Не погуби души моей, Григорий!

— В каком смысле? — напрягся гость. С чувством юмора у Григория было не так чтобы очень, остро́ты он понимал через раз, над анекдотами задумывался. И когда бывал взволнован, говорил словно бы чуточку подвывая. Других недостатков не имелось, да и волновался Григорий редко. Она удивилась, почему он вдруг занервничал в родительской квартире.

Это мама уговорила — *уже год встречаетесь, а у нас ещё не были*. Вечные «уже» и «ещё»... *Здравствуйте, курточку лучше здесь повесить, тапки не предлагаю. У нас можно запросто, как дома, — садитесь, где желаете, берите, что хотите.*

И вот она помогает маме накрывать на стол, а Григорий сидит рядом с папой и нервничает.

Не мальчик вроде бы — волноваться. Григорию уже под пятьдесят, да и она за сорок шагнула — если б можно было идти навстречу друг другу, сокращая возрастную дистанцию, через пару лет встретились бы.

В родительском доме смотрела на него чужими глазами — а впрочем, она и раньше так делала. Вот он сидит в старом папином кресле: сильный, весь какой-то напружиненный, руки оплетены жилами, как стеблями... Скульптура, а не мужчина, скорее Давид, чем Аполлон, и как к этому можно привыкнуть? Над лицом трудился другой ваятель — этот предпочитал гармонию сложных форм: лицо Григория сразу кажется знакомым, как всякое красивое лицо. Разглядывать можно бесконечно, если хватит смелости — у неё-то долго не хватало, она первое время говорила с Григорием, глядя ему куда-то в ухо или в шею. И даже сейчас сердце всякий раз начинало биться там, где оно вообще не должно находиться, — стоило увидеть его, пусть даже седьмой раз в неделю. Странно, что можно обладать таким лицом — и не застывать всякий раз перед зеркалом в изумлении: *неужели это я, Господи?* Увидишь — и дыхание собьётся, как от первой сигареты.

Тот, кто придумывал лицо Григория, отложил все прочие дела в сторону — и тщательно отделывал каждую чёрточку, прикладывал одну к другой, бракуя шаблоны. Разбитые маски лежали на полу, как посудные черепки, и вдруг однажды стало получаться — тогда-то мастер и принялся работать без перерывов, потому что, если отвлечёшься, это лицо, знакомое и не похожее ни на одно другое, тут же исчезнет. Глаза придуманы бессонной ночью — поэтому они такие чёрные. Посмотрит Григорий на тебя — и вот ты уже не человек, а чашка пепла: можно посыпать голову или развеять по ветру.

Мама мыла не раму, а фрукты и, забыв, что в комнате прекрасно слышно всё, что говорят на кухне, сказала с осуждением:

— Слишком уж он красивый, дочка!

Мысль свою мама сократила на пару слов, но дочка услышала два пропущенных чётко и ясно: слишком уж он красивый *для тебя.*

Она-то, пусть и хорошая, но совсем обыкновенная — такого человека даже звать можно каким угодно именем, всё равно откликнется. Даже на «эй!» повернёт голову, благодарный уже за то, что позвали. Вот и лучшая подруга — Мари́на Ма́рина (первое слово — имя, второе — фамилия, кошмарный сон паспортисток) — считала так же, да и не лучшие подруги проявляли солидарность: *непонятно, что такой мужчина в тебе нашёл, прости, ко-*

нечно, дорогая, но друзья для того и нужны, чтобы говорить правду. «Наверное, умеет делать что-то такое, к чему другие не способны», — но об этом судачили уже в её отсутствие. Марина же Ма́рина славилась тем, что действительно говорила всем правду и, хуже того, выпаливала её сразу же, пока та не превратилась от времени в ложь. Когда впервые попробовала в гостях авокадо, тут же на весь дом заявила: пахнет спермой! А ведь за столом сидели, между прочим, и дети, и пожилые родственницы...

Хорошо, что здесь нет Марины, — и совсем хорошо, что они стали мало видеться в последнее время: та никак не отлипала от подруги, требовала рассказать о Григории всё-всё, ну ты же понимаешь, мне интересно, а *друзья для того и нужны, чтобы делиться сокровенным.*

Родители принарядились — мама в крепдешиновой блузке, папа в пиджаке. Григорий в чёрной футболке и джинсах, его не портит никакая одежда и не украшает тоже — просто ничего не добавляет, потому что добавить здесь нечего, как и убавить.

Её родная квартира — типичная «брежневка» в сером доме с белыми «швами». Угощение, хоть мама и расстаралась, не из богатых — салаты, освоенные в давние времена (как *"Talking Heads"* и *"King Crimson"*), солёные помидоры, мясо, зачем-то в горшочках. На улице — дождь, под батареями — тряпки и вёдра, поскольку протекает. Даже она, дитя бедной квартирки, выглядит здесь инородным телом; что уж говорить про Григория! К тому же он почему-то нервничает, хотя всего час назад был таким же спокойным и расслабленным, как всегда.

Эта его внутренняя расслабленность с лёгким привкусом восточной лени привлекала не меньше красоты...

Ей захотелось погладить Григория по голове, как она гладила сына, когда он ещё позволял ей это делать: сейчас не даётся, взрослый стал. Уклоняется от её руки, как от удара — хватит, мам!

— У вас столько китайских сувениров, вы там бывали? Жили? — гость заводит с мамой разговор, и она вспыхивает, довольная, потому что двадцать с лишним лет назад действительно провела целый год в Китае, и эти воспоминания приятно доставать с полок памяти, отряхивать с каждого пыль... Вот, посмотрите, это стеклянное яйцо раскрашено через дырочку изнутри: китайцы, конечно, умельцы, нам такое и не снилось! А вот это мне подарили в Пекине — здесь деревянная резьба изумительной красоты. Я уехала, — рассказывает мама, молодея на глазах (ей было тогда ровно столько, сколько сейчас дочери), — учить китайцев русскому, и сделала это для сына, потому что его должны были призвать в армию, а мы все тогда боялись Афгана, вот вы, кстати, где служили, Григорий Юрьевич? Вы же ровесник нашему Андрею, я потому и спрашиваю...

Григорий, во-первых, просит называть его просто по имени, а во-вторых, уклоняется от разговора про армию так же ловко и быстро, как взрослый сын — от маминой ласки. О, это мастер переводить тему, но лжи при этом всяческими способами избегает. Заменяет молчанием.

— Так вот, продолжает мама, — наполняя тарелку гостя всеми салатами по очереди и не замечая, что они превращаются там в отдельное, самостоятельное блюдо, — в Афган тогда не брали призывников, у кого родители находились за границей. Поэтому Андрея отправили в Кировскую область, а я целый учебный год оттрубила в Ухане. Страну посмотрела, конечно, не так, как туристы смотрят — я, знаете ли, очень глубоко погрузилась в китайскую историю и культуру. Конфуций буквально перевернул мою жизнь.

Папа кашляет, а потом начинает есть, причавкивая, как все люди, у которых вставная челюсть. Родители выглядят сегодня особенно беззащитными, как и вся эта квартира с её убогим уютом. Скорей бы ужин закончился, но он ещё толком не начался.

В такого мужчину, как Григорий, сложно не влюбиться, мама это отлично понимает. И сама бы не устояла! Даже странно, что он нашёл в нашей девочке, пусть она и не выглядит на свой возраст — именно *девочка*, хотя внук выше её на две головы и бреется. Григорий тоже на свои не выглядит — седых волос совсем мало, морщин почти нет.

Дочь тем временем яростно роется в памяти, как, бывает, роются в доверху набитой сумке, когда стоят на пороге дома, а проклятые ключи, естественно, на самом дне. То, как он сидит взволнованным мальчиком и внимает мудрости Конфуция в мамином исполнении, о чём-то напоминает... Кажется, дом его отторгает — оп-па, а вот и «ключи» нашлись, вытащены за брелок!

Григорий напомнил об... элегантном чёрном телевизоре марки SHARP, который мама привезла из Китая, — он точно так же не вписывался в обстановку. Сверху телевизор был прикрыт вязаной салфеткой, на которой стоял фарфоровый заяц с морковью.

— Лета в этом году, видимо, не будет, — уставший от Конфуция папа меняет беседу так резко, что, если бы это был поезд, пассажиры свалились бы на пол. — Не припомню такого июля!

Папа помнит множество июлей — жарких, дождливых, засушливых, маетных, счастливых, трагических... Он всю жизнь ведет дневники погоды — там зафиксированы температурные данные, осадки, часы рассвета и заката.

Нынешний июль собою — вылитый октябрь, а ведь был разыгран такой успешный дебют! В конце мая город заняла жара, от которой даже самые умные люди теряли свежесть мысли, а самые сильные — бодрость духа. Все были одинаково липкими и вялыми, как размякшие, лежалые фрукты. Потом пришли грозы, похолодало — и сначала все этому радовались, потому что жара не к лицу нашему городу, да и люди не должны походить на испорченные фрукты. Но через месяц дождей и холода горожане взвыли: прости нас, лето красное, мы были неправы! Вернись, невыносимая жара, пусть мы снова будем прилипать штанами и юбками к сиденьям! Увы, лето обиделось — и ушло, как считает папа, до следующего года. Град бомбил автомобили и сбивал с кустов ягоды, грозы вышибали Интернет, дождь заливал улицы, так что автобусные остановки превращались в причалы, и транспорт, медленно покачиваясь, высаживал пассажиров прямиком в лужи. В один из таких дней сын пришёл домой в носках, держа в руках ботинки.

Григорий вежливо кивает в такт папиным рассказам о погоде, но она видела — не слушает их и не слышит. Похоже, что и он мучительно роется в памяти, как в карманах, где *совершенно точно была зажигалка*... Вилкой Григорий перемешивал в тарелке салаты, и так-то вступившие в близкие отношения, — таким образом он проявлял внимание к нежеланному угощению, а большего предложить, извините, не мог.

Мама принесла горшочки с мясом, обиженно забрала у Григория тарелку с нетронутой, но уже не пригодной к употреблению едой.

— Вам не нравится?

— Что вы, очень вкусно! Просто я не голоден.

— А мясо будете? Я с шампиньонами сделала.

— Шампиньоны — это прекрасно! — обрадовался Григорий. — В девяностых я работал с одним человеком, который выращивал шампиньоны и вешенку в метро. Там идеальные условия для грибов, а строительство постоянно замораживали и на многие вещи смотрели сквозь пальцы.

— Интересно! — сказала мама. — Не обожгитесь, Григорий Юрьевич, горшочек очень горячий.

Дождь царапает стёкла когтями.

— А как вы познакомились, Григорий Юрьевич? Дочка нам ничего не рассказывает, она такая скрытная...

— Да уж, — соглашается папа, — из неё ничего не вытянуть! Молодая была, так мы с матерью только по музыке догадывались, что с ней происходит...

Обрубить эту ветку беседы! Срочно!

— Мы познакомились, когда Григорий купил квартиру в «Париже».

Родители кивают — ещё бы, знают они этот «Париж»! Жилой комплекс, который построили бок в бок с дочкиной девятиэтажкой. От того строительства, и день и ночь стучащего, сверлящего, гремевшего, дочь с внуком так мучились, что даже старались дома бывать пореже — хорошо, что у *нашей* есть машина! Можно посадить мальчика на заднее сиденье и хотя бы на выходные уехать куда подальше, стараясь не думать о том, что вскоре сюда приедут надменные богатые люди: начнут ставить свои машины в их дворе, ведь им вечно не хватает парковочных мест, а их дети, конечно же, будут скверно влиять на сына, а их собаки — гадить на клумбах... В общем, она заранее ненавидела и сам «Париж», *жильё повышенной комфортности*, и его будущих обитателей. Когда дом сдавали, начали появляться «парижане» — теперь каждый из них заказывал себе индивидуальный ремонт, потому что даже в жилье повышенной комфортности следовало сломать стены и совместить кухню с туалетом, а спальню — с балконом. Этот строительный ад грозил растянуться на долгие годы, и дочь подумала: а что, если им самим переехать? В девятиэтажке они с сыном прожили двенадцать лет — квартиру оставил бывший муж и очень этим гордился. «Другой так не сделал бы», — говорил он и каждым словом как бы подталкивал её к ответным признаниям: благодарности, восхищению благородством и великодушием. И она была бы не против отдариться этими словами, да вот беда — они застревали где-то в горле, когда уже совсем собиралась сказать:

— Спасибо, что не выгнал нас на улицу — это так мило с твоей стороны!

Бывший муж истолковал её молчание как недовольство и оставил им ещё и машину, которую, впрочем, давно пора было менять — муж был из тех людей, которые меняют машины каждые два года, а жён — каждые десять.

Как говорил Конфуций, иногда стоит совершить ошибку хотя бы ради того, чтобы знать, почему её не следовало совершать.

В тот день сын гостил у родителей, и она выезжала со двора одна — раннее утро, хмурое лицо, длинный рабочий день, бессмысленная жизнь. Чувствовала она себя так, как бывает перед грозой, которая всё никак не начинается: тяжело, когда обещание не выполняют, пусть даже это всего лишь гроза, не человек.

— Девушка! — её окликнули из «лексуса»: тот выплывал из-под парижского шлагбаума, как Стеньки Разина челны. — Заднее правое спустило!

Водитель был самый обычный — по циркулю очерченное лицо, правая рука на руле, левая — в окне. Пассажир темнел на заднем плане, как многообещающая декорация.

Она вышла из машины и пнула колесо: с тем же успехом можно бить лежачего. И водитель, и пассажир выбрались из «лексуса» — вот так она впервые увидела Григория. Воздух начал выходить из неё, как из колеса — от страха, изумления, радости. Чего больше — не разобрать.

Григорий не водил машину — в своё время не научился, а потом это было ему уже не по статусу. Да и вокруг всегда хватало желающих подвезти — девушки, друзья, коллеги, подчинённые... В очередь становились! Люди любят, когда их используют, это нужно им, а не Григорию. Но после третьего развода он всё-таки купил себе «лексус» с прилагавшимся к нему водителем — и этот самый водитель с великими предосторожностями отогнал её машину в шиномонтаж, пока они с Григорием сидели вдвоём в «лексусе». Разговаривали мало, но Григорий сообщил, что *приобрёл* недавно квартиру в «Париже». Дал ей визитную карточку — *президент благотворительного фонда*.

— Без устали творю добро, — сказал он, произнося «творю» через «а» — как если бы от слова «тварь», как если бы хотел преуменьшить свою роль в благородном деле. Потом она узнала, что у Григория имеются другие визитки — «директор завода» (он говорил «заводик»), «предприниматель» и даже «независимый эксперт». Всё это было правдой, много лиц — и все красивые.

Звонить ему она тогда не решилась, но после встречи во дворе стала пуще прежнего вертеть головой по сторонам, выезжая на Белореченскую. И не сердилась на жильцов «Парижа» — в конце концов, люди имеют право делать со своими квартирами всё, что пожелают.

В счастливый час увидела, как Григорий идёт со двора — пешком!

— Вас подвезти?

— Подвези, — согласился Григорий. Он со всеми был сразу на «ты»: можно списать на плохое воспитание, можно — на то, что «сильный человек всегда прост». — Почему бы и нет?

Пока он садился, успела выключить магнитолу. Стояло самое опасное время года и суток — майский вечер. Сын уехал на дачу к однокласснику, Григорий попросил высадить его *где-нибудь в центре*.

Так волновалась, что начисто забыла о том, какой она хороший и аккуратный водитель. Проехала по всем люкам, зевнула светофор, сзади ей сиг-

налили, сбоку крутили пальцем у виска и посыла-
ли уничтожающие взгляды.

— Ты всегда ездишь так медленно? — спросил
Григорий.

«Мне просто не хочется с тобой расставаться».

Прощаясь, хотел поцеловать дружески в щёку,
но губы его скользнули ниже — *почему бы и нет?*
Женщина — ну видно же! — нажми, и брызнет. Поцеловать — и всё такое! — не сложнее, чем отправить водителя в шиномонтаж. В конце концов, он
президент благотворительного фонда, а помочь
томящейся дамочке — тоже своего рода «благо».
Григорий давным-давно привык платить налог со
своей внешности. На него с тринадцати лет шла
женская охота — и ни одной Диане, вот странная
вещь, не пришло в голову поменяться ролями. Каждая боялась упустить и была согласна на всё —
даже его жёны не имели права брать, но только
отдавали, дарили, всучивали самих себя...

А эта неумёха даже водить толком не умеет: он
в жизни столько раз не прыгал, сколько за последние пятнадцать минут! И в постели наверняка такая же *«бестолковка»*, как говорила его вторая
жена. Хотя не факт, можно и проверить, кто как
будет прыгать... Но она почему-то не ответила на
поцелуй, отшатнулась и смотрела на него круглы-
ми перепуганными глазами, всё ещё пристегнутая
ремнём безопасности. Да ей не меньше сорока!
Даже подростки так себя не ведут...

Через неделю Григорий пробил телефонный
номер по автомобильному. И в тот вечер, когда
в гостях у неё была Марина Ма́рина, позвонил.
Марина — это такой гость, которого сложно заманить, но ещё сложнее выпроводить. Даже когда

всё съедено и выпито и каждая тема обглодана до косточек, Марина греет место на диване. Духи у неё ядрёные, как средство для удаления ржавчины, рот не закрывается ни на секунду, и тут вдруг — звонок:

— Пойдём гулять?

Как будто им по тринадцать, а не сотня без малого на двоих.

Сказала гостье, что это звонит мама, просит приехать, что-то привезти или забрать. Родители — причина скучная, но уважительная, поэтому Марина собралась не в пример себе самой быстро. А хозяйка ещё полчаса металась по дому — что надеть? О чём говорить? Как не смотреть в глаза?

Попросила сына не сидеть долго за компьютером и покормить кота. Кот истошно вопил: «Мао! Мао!» — как будто призывая дух Великого Кормчего, заплетал в ногах пушистые восьмёрки. Удивительно, как быстро всё важное становится неважным, близкое — далёким, чужое — родным и наоборот. Давным-давно с ней происходило что-то похожее — она была влюблена и всех, кто попадался под руку, решительно отбрасывала в сторону. Бабушку, которая жаловалась, что ей снова продали кефир не той жирности, папу, законно обиженного на многодневное молчание, подруг, задвинутых в самый дальний угол, — никого не видела, ничего не слышала, молча неслась за счастьем.

Один из самых интересных вопросов в жизни — меняются люди со временем или остаются прежними?

В юности она считала, что не меняются, — пока сама не воплотилась однажды в иной женщине.

Бог с ним, с телом, — но и то, что составляло её душу, изменилось вдруг самым неожиданным образом. Двадцать лет назад она была старше, наглее и мудрее, чем теперь. И ничего не боялась. А сейчас стала робкой, опасливой, болезненно застенчивой. Молодые люди смелее стариков, потому что ещё не знают настоящего страха: такой приходит только вместе с опытом...

Гуляли недолго — даже такой *элитный* дом, как «Париж», стоит на бывших болотах, и комары здесь проживают породистые, вдумчивые, с семиэтажной родословной. Комары-то и загнали их в новую квартиру Григория, где даже лечь было негде — но когда и кому это мешало?

В полночь она вспомнила про сына — звук на телефоне был отключён, десять пропущенных.

— Прости меня, пожалуйста! — закричала в трубку.

— Я бабушке звонил... они переживают, деду сердце прихватило. Мы в милицию хотели... Где ты, мам?..

Сын мысленно подсунул ей голову под руку — чтобы погладила. Рядом кот истошно орал своё «Мао! Мао!». Дух Великого Кормчего и тот пожурил бы: позвонить-то всегда можно или нет?

Оказалось — *или нет*. Григорий стёр все следы прежней жизни, приметы догригорианского календаря. *Ничего у тебя не было до меня – и, забыл сказать, после меня тоже не будет.*

Марине Ма́риной она потом открылась, конечно. И с сыном Григория познакомила, когда прошло целых полгода, но Григорий почему-то никуда не пропал, хотя должен был по всем законам исчезнуть, как те чудесные сны, что запоминаются в деталях, истаивая на рассвете. А Григорий остался — пусть даже втиснуть эти свидания в его ежедневник, до отказа набитый делами, было не передать как сложно, ведь с недавних пор человек обязан не только много работать, но ещё и много рассказывать о том, как он работает. И всё же они встречались каждую неделю — жаль, что сыну Григорий не понравился решительно. Как те белые ботинки, которые она купила два года назад, надеясь, *вдруг будет носить?*

Что касается Марины Ма́риной, та с ледяными глазами поздравляла подругу и не понимала, как такой видный мужчина (ну пусть и трижды разведённый, с кустом детей от каждого брака) польстился на *вот это?* А ведь мог получить самое лучшее — например, её, Марину, женщину необыкновенную во всём, начиная с имени-фамилии и заканчивая совершенно уникальными умениями, оценить которые, к сожалению, можно было только при интимном знакомстве. Григорий встреч с Мариной и её уникальными умениями избегал — да и сюда, к родителям в гости, согласился прийти после долгих уговоров. Любые родители желают своим дочкам законного брака, но он больше не женится — и не из-за денег или детей (только нищету грешно плодить, а эти — пусть живут)... Григорий не женится потому, что трижды входил в эту реку и каждый раз начинал тонуть в одном и том же месте: все его жёны — как, впрочем, и любовницы, подруги — видели в нём совсем другого человека, чем тот, кем он был. А эта сорокалетняя девочка увидела настоящего Григория — потому-то испугалась тогда, в машине. Встречаться хотя бы раз в неделю с человеком, знающим тебя так, как ты сам себя не знаешь, — о, это стоило дорогого... Вот что было главное —

иначе он скомкал бы этот роман, как прочитанную газету, в первый же вечер. Она не была молодой и красивой, не была умелой и старательной... И эти старики с их майонезными салатами... Григорий не мог здесь расслабиться, отдыхать, а ведь отдых был ему нужен больше, чем всем им, вместе взятым, — он работал без выходных и отпуска уже много лет. У него была потребность отдавать, делиться, помогать — именно это, а вовсе не жажда наживы, как считали некоторые, толкала его в бок каждое утро: вставай!

Но здесь, в этой тесной квартире, где китайские сувениры стоят на полках тесными рядами, он слышал другое:

— Быстрее! Беги отсюда!

В доме детства, в своей родной семье, похожая сразу на мать и отца, любовница вдруг перестала притягивать его. Григорий решил, что завтра же скажет ей, будто бы к нему вернулась третья жена — дети там совсем маленькие, она поймёт, не сможет не понять...

Принял решение — и тут же повеселел. Улыбнулся, став уже совсем нестерпимо красивым.

Мучительный ужин дотянулся наконец до чая — так недотёпы тянутся рукой к самым высоким полкам и потом обязательно падают и разбивают тот самый предмет, за которым полезли. Явление пирога с творогом — он же «царская ватрушка», предмет маминой гордости, он же — предмет ужаса Григория. Подумать страшно, какой жирный этот пирог, — и ведь не отвертишься: на лопатке уже сидит здоровенный кусок, нацеленный в сторону гостя.

Дочь машинально передаёт Григорию тарелку и думает: люди с годами становятся более уверенными в себе, а у меня получилось в точности наоборот. Разве можно поверить в то, что ещё лет двадцать назад я могла встречаться сразу с двумя мужчинами: утром — с одним, а вечером — с другим? И это было совершенно нормально, потому что выбрать одного тогда было всё равно что выбирать между *"Talking Heads"* и *"King Crimson"*. И если бы они познакомились в то время с Григорием, у них бы точно ничего не получилось — она была такой же развязной, взбалмошной девицей, каких в те годы было пруд пруди. Да и Григорий, если додумать эту мысль до конца, ей тогда вряд ли понравился бы — подумаешь, красивый...

— С лица воду не пить, — вздохнула мама, когда они в кухне разливали чай по чашкам. Дочь взвилась: а я не собираюсь пить у него воду с лица!

Девичье смущение появилось у неё к сорока годам — такое вот причудливое наказание. В юности она расхохоталась бы в лицо всякому, кто показал бы ей собственный портрет: вот эта стёртая, напуганная женщина, *эта сороконожка*, как говорили в каком-то мультике, — я?

Вот и ответ на любимый вопрос: меняются люди с годами или остаются прежними? Оказывается, от прошлого сохраняется только музыка, которую мы любили — или же думали, что любим, — в те годы. В этой музыке зашифрованы коды юности и надежды на счастье, поэтому мы и слушаем её десятилетиями, а не потому, что нам так уж нравится бодрый голос Дэвида Бирна или стенания *"Dead Can Dance"*.

Григорий борется с ватрушкой, давит её вилкой, распиливает ножом на кусочки. Папа с аппетитом приканчивает второй кусок. Окна снова царапает дождь — мелкие коготки стучат по стеклам, будто кто-то просит, чтобы открыли.

Общая беседа умирает на глазах, паузы повисают, как тучи. Мама, пусть даже смертельно обиженная, предъявит недовольство позднее — как тот козырь, который никуда не денется. Пока она всё ещё в образе хорошей хозяйки — и пытается реанимировать общение, хватая из колоды первую попавшуюся карту:

— Знаете, Григорий Юрьевич, когда я вернулась из Китая, нас почти сразу же ограбили!

Кажется, туз! Гость давится ватрушкой и начинает кашлять, выпучив глаза, — любой другой человек выглядел бы в таком состоянии по-идиотски, но Григория не портит даже это. И какое счастье, что у папы в арсенале множество полезных умений, — пока жена и дочь любуются хрипящим гостем, старичок с неожиданной силой обхватывает президента благотворительного фонда за плечи. Коварный кусочек ватрушки вылетает из горла и приземляется на блюдо с уцелевшими собратьями: возвращение на родину!

Багровое лицо Григория бледнеет, как будто закат неожиданно для всех сменился рассветом.

Мама, стараясь не смотреть на блюдо с ватрушкой, продолжает рассказ:

— Так вот, к нам залезли в квартиру и вынесли всё самое ценное. Дочка была тогда в десятом классе, Андрюша служил в армии.

— Работали по наводке, — включается папа. — У нас тут был проходной двор, а мать привезла с собой и технику, и кожаные вещи; тогда очень ценились кожаные вещи, помните, Григорий Юрьевич?

«Проходной двор» — обидный, но при этом вполне заслуженный намёк на юных приятелей, которые действительно водились тогда у них в квартире в непомерных количествах. И как могло быть иначе? Дикие, пустые времена, а тут возвращается родительница из длительной загранкомандировки и привозит с собой целый контейнер соблазнительных штуковин — телевизор, двухкассетник, видеомагнитофон, плеер, да много чего было... Дочь красотой не славилась, но после триумфального маминого возвращения все окрестные мальчики буквально ломились к ним в дом. Японский телевизор, кожаная куртка, купленная для брата, который в армии, — *ну ладно, чё ты, дай потрепаться или хотя бы сфоткаться*! Подружки млели от варёных джинсов, кружевных туфелек и вышитых бисером кофточек из ангоры — всё это были послания из другого мира, зримые свидетельства того, что он существует. Вещи, Григорий Юрьевич, значили в те времена гораздо больше, чем сейчас, вы согласны?

Григорий кивает: *конечно, я тоже так считаю*, а смотрит при этом на фарфорового зайца, вцепившегося в свою морковку, как в последнюю надежду. Заяц стоит за стеклом мебельной «стенки», и глаза его расширены от ужаса.

«Вот уж не думал, что мы с тобой ещё когда-нибудь встретимся», — думает Григорий.

Семья, сплочённая неотмщённой обидой — воров так и не нашли! — по очереди, как в кино, где должен высказаться каждый, вспоминает дерзкое ограбление, а Григорий — о том, как ходил четверть века назад по этой квартире и думал: зачем таким простым людям столько классных вещей? И какими же надо быть дебилами, чтобы не врезать нормальные замки — они с Пуделем открыли входную дверь чуть ли не шпилькой. На квартиру навёл кто-то из знакомых Пуделя — сказали, девчонка учится до двух, а родаков никогда не бывает дома по вторникам и четвергам. Пудель оставил машину под черёмухой в соседнем дворе, и вот они поднимаются на четвёртый этаж — сильные, молодые, не правы, но вправе... Это была одна из многих квартир в том году, странно, что Григорий её вспомнил — неужели из-за фарфорового зайчары, который не видал ничего слаще своей морковки?..

..В тот день дочь хотела прогулять физкультуру, но Иван Борисович так на неё глянул, что пришлось вместе со всеми идти в раздевалку. Явилась бы домой часом раньше — застала бы воров, а вместо этого качала пресс и наматывала круги по залу, думая о том, что днём придёт Ритка с какими-то визовскими мальчиками, принесут новые «записи». Записи! Сейчас и в голову не придёт называть таким словом музыку.

Из школы домой шла с Машкой, уговорила её зайти на минутку — а впрочем, Машку не надо было уговаривать, и никого не надо было. Японский телевизор с дистанционным пультом — вечный зов мещанского счастья...

— А почему дверь открыта? — спросила Машка.

Вместо телевизора на тумбочке стоял осиротевший фарфоровый заяц с морковкой. Он был поставлен на своё место аккуратно, даже с каким-то уважением. И вообще в квартире не было беспорядка — просто некоторые вещи исчезли, как будто их никогда и не было.

— Видеомагнитофон, — перечисляла мама, загибая пальцы, как Антон Семёнович Шпак из любимой комедии. (Если с вечера этот фильм показывали по первой программе, наутро вся школа перебрасывалась цитатами — такие времена, когда все ели и смотрели одно и то же), — телевизор, дочкин плеер, кожаное пальто, варёнки... Воры были, конечно, со вкусом — взяли только самое лучшее. Точечное ограбление. — щегольнула познаниями мама.

Они с отцом раскраснелись, как на острой дискуссии, вырывая друг у друга несуществующий микрофон:

— А второй видик лежал в стенном шкафу, в чемодане — это для Андрюши мать привезла и, пока он служил, спрятала. Так вот, его не взяли. Потому что не знали, где лежит, — я же говорю, по наводке работали!

— Милицию вызвала дочь и нам позвонила. Я всё бросила, примчалась... Следователи тоже сказали: наводка, в вашем районе седьмая квартира за три месяца! Замки, говорят, поставьте нормальные и последите за кругом общения вашей дочери. А тут как раз заявилась ещё одна девица с тремя парнями, прямо при милиции! Как говорил Конфуций, советы мы принимаем каплями, зато даём вёдрами, но я в тот момент не сдержалась — выгнала их взашей! И дверь мы тогда поменяли, замки новые врезали, даже засов поставили.

— Тут ведь, понимаете, Григорий Юрьевич, дело не только в том, что жаль было вещей или труда... Конечно, жаль, но главное, что эти выродки — извините за грубое слово — они решили, что мы не имеем права обладать японским телевизором или кожаным пиджаком, без которого я, кстати, прекрасно по сей день обхожусь! Они ходили по моему дому, всё здесь трогали, на всё смотрели... Я надеюсь, в конце концов их поймали, посадили. Уверен, что высшая справедливость существует, и если вы спросите меня сейчас, простил я их или нет, я вам скажу, что не простил. И не прощу!

Старик разнервничался, как-то по-утиному — сильно вытянув губы — глотнул из рюмки. Наверное, ему было бы интересно узнать, что через полгода после того ограбления Пуделя ударил по башке хозяин очередной квартиры — полным собранием сочинений Пушкина в одном томе. Пока Пудель приходил в себя, Григория и след простыл — он в тот день стоял на стрёме, но не мог знать, что хозяин той хаты гостит у соседа сверху. Спускается хозяин по лестнице в тапочках, а у него в квартире кудрявый парень обшаривает полки. Григорий услышал крик — и сбежал. Вины он за собой не чувствовал — Пудель на его месте сделал бы то же самое. Да и на своём собственном месте Пуделю до поры до времени везло — следуя умозрительному, но при этом несомненному *кодексу чести*, он, не выдав Григория, отсидел каких-то три года. Когда вышел, Григорий, следуя всё тому же кодексу, несколько раз помогал ему, пока наконец эта дружба не стала слишком опасной — и тогда с Пуделем пришлось расстаться навсегда, но об этом он точно вспоминать не будет. Хватит на сегодня.

Прежнего Григория, который шарил по чужим домам и приторговывал золотишком, больше не существует. Это призрак, сон, *не пойман – не вор...* Нынешний Григорий Юрьевич известен безукоризненной репутацией: он помогает людям:

и даже если делает это потому, что слишком долго и увлечённо грабил их, так что ж... Раскаявшийся грешник милее сотни праведников.

— Вы так на этого зайца смотрите, Григорий Юрьевич! Нравится?

— Да... симпатичный!

— Ой, позвольте вам подарить! Я буду очень рада, если вы примете этот скромный сувенир — не китайский, но всё же. Говорят, они сейчас ценятся, эти фигурки. Берите, пожалуйста!

Прохладное скульптурное тельце в руке.

Разговор о грабителях забыт, ужин, аллилуйя, закончился.

Дочь так мало говорит сегодня и, как обычно, слишком много думает.

Вспоминает, как, гуляя с Григорием в первый раз, стёрла ноги новыми туфлями, хотя прошли всего ничего. Стёрла, но не заметила этого. Лишь у него дома, в «Париже», увидела, что туфли выпачканы кровью изнутри.

За этим довольно свежим воспоминанием маячит другое — невнятное, как полузабытый сон. Ей кажется, что они с Григорием были знакомы в прошлом, будучи совсем другими людьми — и эти другие люди встречались, может быть, на улице, у подъезда родительского дома... Хотя нет, конечно же, быть не могло, чтобы она забыла такое лицо. Это фальшивое воспоминание, уловка влюблённой души: «мне кажется, что мы были знакомы всю жизнь» — штамп не хуже, чем душистая майская ночь с её *сиренями* и пеньем птиц.

Наконец-то, слава небесам, они выходят из родительской квартиры и спускаются по лестнице. Мама обязательно помашет им в окно, это традиция! Григорий крепко сжимает в руке фарфорового зайца — всего через час осколки будут захоронены в помойном ящике, как произошло когда-то и с несчастным Пуделем. Григорий не любит обзаводиться неприятными воспоминаниями — он уничтожает их методично и аккуратно, как врагов или бывших друзей, решившихся на шантаж. Жизнь слишком ценна, чтобы отравлять её себе по мелочам; тем более жизнь человека, посвятившего себя людям.

В машине она вдруг решается сказать что-то важное — видно, как она боится это произнести. Григорий смотрит на зайца, доживающего последний час своей фарфоровой жизни: неужели она догадалась? Оказалась прозорливее своих родителей и вот сейчас скажет ему, скажет...

— Ты не против, если я включу песню? Она мне очень нравится, — выпаливает вдруг и, не дождавшись ответа, включает что-то невообразимое: мужик поет по-английски, что знает, куда они идут, и знают, где были, и что эта дорога ведет в никуда, и это дорога — в рай... В рай Григория совершенно не тянет, и вообще он завтра же выставит квартиру в «Париже» на продажу. Слишком много здесь водится призраков. Опасный район.

— Музыка всегда возвращает нас в прошлое, — говорит она, когда песня наконец-то заканчивается.

Григорий пристёгивается ремнём безопасности.

Лицо его прекрасно как в профиль, так и в фас.

Вздохнули львы

повесть

1

Двадцать пятого числа журнал уходит в типографию.

Вплоть до тридцатого сотрудники приходят в себя.

А в первые дни следующего месяца в почте Виктории появляются статьи «в новый номер». Поначалу они падают по одной, как редкие капли дождя, потом барабанит всё чаще и гуще, а к десятому числу литературный редактор чувствует себя так, будто ему всыпали по первое, — тексты льются сплошным потоком. Ворох новых писем — просьбы «прочесть в первую очередь», «ничего не менять, так как содержание согласовано с заказчиком», «внести минимальные правки», «исправить только грамматические ошибки».

Бóльшая часть материалов требует не доработки с исправлениями, а безжалостного уничтожения. Как ядерные отходы. Переписывать бесполезно —

проще сочинить заново, но это другая работа. Платят в журнале сущие слёзы, да ещё и с приличной задержкой — для девушки, опасающейся нежелательной беременности, такая задержка стала бы поводом для срочного обращения в женскую консультацию, а Виктория лишь время от времени напоминает главреду, что ей так и не заплатили за два последних месяца.

— Ну что я могу поделать, Виктория Николаевна? — нервничает главред. — Вы же в курсе, что наш хозяин купил яхту? Прочие выплаты приостановлены.

Виктории предлагают почувствовать себя частичкой чужого счастья, винтиком яхтенного мотора — но она предпочла бы вечернюю SMS со словами «Zachislenie na kartu». Хозяин холдинга плывёт на новой яхте в Сен-Тропе, а литред, разукрасив тексты деликатными замечаниями, возвращает их авторам на доработку. Словесный дождь тем временем усиливается — и чем ближе к сдаче номера, тем чаще Виктория играет с журналистами в электронный пинг-понг: отправляет прочитанный текст, чтобы в тот же момент быть атакованной целой очередью ударов. У вас девяносто непрочитанных писем! — ужасается компьютер. Был бы человеком — прижал бы ладошки к щекам.

«Давно для многих наших клиентов возможность вырваться из городской серости в яркие тропические края не является чем-то событийным», — это директор туристической фирмы описывает рождественские маршруты. Новогодний номер сдаётся в конце октября — всё в соответствии с законами глянца.

— Глянец — вещь жестокая, — сказал главред, принимая Викторию на работу. Это было пять лет назад, и тогда она, помнится, подумала: ну не умеет шутить — бывает. Какие там шутки! Когда речь идёт о светской хронике, выкупленных рекламных полосах и заказных интервью, все предельно серьёзны.

Ключевое слово, определяющее глянцевые будни, — *согласование*.

За час до сдачи номера заказчик вдруг заявляет, что ему не нравятся ни текст, ни макет, ни исполнение. Задерживается отправление в типографию, нарушаются сроки, и журнал влетает под штрафы — поэтому главред требует от рекламщиков и журналистов *согласовывать* материалы заранее. Иногда этот процесс может растянуться на несколько дней: умные и грамотные в своём деле специалисты, столкнувшись с неведомым им прежде делом — *вычитыванием* текстов, вдруг превращаются в записных идиотов. Пересказывают посконным бюрократическим языком самые живые фрагменты, добавляют ненужные подробности и вычёркивают важные детали. Хуже всего, если они берутся за дело сами. Как вот эта директриса туристического агентства: вполне толковая и успешная бизнес-леди с пером в руке становится настоящим монстром. Убийцей языка и стиля.

«Звуки Штрауса, Моцарта, Баха — они повсюду! Это традиция, не устаревающая классика — встречать Новый год с этих нот! — неистовствует директриса. — Это целая процессия — от обучения танцам накануне бала до выхода в индивидуально пошитом бальном платье в новогоднюю ночь под звуки классической музыки в *ballroom* и погружения в дворцовую эпоху».

Как такое править? Только что рычать от бессилья, как лев в зоопарке.

2

Бастет (или просто Баст) — египетская богиня красоты, любви и веселья. Маленькую статуэтку Бастет — в платье и даже с «сумочкой»! — можно найти в Лувре, если хорошо искать. Раньше Бастет изображали с головой львицы, позднее — кошки, и она нравится Виктории больше, чем Сехмет — другая египетская богиня, ответственная за войны и палящее солнце, защитница фараонов и покровительница врачей, гнев которой приносит людям мор и эпидемии. У Сехмет женское тело и голова львицы, Бастет — одно из воплощений Сехмет, все мы суть одно и то же.

Египет и львы в последнее время преследуют литреда повсюду, и если львов ещё можно объяснить, то Египет остаётся загадкой; а впрочем, он и так — загадка.

Одна подруга Виктории, побывавшая в отличие от неё в Египте, отказывалась верить, что «эти люди могли построить пирамиды». Египтяне её чем-то невероятно разочаровали, но когда подруга хотела об этом рассказать, Виктория не была настроена её слушать, а сейчас они уже лет пять как не общаются. Виктория умудрилась поссориться или прекратить общение со всеми, кто играл мало-мальски важную роль в её жизни. Сейчас из реальных людей в ней присутствуют только мать, дочь Маруся и студенты. В эпизодах заняты соседи, случайные попутчики из маршруток, кассир ближайшего к дому супермаркета, а журналисты и редактор, у которого Виктория выпрашивает честно заработанные деньги, создают некий звуковой фон, похожий на гул большого города.

Виктория огорчилась бы, узнав, что в журнале её считают заносчивой высокомерной заучкой, которая не прощает модному обозревателю злоупотреблений словом «коллаборация». На самом деле Виктории тоже хочется делать ошибки — чтобы потом кто-нибудь поправил и указал на неточности.

В первый год работы её пригласили на корпоративную вечеринку — Виктория пришла туда, нарядившись в платье с лёгким ароматом нафталина.

Вокруг были счастливые, весёлые люди, а она видела вместо них слова, предложения, тексты, удачные или не слишком заголовки.

Дочь Маруся так радовалась, что мама наконец-то вышла в свет, — а мама как вышла, так и вернулась, ещё засветло. Сбежала в ужасе, лишь только начались игры, танцы и номера художественной самодеятельности.

Больше Викторию никуда не приглашают. Запах нафталина становится крепче с каждым годом, настаивается как вино.

Маруся — чрезмерно заботливая дочь. Она пытается защищать свою маму где надо, а в основном — где не надо. Виктория сердилась бы на Марусю, но она сама почти так же ведёт себя со своей мамой — и может оценить ситуацию с другой стороны. Всё в их семье устроено не так, как надо: каждая гоняется за своей мамой, чтобы поймать её и окружить любовью, а мама сопротивляется и пытается проявлять независимость, как дерзкий подросток. Если же кто-то ответит на чувства взаимностью, равновесие нарушится, и хрупкое семейное спокойствие разлетится на тысячу мелких осколков, как та хрустальная ваза, которую мама грохнула на прошлой неделе. Виктория замучилась выметать осколки — сегодня нашла за холодильником заострённый прозрачный зубец, который почему-то захотелось воткнуть кому-нибудь в сердце.

Мама убежала на встречу с какой-то подружкой. Маруся закрылась в комнате, обиженная на мать, на жизнь и вообще на всех, кроме самой себя.

Такие, как Маруся, *девочки-бабушки* даже наряды выбирают себе не легкомысленные, а основательные, добротные, серьёзные. Из Маруси получилась бы отличная попадья или завуч средней школы, хотя окончила она юридическую академию. Юристы — новое население страны, где прежде проживали инженеры и учителя, потом — бухгалтеры и менеджеры, а теперь — психологи, юристы и писатели. Другие профессии встречаются сегодня в России значительно реже.

Писателей, например, вокруг стало такое количество, что Виктория теперь уже стесняется своих давних поползновений — лет десять назад она сочинила что-то вроде повести и отправила в литературный журнал.

Ответа не было — видимо, повесть не произвела на редакцию литературного журнала никакого впечатления. Ничего, что могло бы вдохновить хотя бы на короткий отказ. Десять лет назад Виктория была решительнее, чем теперь, — поэтому она позвонила в тот самый журнал, и её долго переключали с одного номера на другой, соединив в конце концов с очень усталым молодым человеком.

— Да, я помню ваш текст, — признался молодой человек, чуть ли не зевая в трубку. — Что-то такое про львов. Никакого сюжета, а мы бессюжетное не публикуем.

Виктория повесила трубку — и внутри себя она тоже в тот момент что-то *повесила*, прижала, вытравила. Запретила себе думать о роскоши быть писателем. Халат Обломова, шинель Акакия Акакиевича, бальное платье Эммы Бовари — из сердца вон! Теперь она носила скучное, хоть и удобное платье редактора. За чужими писательскими успехами — особенно своих ровесников, точнее ровесниц! — Виктория следила ревниво, заранее готовилась искать ошибки, но иногда тексты попадались такие талантливые, что она невольно переключалась с раздражения на восхищение, и на лице, сложившемся в начале чтения в разочарованную гримасу, вдруг вспыхивала улыбка. Сама по себе расцветала — никто не высаживал.

Виктория и сейчас, пусть редко, пишет что-то такое про львов — но уже теперь только для себя.

Лев — символ гордости, силы, святого Марка, святого Антония, Марии Египетской и города Венеции, сквозной персонаж средневековых бестиариев, знак зодиака, верный спутник святого Иеронима, существо, которое бодрствует лишь четыре часа в сутки, кровавый хищник, единственный среди кошачьих обладатель не морды, а почти что человеческого лица. Когда лев спит, глаза его приоткрыты. Когда он рыщет, заметая хвостом следы, то уподобляется Христу, скрывающему божественное происхождение. Впрочем, апостол Пётр сравнивает льва с дьяволом — тот тоже ходит как рыкающий лев, ища, кого поглотить. Лев — аллегория Африки, гнева и холерического темперамента, а ещё он с детства интересует Викторию без всяких причин и поводов. И знак зодиака у неё далёкий от августа — Телец, и знакомых мужчин по имени Лев, ну или хотя бы с фамилией Львов или отчеством Львович не имелось.

Львы появились в жизни Виктории сами по себе, как появляется всё настоящее и важное. Она была тогда ещё совсем маленькой девочкой, и звали её в то время не Виктория, а, будете смеяться, Викторина.

Вот именно потому что все смеялись, она и стала потом Викторией — а теперь жалела, потому что Викториной её назвал папа. Он регистрировал в загсе рождение дочери — а выпало оно на 9 мая 1975 года, тридцатилетие Великой Победы, — и сотрудница загса сказала:

— Я даже спрашивать не буду, как назовёте. Сегодня сплошь — Викторы да Виктории!

Папа растерялся ненадолго. Действительно, они с Наташей хотели назвать дочку Викторией, и он даже вывел в графе «имя новорождённого» первые буквы — «Викто...»

Но что, если его ненаглядная девочка затеряется в толпе Викторий? С фантазией у папы было хорошо, и он прямо здесь, у окошечка, за которым терпеливо вздыхала сотрудница, увидел перед собой бассейн жизни — мускулистые Виктории в спортивных купальниках и скользких резиновых шапочках плывут к финишу, а на старте горько плачет его дочь, так и не сумевшая преодолеть первые метры, затерявшись в потоке тёзок...

— ...Викторина? — не поверила своим глазам сотрудница загса, принимая заявление.

— Викторина! — с гордостью подтвердил папа.

Не имя — наказание. Мама наказала папу за самоуправство — отругала, как мальчишку, жаловался он, заглядывая в кроватку дочери через прутья, как заключённый. Викторина одобрительно гукала — она ещё не понимала, через какие муки проведёт её это имя.

— Викторина Николаевна? — хихикали знакомые. — А попроще нельзя было?

— Что, где, когда! — глумились одноклассники.

В общем, получая паспорт, она стала Викторией. Хотя нельзя сказать, чтобы так много было вокруг неё мускулистых соперниц-тёзок. Девочки ведь рождались и в другие дни 1975 года, но милому, наивному папе это почему-то не пришло в голову.

Его вот уже шесть лет как нет на свете, и Виктория жалеет, что сменила имя, — она как будто выбрала себе тем самым другую судьбу. Отказалась от смешного солнечного ангела, который оберегал её в детстве и был подарен папой — именно папой!

Раньше Виктория считала, что любит только папу, а с мамой Наташей всего лишь вынуждена мириться, как с ненужной, но при этом неизбежной математикой в школе. Мама ведь не всегда была самостоятельным подростком, которым неожиданно обратилась на пенсии. И все школьные годы Виктории и начало институтской жизни мама Наташа отслеживала самым внимательным образом.

Она хотела контролировать всё: что Виктория ест, с кем встречается, о чём читает. Подаренную отцом книжку Брэдбери изъяла и спрятала, пожалев выкинуть (книг в те годы не выбрасывали), в бельевом отделении шкафа. Думала, что Виктория не посмеет копаться в родительском белье, — и та не посмела бы, если бы речь шла не о книжке, отобранной на самом, как водится, интересном месте.

Сложно сказать, чем маму Наташу так уж напугал невинный Брэдбери — но так или иначе, книжка лежала, задыхаясь, среди маминых лифчиков. Уткнулась обложкой в полуоткрытую — для аромата! — упаковку мыла «Яблоневый цвет». Виктория вытащила книгу, успевшую пропахнуть мылом, и тут же, не отходя от шкафа, впилась глазами в рассказ «Вельд».

Переводчик, между прочим, Лев Львович Жданов, но это, конечно, совпадение.

Мама отняла книгу ровно на том месте, где дети хозяев — названные, как решила Виктория, в честь Питера Пэна и девочки Венди — вернулись домой после дня развлечений. «Щёки — мятный леденец». Как же так, расстроилась Виктория, мятный леденец ведь зелёный! Наверное, у них в Америке другие леденцы — жаль, не проверить.

А вот львы в рассказе были такие живые и страшные, что Виктория, сама себя ругая, начала мечтать о такой же детской комнате — чтобы превращалась во всё, что пожелаешь. Разумеется, ей не пришло бы в голову запирать там папу с мамой. И ругала себя — за то, что не сочувствует, как того хотели писатель Брэдбери и переводчик Лев Львович Жданов, несчастным родителям, а вместо этого завидует их детям.

«Шуршащая поступь крадущихся хищников» — шепчущими, шипящими звуками Лев Львович Жданов переносил в русский язык таинственную походку льва. «Запах разгорячённых шкур», «шумное львиное дыхание» — так Виктория впервые увидела перед собой живого льва и навсегда полюбила его за силу и красоту.

Спустя многие годы она подсунула «Вельд» своей Марусе. Девочка справилась с рассказом за пятнадцать минут — лев за такое время не успел бы даже начать кровавую трапезу.

— Похоже, что автор описывает современную жизнь, — сказала Маруся. — Все эти устройства в их доме и то, как дети зависят от электронной детской, — точно про наше время!

Маруся отлично рассуждала, жаль, что делала она это исключительно при маме. Только мамино мнение её интересовало, только оно и было важным.

Львы напали на дрессировщицу Ирину Бугримову во время выступления, но не тронули святого Даниила во рву. А вот святого Игнатия Богоносца, увы, растерзали, как и Агапия с Фёклой, Адриана, Малха, Прииска и женщину, имя которой неизвестно, а также Германика, десять христиан из Филадельфии, Аттала, Гликерию Ираклийскую, Фелицитату и Перпетую.

Damnatio ad bestias*, популярный сорт казни в суровые времена. Львы лизали ноги Евфимии Всехвальной, потом пришла медведица — и нанесла великомученице смертельную рану, но медведи Викторию не интересуют.

Грифон, мантикора, сфинкс и химера имеют в своем облике частичку львиной внешности — лапы, тело, голову и хвост. В детских советских мультфильмах львы обладали на редкость мирным

---

* Букв. с лат. «предание зверям».

нравом — пели песенки с черепахами или отдыхали на море в пляжных купальниках.

— Лев — твоё тотемное животное, — сказала недавно Маруся, глядя при этом в глаза Виктории и пытаясь найти в них удовольствие от услышанного.

Виктория отвела взгляд и улыбнулась, как под пытками.

Десять христиан из Филадельфии, замученная женщина, имя которой неизвестно, не говоря уж о Евфимии Всехвальной, не поняли бы, в чём тут дело.

Нежен стал человек в последнюю тысячу лет. Ох как нежен.

3

Журналисты всё шлют и шлют свои тексты Виктории, добавляют масла в огонь — а время не стоит на месте, оно, холера такая, вообще не умеет стоять, но только идёт, бежит, проносится, и вот уж близится очередной день сдачи номера, святое двадцать пятое число. Прощальный поцелуй — «Письмо издателя», выспренняя банальность на полстраницы без запятых, но с таким количеством прописных букв, что они бьют в глаза как будто баграми. Виктория меняет прописные на строчные, тушит пафос, уничтожая прилагательные и выпалывая восклицательные знаки — и отправляет «Письмо» автору в подсушенном, причёсанном и, в общем, приличном виде.

Настаёт царство полной — и временами оглушительной тишины. В такие дни привыкшая к бомбардировке письмами Виктория чувствует себя ненужной и даже как будто мёртвой — без конца проверяет папку «Входящие» с лицом человека, тщетно пытающегося вытрясти из пустой бутылки капельку воды. Но если туда что и приходит — так это мусорная рассылка или письма от совсем уж неожиданных, забытых людей.

Воскресенье. Двадцать шестое января. Мама ещё с утра куда-то убежала, и это «куда-то» — не храм божий и не рынок, как это бывает у других мам. Не догадаешься, где её носит. Виктория проснулась оттого, что хлопнула входная дверь.

Маруся, как обычно, у себя в комнате.

Никому не нужный — на целых пять дней! — литред протягивает руку к телефону и проверяет почту. В ящике — письмо от племянницы Леночки, которая не давала о себе знать года три, не меньше, а ведь когда-то она души не чаяла в *тёть-Вике*. И взаимно.

Когда сестра Марина умирала, Виктория пообещала, что будет заботиться о Леночке, как о дочери, и, в общем, она своё обещание выполнила — даже слегка ущемляла Марусю в пользу Леночки, хотя дочка была тремя годами младше и ревновала мать отчаянно.

Леночка выросла в уверенную в себе женщину, лихо миновав стадию *девушки*: тот период был очень коротким и в памяти не отложился. Крепкая, сильная, ловкая — всё, за что бралась, у неё получалось с первого же раза, даже блин выпекался не комом, а кружевной салфеткой идеально круглой формы.

Виктория и родители — тогда папа был ещё жив — успокоились, выдохнули: надо радоваться, что такая замечательная женщина получилась из Леночки!

Сестра — она была единокровная, от первого папиного брака, — умерла, когда Леночка ещё школы не окончила. Мужа у Марины не было, и отца у Леночки по этой причине тоже не было. Конечно, мама с папой забрали девочку к себе, но она уже через полтора года — сообщила:

— Я хочу вернуться в свой дом и жить самостоятельно.

Поскольку она была тогда уже студенткой и подрабатывала, то ни мама Наташа, ни Виктория, ни папа не нашли слов, чтобы спорить. Отпустили эту уверенную в себе юную женщину на свободу — и, наверное, даже испытали при этом нечто вроде облегчения, потому что пятерым в трёхкомнатной квартире было, конечно же, тесно. Квартиру Марины они сдавали — пока решительная Леночка не выставила жильцов на улицу и не зажила на свой манер.

Виктория пыталась её навещать — даже возила какую-то еду в кастрюльках, но Леночка эти кастрюльки решительно отменила:

— Я ж не в больнице лежу, тёть-Вик!

Виктория звонила племяннице как минимум раз в неделю. Папа — он очень волновался за внучку — и того чаще, но Леночка брала трубку через раз, а потом однажды ответила каким-то не своим, пьяным голосом, да ещё и с матерными вкраплениями.

Конечно, всякий человек проходит в юности пору испытаний; вот и Виктория, если хорошенько поскрести память, тоже может предъявить несимпатичную историю (кажется, будущий литред лежал однажды в кустах рядом с памятником Якову Свердлову, не имея сил донести выпивший организм до скамейки. Люди стараются не вспоминать о себе таких подробностей — но подробности от этого не исчезают, а всё так же лежат в памяти зловонными кучами).

В общем, Виктория искала и находила для Леночки оправдания, а потом, внезапно, в один час, умер папа, и они с мамой Наташей долгое время вообще ни о чём и ни о ком другом говорить и думать не могли. Это была какая-то очень несправедливая смерть, и Виктория до сих пор считает: они с мамой сделали что-то неправильно, поэтому папа и умер.

Была суббота, папа с утра пораньше сходил в магазин за продуктами. Он ещё с тощих восьмидесятых взял на себя все закупки — это считалось у них в семье не женским делом. Если вдруг мама Наташа или Виктория покупали по дороге домой хлеб или сыр, папа безжалостно раскритиковывал их приобретения. Он-то был профессионал! Попробуй всучи такому просроченную рыбу или консервы в мятой банке! Другое дело, если продукты в холодильнике залёживались: отец их выбросить не мог — и доедал, жалея подпорченную пищу сильнее живота своего. *Девочкам* своим ненаглядным не разрешал — сам справлялся. Не смел выбросить хлеб с единственным — подумаешь! — зелёным пятнышком, заветрившийся сыр, ряженку с *запахом*...

Детство выпало отцу такое голодное, что он так за всю жизнь и не мог наесться — другой человек на его месте давно раздался бы лишней массой во все стороны, но папа оставался поджарым, стройным, быстрым. Он постоянно был в движении, терпеть не мог, когда «лежат без дела», и жил бы ещё, наверное, лет тридцать, если не больше, как вдруг за ним пришла смерть. Шальная какая-то смерть — напала без объявлений, не предупредила болезнью, даже знака не подала. Как будто шла, возвращаясь, от соседей — и заглянула к ним в квартиру между делом.

Папа только что вышел из ванной, полотенце повесил, как всегда, на дверь — просушивать. Лёг на диван — а ведь не лежал никогда, им бы с мамой обратить внимание! — и сказал вдруг:

— Плохо мне что-то, Наташа.

Смерть топталась в дверях, думая, то ли снять обувь, то ли так пройти?

— Может, «Скорую» вызвать? — спросила Викторию мама. Маруся в дальней комнате плела бисерный браслет — она без конца что-то плела, вязала, мастерила, рисовала, просто спасу не было от всех этих поделок, милых, но бессмысленных. Виктория лежала (она-то не считала это за грех) с книжкой на софе.

В общем, они с мамой слишком долго думали и когда вызвали наконец «Скорую», было уже поздно. Толстая, решительная врачиха выгнала из комнаты Викторию и заплаканную маму Наташу. Маруся ничего не понимала. Браслет был уже почти готов, мама, посмотри! Иди сюда! Бабуля! Да где вы все? А это кто?

Врачиха выплыла из комнаты, от неё резко пахло духами. Папа умер в комнате с чужой тёткой: она проводила его, это лицо он видел перед собой в последнюю секунду — а не свою ненаглядную Наташеньку и не дочку Викторию, для которой был в жизни всем сразу.

Какие мерзкие духи у врачихи, правда, что душат.

Им бы оттолкнуть эту тётку, всё равно не сумевшую спасти папу. Броситься в комнату, зарыдать, взять за руку, проводить по-человечески. Не бойся, смерти нет!

Им бы раньше спохватиться — вдруг прислали бы другую бригаду, где по случайному, счастливому совпадению дежурил какой-нибудь гений места, волшебник и реаниматолог Лев Львович Львовский. Он тут же понял бы, какое дать лекарство, куда поставить укол — и папа открыл бы глаза и снял бы через несколько часов высохшее полотенце с двери, потому что был аккуратным во всём, а прежде всего — в мелочах.

Умер он на полу, потому что врачиха и её помощник, серьёзный строгий мальчик, сняли папу с дивана и пытались выгнать из него смерть какими-то манипуляциями, для которых нужно было лежать на ровной поверхности.

Так, на полу, он и остался лежать, а сверху врачиха прикрыла его скатертью — потому что ничего подходящего рядом не оказалось, вот она и стянула скатерть со стола. Льняную, с васильками.

Папа лежал в комнате под скатертью, а мама Наташа с Викторией (Виктория ещё зачем-то сказала врачихе на прощанье «спасибо», и та кивнула, с достоинством принимая благодарность, — она сделала всё, что могла, но тромб есть тромб, это нужно понимать) сидели за стеной, пока одна из них, не вспомнить кто, не решилась встать с места и войти в ту комнату.

Маруся от переживаний мгновенно заснула — с браслетом в руках. На коже — отпечатки бисера, похожие на аллергическую сыпь. Слезы катятся из глаз даже во сне.

Когда папы не стало, Виктория начала любить свою маму больше всех на свете. А прежде она любила так папу.

Старшая сестра Марина в детстве ревновала:

— Конечно, он тебя и в театры! И на каток!

В театре они слушали папины любимые оперы — три по кругу, каждый год. «Евгений Онегин», «Паяцы», «Трубадур».

Когда хор пел «Слыхали ль вы», Виктория понимала опять про львов:

— Слыхали львы за рощей глас ночной...

Потом хор уходил на второй куплет:

— Вздохнули львы...

Виктория вздыхала от скуки вместе со львами, о которых пел хор, — но папа любил три своих оперы, и Виктория терпела их ради него, а потом научилась любить в память о нём.

На похоронах папы они с племянницей Леночкой виделись в последний раз — с тех пор она только звонила, а три года назад не стало уже и звонков. В день похорон Леночка стиснула Викторию в объятьях — как через мясорубку пропустила. Пахло от неё чесноком, и была она крепко беременной: уже через несколько месяцев родила свою первую девочку, а потом ещё двоих, и у каждой девочки был свой папа, это если выражаться деликатно.

Вздохнули львы. *Накажу вас всемеро за грехи ваши.*

И вот теперь Леночка почему-то пишет Виктории — пишет, а не звонит. Фамилия — латинскими буквами (русские имена, набранные латиницей, царапают глаза иголками).

На пороге комнаты появляется Маруся с подносиком — завтрак для мамы! Булочки подогретые, кофе свежесваренный, цветок в пробирке. Где бы взять нормальную дочь, чтобы собачилась с матерью с утра до вечера, просила денег, хлопала дверью, а не улыбалась заискивающе?

Впрочем, у Виктории для этого есть мама-подросток.

Маруся ложится рядом с Викторией, пытаясь прижаться к ней всем телом. Тоже какая-то странность — взрослый человек так и не преодолел телесную зависимость от мамы.

— Я кинестетик, — объясняет Маруся.

«Я уехала во Францию, — пишет Леночка. — Девочки пока в России. Лада с отцом, Изида — с той бабушкой, Маргарита — с моей подругой. А я уехала, тёть-Вик, замуж вышла! Жду ребёнка. Надеюсь, будет девочка, я к ним уже привыкла, а с парнями даже не знаю, что делать. Я к тебе с просьбой. Привези мне Изиду. Ей пять лет, могут, конечно, со стюардессой отправить — но тут есть всякие по закону тонкости. Как бы разрешение нужно на вывоз ребенка. Я тебе доверенность отправлю. И деньги пришлю.

Очень скучаю по Изидке. Ей в Париже понравится.

Привезёшь, тёть-Вик? Поможешь? Ты маме обещала, я помню.

Целую, жду ответа.

Лена».

4

Изида — она же Исида — египетская богиня, воплощающая идеалы женственности и материнства. Носит головной убор в виде стула, точнее сказать, трона, помогает роженицам и оберегает детишек, покровительствует рабам, девушкам и грешникам, умеет собирать убитого мужа по частям и возвращать его к жизни.

Почему Лене пришло в голову назвать любимую дочку Изидой, Виктория и понятия не имеет — точнее сказать, она вообще не имеет никакого понятия о своих внучатых племянницах, но Лена почему-то делает вид, что тёть-Вик осознаёт, о какой из них идёт речь.

Ни одной из этих девочек Виктория не видела даже на фотографиях — уж сейчас-то, казалось бы, каждый может «налёпать», как выражалась бабушка, не только детей, но и снимков в любом виде. А вот Лена, видимо, не могла. Вскоре после похорон деда она продала квартиру и уехала куда-то в Камышловский район. Виктория пыталась её разыскивать, но Лена пряталась, как участница программы защиты свидетелей. До Виктории лишь изредка долетали известия одно другого хуже.

Уйдя из дома, племянница не только обрела свободу и утратила прежнее ласковое имя «Леночка», но и подхватила сектантскую бациллу. Предохраняться от беременности — нельзя, показывать детей врачам — тоже, в детский сад и школу ходить необязательно. Старшая дочь, говорят, чуть не умерла от кишечного гриппа, но Лена и бровью не повела — бог даёт, бог берёт, а в конце жизни всех ждёт смерть, или вы забыли?

На что Лена жила, Виктория не знала. Пыталась переводить ей деньги «до востребования», но переводы никто не запрашивал, они возвращались к отправителю. Мама Наташа советовала «не париться» — она с такой лёгкостью осваивала подростковый сленг, какая и не снилась Виктории, чувствительной к словам.

Слова, Египет, Маруся и львы — всегда рядом, неотменимые, как смерть в конце жизни. И ещё, конечно, студенты.

Поставив крест на писательстве, Виктория начала грешить статьями для глянцевых журналов. Писала *трэвел* — хотя давным-давно не бывала западнее Первоуральска — и *психологию*: она умела сформулировать и заострить проблему, а по ходу сочинения текста рождалось и решение, пусть не всегда убедительное.

Журналы охотно брали у Виктории статьи, бильд-редакторы подбирали соответствующие картинки: Эйфелева башня в огнях — к заметке «Рождество в Париже», девушка с тревожным взглядом — к статье «Вы ревнуете?».

Эта работа была лёгкой, бессмысленной и хорошо оплачиваемой — гонораров в те годы никто не задерживал. В одном популярном журнале — том самом, где рекламные материалы заканчиваются на сто первой полосе, и только потом идёт *редакционка* — Виктории однажды выплатили одну и ту же сумму дважды, а текст не опубликовали. Девушка честного — папиного! — воспитания, Виктория позвонила в редакцию и сказала, что бухгалтерия ошиблась.

— Да и ладно! — рассмеялся в трубку редактор. — Считайте, это вам моральная компенсация. Мы ж не напечатали статью!

Золотые, тучные времена — жаль, что никто не осознавал тогда, что они тучные и золотые.

Сейчас такого просто быть не может — свои жалкие тысячи Виктория выцарапывает у издателя так, что пальцы потом горят и сочатся кровью:

как в книжке про войну, где гестаповцы пытают партизан, загоняя иголки под ногти.

За студентов ей платит государство — пусть немного, но всегда вовремя, чуть ли не в один и тот же час первого числа каждого месяца. Виктория преподает в муниципальном вузе основы журналистского мастерства. Студенты здесь в основном иногородние — они мало знают, ничего не читают, но при этом изредка умудряются писать лучше, чем *профессиональные журналисты.*

В одну свою студентку — её зовут Алиса, робкий цветок из Ханты-Мансийска — Виктория почти что влюбилась. Когда Алиса пишет, робость оставляет её, а слова не разбегаются прочь, как дикие собаки, но смирно бегут у ноги, выстраиваются в нужных комбинациях, а иногда совершают такие сложные кульбиты, каких не ждёшь не то что от собак, но даже от спортивных парашютистов в воздухе!

Со словами в России давно разучились управляться и профессиональные журналисты, и политики, и школьные учителя. Дело здесь не столько в грамотности, о которой так радеют кустарные писатели. Дело — в чувстве языка, которое не позволит использовать слово не по назначению.

Алиса управляет словами как опытный дрессировщик. Ни один лев не посмеет раскрыть на неё пасть — они ходят по кругу, подметают опилки своими хвостами (а надо — будут и чужими подметать!), прыгают в обруч и сидят на тумбе смирно, как будто и не львы они вовсе, а шахматные фигуры, сросшиеся с постаментом.

Виктория так хвалит Алису на занятиях, что другие студенты давно уже ненавидят скромный цветок из Ханты-Мансийска. И Маруся её тоже терпеть не может — мы живём в поистине удивительное время, когда личное знакомство с человеком вовсе не считается обязательным для того, чтобы его не любить.

Хватит растекаться мыслями, одёргивает саму себя Виктория. Придётся на неделю найти замену в институте, а тексты она сможет редактировать в любой точке мира, где есть Интернет. Хвала нашему поистине удивительному времени.

Не успела допить кофе, как Лена прислала ещё одно письмо, в нём — адрес Изидиной бабушки и просьба сообщить номер сберовской карты. Она тут же перечислит деньги на перелёт и срочное оформление визы.

— Я тоже поеду! — заявляет Маруся. — У меня отгулы.

— И я хочу в Париж, — говорит мама Наташа вечером. — Пускай на всех перечисляет.

5

Когда Маруся была совсем ещё маленькой девочкой, она любила не только маму. В детском сердце хватало места и на уличных собачек, и на бабушку с дедом, и на воспитательницу Флюру Баймухановну. С годами человеческое сердце становится всё меньше и меньше — усыхает оно или «упаривается», как белокочанная капуста, которую сколько ни нашинкуй, а бигуса всё равно выйдет мало. Но в детстве сердце у всех вместительное, щедрое, как лето.

Воспитательница Флюра Баймухановна была строгой, неулыбчивой и навеки преданной идеалам коммунизма даже после того, как коммунизм отменили. Но это другие могут просто взять и отменить, а Флюра Баймухановна оказалась неспособна предать то, что однажды полюбила. Ленин был для Флюры Баймухановны богом, а с богами легко не расстаются. Поэтому в детском садике, где проводила свои дни Маруся, на утренниках по-прежнему славили Ильича — неважно, что в городе в то самое время сносили его статуи. Флюра Баймухановна не имела шанса спасти гипсовых ильичей от поругания, зато она могла сохранить имя вождя для вечности в детских головках — надёжно упрятать, и пусть лежит там до лучших времён.

> Камень на камень,
> Кирпич на кирпич.
> Умер наш Ленин
> Владимир Ильич!

Шестилетняя Маруся (шёлковое платье, прореженные верхние зубки, взрослые колготки, которые сама девочка с гордостью называла «скользкими») так радостно произносила эти строчки, что Виктория, чувствительная, как уже было сказано, к словам, уточняла:

— Ты уверена, что нужно именно так читать это стихотворение?

Думала она при этом другое: уверена ли Флюра Баймухановна, что именно это стихотворение нужно читать на утреннике?

Маруся обижалась за воспитательницу, доказывая, что именно так и надо — с глубоким ударением на «у» в слове «умер».

Ленин был неотменим и, скорее всего, до сих пор согревал своим присутствием мысли Флюры Баймухановны, если она, конечно, жива.

Это обстоятельство не интересует нынешнюю, взрослую Марусю (чёрный пиджачок, пожелтевшие от вечного чая зубы и тёплые колготки — мечта любой попадьи). Сердце дочери вмещало теперь одну-единственную любовь — к маме.

Для Виктории Марусино обожание было пыткой.

Ожидая посадки на рейс до Хельсинки (на оформление бумаг ушёл почти месяц, билетов на другие рейсы не было, поэтому лететь пришлось, глядя на карту, криво), Виктория вымученно улыбалась попыткам Маруси завести интересный разговор.

Мама Наташа, скользнув через таможню, как туз в рукаве, подхватила Изиду:

— Мы по магазинам!

Флюра Баймухановна не могла смириться с отменой Ленина, а мама Наташа — привыкнуть к товарному изобилию. Сколько бы ни было вокруг еды, одежды, книг и развлечений, маме всё равно было мало — хуже того, она боялась, что всё это однажды вдруг возьмёт и «схлопнется».

А так — были бы *тити-мити* (на этом слове мама Наташа растирала воздух щепотью, и все понимали, что речь идёт о деньгах).

Малышка Изида была так очарована своим новым семейством, что радостно откликалась на любые предложения: бегать по магазинам, сидеть в кафе, да что угодно — лишь бы с вами вместе!

До той поры Изида знала другую свою бабушку, вечно всем недовольную и похожую на диплодока из любимой книги (Изида обожала динозавров и пугающе точно выговаривала названия «трицератопс» и «постозух»). Та бабушка была грузная, с длинной шеей и маленькой головой — она почему-то звала Изиду не по имени, а просто *девкой* и вообще ничем не напоминала быструю, маленькую, сухонькую Наташу. Эта восхитительная новая бабушка сразу же объяснила Изиде, что та походит на своего дедушку (уже, к сожалению, ушедшего из жизни) как две капли воды. Вот разве только бороды нет и лысины!

— Но ведь это хорошо, что у меня их нет? — аккуратно заметила Изида. Жизнь с нервным папой и бабушкой-динозавром научила её осторожности.

Маруся рассмеялась и тут же осторожно взглянула на мать — а ей-то смешно? Может, было правильнее промолчать?

Но Виктория тоже улыбнулась — ей нравилась смешная девочка с тяжёлым, не по росту и не по возрасту именем. Лохматые косички, а глаза — тёмные, чернильные. Были раньше такие чернила — фиолетовые, теперь из моды вышли.

До посадки — больше часа. Сидели в кафе «Шоколадница». Официантка с плохо скрываемым злорадством перечисляла, каких именно пирожных и напитков сегодня нет. Пили горьковатый чай с чабрецом. Маруся рассказывала очередную историю без начала и конца, обижаясь, что мама не слушает её всерьёз, — и лелея свою обиду, как подбитого птенчика, который всё равно не выживет.

Виктория в уме составляла из названия «Шоколадница» как можно больше разных слов: она делала это всегда, лишь только в поле зрения появлялись мало-мальски длинные существительные.

Никто не догадывался о том, что Виктория ведёт в голове бесконечную партию — играет и за себя, и за несуществующего партнёра. Внешне всё выглядело прилично — дама в костюмчике пьёт чай в компании взрослой дочери.

Кол. Шок. Лад. Шоколад. Лодка. Шлица. Код. Док. Кода. Шлак. Лак. Ландо. Кал. Клад. Клин. Клише... Чёрт, здесь нет буквы «е». Школа. Дно. Шина. Кино. Лик. Кило. Шило. Шик. Длина. Кадило. Лицо.

Лицо Маруси напротив — вечно ожидающее, влюблённое. Виктория готова порвать шлицу на юбке, сесть в пролитый лак для ногтей, вступить в кило собачьего кала, испытать шок и сесть на кол, потерять клад, проколоть шину, снова начать ходить в школу и никогда — в кино, получить по лицу кадилом и так далее, лишь бы дочь смотрела такими глазами на кого-нибудь другого. Пусть это будет молодой мужчина, да если и женщина — ничего страшного! Принципы Виктории с годами растянулись, как резинка на старых пижамных штанах. Она давно ничего не ждёт от Маруси: карьерные подвиги, внуки, несказанная красота, творческий успех — все эти ожидания остались в таком далёком прошлом, что даже и вспоминать не хочется. Лежат себе где-то, тлеют, сливаются с пейзажем и создают питательный слой для новых надежд других людей.

После неизбежного расставания с Флюрой Баймухановной — на выпускном утреннике она махала детям бесстрастно, как член Политбюро с Мавзолея, — Маруся навсегда вернулась к Виктории. Ни школа, ни юридический институт (оконченный, к слову сказать, на «отлично»), ни место работы —

Федеральная служба исполнения наказаний, ни ровесники, клубившиеся прежде вокруг Маруси в таком же точно количестве, что и у всех прочих молодых девушек, — не могли соперничать с матерью. Эта невидимая пуповина была прочной, и обвивалась она теперь вокруг шеи Виктории. Задохнуться можно от такой любви.

Давно утраченная подруга — та, что не любила египтян, — баловалась кухонным психоанализом и много раз пыталась объяснить Виктории, что Маруся слишком рано лишилась отца (Андрея убили в начале девяностых, и больше ни слова об этом), а теперь боится потерять ещё и мать. Вот почему она без конца звонит ей, ночами прибегает в постель, заболевает: лишь только Виктория задумается об отъезде или командировке, тут же предъявляется градусник с тонкой красной линией, выползшей далеко за 39. Ещё в школе девочка купила в киоске «Союзпечать» большой пластмассовый значок с группой «Алиса» — группа «Алиса» была Марусе совершенно без надобности, она вскрыла значок и выбросила оттуда фотографию Кинчева, заместив её маминой. И долго ходила с портретом Виктории, приколотым к кофточке с той стороны, где сердце. Даже самые злые одноклассники не смеялись — над чем тут смеяться, если плакать надо? А среди взрослых были такие, что завидовали. Соседка с верхнего этажа — у самой дочь начала *гулять* ещё в седьмом классе — всякий раз умиляется при встрече:

— Ой, ну твоя-то всё дома сидит! И помогает небось, не то что Светка!

И пусть от этих слов разило фальшью, как от самой соседки — кислым потом, всё равно в их основе лежала правда — неподъёмная, как тот тяжёлый камень, которым в конце прошлого года закрыли проезд в их двор. Это, кстати, правильно — а то машины ездили под окнами день и ночь.

Виктория много раз пыталась найти Марусе друзей — была согласна даже на плохую компанию и дурное влияние, но нет, дочке никто не нужен, кроме мамы.

— Мне с тобой интереснее, — заявляла Маруся.

Работа у дочери была такая, что много не расскажешь — точнее, вообще ничего не расскажешь. Но Маруся много читала, без конца смотрела какие-то фильмы, водила маму в театр и на концерты. Темы для разговоров всегда были у неё наготове — как выученные билеты у примерной студентки. Можно изредка подавать реплики — всё остальное сделают за тебя.

Маруся готовила маме завтрак и ужин, тратила все деньги на подарки — дорогие и бестолковые. Куклы, статуэтки, мягкие игрушки — львята. Дочь не понимала, что Викторию интересуют совсем другие львы, не имеющие ничего общего с плюшевым зверьём.

Дома все полки книжного шкафа заставлены подарками Маруси и подношениями бабушкиных учеников (точнее, их родителей). Даже книжных корешков не видно! Мама Наташа — почитаемый в среде неуспевающих школьников учитель математики, а поскольку лишних денег с отстающих она не брала, те пытались отблагодарить педагога памятными вещицами. Одна из них особенно запомнилась Виктории, потому что мама с папой хохотали над ней минут двадцать без перерыва: это была настоящая надгробная плита, но только маленькая. С проникновенной гравировкой «Незабвенному учителю» и другими словами благодарности.

Эту плиту мама потом приспособила в качестве груза — когда солила грибы в ведре. Незаменимая оказалась вещь!

В отличие от плюшевых зверей.

Мама с Изидой вернулись ровно в тот момент, когда пассажиры рейса Екатеринбург — Хельсинки выстроились в очередь к выходу. Самолёт белел за окном, как обещание счастья.

Изида, счастливая без всяких обещаний, крепко прижимала к груди подарок бабушки Наташи — малахитового льва.

6

Из слова «Хельсинки» складывается не так уж много других слов. Сель. Хек. Клин. Лес. Лис. Кисель (напиток, совершенно вышедший из моды). Линь. Киль. Нил... а впрочем, имена собственные нельзя. Иначе можно бы ещё и Нильса добавить. Синь. Вот и всё, пожалуй.

За иллюминатором она — синь. Небо ясное, голое.

После обеда стюардессы дали каждому пассажиру по шоколадке, и Виктория еле отбилась от того, чтобы съесть ещё и Марусину. Дочь обиделась, раскрыла книгу — будто бы читает, но страницы при этом не перелистывает. Книжка, конечно, фантастическая. Реальный мир не устраивал Марусю даже в литературе. Всё здесь плохо, скучно, блёкло, ненадёжно и страшно. Утешает только мама и то, что где-то существует другое измерение — там всё объёмно, интересно, ярко, безопасно и по справедливости.

Мама Наташа с Изидой сидели через проход. Малышка впервые очутилась в самолёте и, переполненная впечатлениями, уснула ещё на взлёте, сжимая в ладони каменного льва. Мама Наташа надела наушники и включила фильм на планшетнике — судя по испуганным взглядам соседки слева, циничный и кровавый. С недавних пор она других не признавала.

Мама Наташа очень изменилась в последние годы. Значительно сильнее, чем сама Виктория и тем более Маруся. Когда литред слышит от кого-то, что люди, дескать, не меняются, её всякий раз берёт злость — за одну руку, а вторую руку ей хочется протянуть автору этой банальности: пойдёмте, познакомлю вас со своей мамой! Разве такой она была шесть лет назад? А если заглянуть ещё дальше, в девяностые, в восьмидесятые... Ничего общего с этим дерзким седым тинейджером, который, в отличие от дочери с внучкой, имеет аккаунты на «Фейсбуке», «Вконтакте» и в «Одноклассниках», единственный в семье водит автомобиль и ведёт себя так независимо, что и не снилось реальным молодым людям, по пояс увязшим в инфантильности. Разве что пирсинга и татуировок у мамы Наташи не было — зато она красила волосы в разные цвета и покупала себе весьма легкомысленные наряды.

Эта противоречивая личность, совершенно наплевательски, по мнению Виктории, относящаяся к близким людям — и готовая вылезти из кожи вон ради чужих! — была тем не менее прежней мамой Наташей. Той, что спрятала туфли Виктории, чтобы дочь не ездила с Иваницким в Париж.

Тогда Виктория не могла оценить по достоинству мамины заботу и любовь — они выглядели грубым вмешательством в личную жизнь. В голове восемнадцатилетней Виктории был тогда один Иваницкий, не имеющий никакого отношения к известному отечественному физиологу, зато имеющий жену и двух малолетних детей. Ни на что другое места в голове не оставалось — даже мозгам, судя по всему, пришлось потесниться. Иваницкий занял всё пространство, а влюблённая Виктория — и так-то не успевшая к той поре поумнеть — стремительно, резко поглупела и одновременно с этим расцвела, как пышный июньский пион, сам знающий про себя, что это ненадолго, что впереди — усыхание, ржавчина, смерть, и потому цветущий как в первый и последний раз. Никогда больше Виктория не была — и не будет, теперь-то уж ясно, — такой красивой, как в том мае, для Иваницкого.

Недавно она видела его по телевизору, в какой-то программе для бизнес-аудитории. Иваницкий пронёс своё богатство сквозь годы, уберёг фирму от смерти в кризисах и выглядел вполне процветающим, сытым, счастливым и... пустым, как бутылка из-под водки, в которую для какой-то забавы воткнули цветок. Неужели ради вот этой пустой посудины Виктория оттолкнула маму Наташу от входной двери? Она стояла там, плакала и повторяла: не пущу, не пущу! Отцу напишу в Москву, он приедет — и тебе будет стыдно!

Папа был тогда в командировке, а мама не ошиблась — Виктории действительно стало стыдно, но лишь спустя много лет, вот теперь, в самолёте, когда мама сидит через проход, одной рукой барабанит по откидному столику, а другой машинально гладит лохматые косички Изиды. В кино льются кровавые реки — и Виктории так больно, будто это её только что убили в особо извращённой форме, раскидав части тела по разным районам далёкого американского города.

А тогда она запросто оттолкнула маму — пышный пион сражался за свои права, и кто там всё ещё верит, будто люди не меняются?

У каждого молодого человека есть внутренняя правда — проба жизни, телесное чутьё, которое бьёт горячей кровью то в голову, то в ноги... В жарких демисезонных ботинках Виктория бежала по майской улице — к сестре Марине. Сестра поймёт! Она сама недавно пережила роман с женатым человеком — все самые интересные мужчины обязаны быть женатыми, это знак качества! Любовник Марины уехал из города, оставив о себе вечную память — маленькое зёрнышко, будущую Леночку... Беременной Маринке точно не нужны будут в ближайшее время те чёрные туфли, на которые Виктория давным-давно зарится, — а попутно она прихватит платье из жатого бархата с воротничком из страусиных перьев: кто знает, что там носят в Париже?

Марина, конечно, на стороне сестры, а не мачехи, любви, а не пошлого мещанского страха. Она отключает телефон — потому что тётя Наташа звонит не переставая, — и прячет в шкаф тяжёлые ботинки Виктории. Туфли великоваты — когда идёшь, они шлёпают, как галоши, но других всё равно нет! Зато платье сидит изумительно.

Визы Иваницкий давным-давно сделал, на улице — 1992 год, а они летят, подумать только, в Париж. О маме Виктория даже не вспомнит — впереди райская неделя, французские каникулы, её первый (и, как выяснилось, всё-таки не последний) Париж. Их ждут поцелуи на «бато-муш»! Объятия на Эйфелевой башне!

Единственное, что портит настроение, — насмешливый взгляд, который Иваницкий бросает на пластиковый пакет с платьем. А как его иначе везти? Перья погнутся, если сложить в чемодан, да и нет у неё красивого чемодана... Она летит в Париж с рюкзаком всё той же Маринки — странно, дома он казался приличным и даже модным, а в самолёте почему-то превратился в страшную сумищу. И эти разношенные туфли-лодочки...

— О! — говорит вдруг Иваницкий. — Там Сергей Петрович с женой. Я к ним, а ты здесь сиди, ладно?

Интересно, куда она могла уйти со своего места? В кабину пилота? Сидела, смотрела на облака — на вкус эти ватные белые подушки должны быть точно как слёзы.

Иваницкий вернулся только перед самой посадкой, положил ей на плечо тёплую руку — и слёзы тут же ушли, и обида растаяла. Снова доказывала свою правду непуганая горячая кровь.

Парижа в тот раз Виктория почти не заметила. Игла башни за окном такси. Сена, схваченная мостами, как заколками. Аккуратно вылепленные крыши — и маленький кусочек неба, исчерканный самолётами до дыр, как промокашка. Эта небесная заплатка и была для Виктории Парижем — всё прочее, как водится, занял Иваницкий.

Ей даже на сон было жаль времени — прежде Иваницкий не бывал рядом ночами: они встречались то в рабочих кабинетах, то на чужих квартирах. А здесь — пожалуйста. Голова на подушке, очки на тумбочке.

Платье с перьями удалось надеть лишь однажды — когда они всё же вышли из номера, на третьи, кажется, сутки. «Кафе де ля Пэ», трёхэтажное плато с морскими гадами — сопливые устрицы со вкусом всё тех же облачных слёз, какие-то мясистые ракушки, черноглазые креветки и омары. Иваницкий учил Викторию есть креветок — вначале отделяешь голову, потом хвост, потом берёшь — и р-раз, снимаешь панцирь целиком! Официанты подтаскивали шампанское — ведёрко за ведёрком. Перья щекотали плечи. Иваницкий томился от скуки, за окном гудел Париж, как будто настраивался большой оркестр.

В конце концов Виктория оказалась в номере одна-одинёшенька — если не считать похмелья. Иваницкий вернулся только на следующий день, да и то ближе к вечеру, с полными руками покупок. Это жене, детям, а вот это — тебе! — бросил Виктории тяжёлый пакет. Внутри — дорожная сумка, тёмно-красная, дорогая. Замена пластиковому пакету с торчащими «плечиками».

Сумка эта и теперь жива — хорошая вещь, что с ней сделается. Мама Наташа её любит, вот и сейчас с собой прихватила. Возвращение сумки на историческую родину.

Изида проснулась, когда самолёт приземлился в Хельсинки (*в Хельсинках*, говорила бывшая подруга Виктории, кухонный психолог). Тихий, чистый, строгий аэропорт. Суровые таможенницы заново обыскали четырёх путешественниц — и вот они уже в другом самолёте.

— Мы теперь домой летим? — Изида ничего не понимала.

— Нет, Изя (мама Наташа сократила имя девочки на еврейский лад — а почему бы и нет? При Леночкиной всеядности в роду Изиды вполне могли быть как иудеи, так и японцы. Мойша и гейша). Мы летим к твоей маме! В Париж!

Лена выглядывала их в толпе встречающих и, заметив, кинулась навстречу, ловко раскидывая по сторонам робких европейцев. Те отступали, как волны морские; некоторые потирали плечи и оборачивались.

Беременная, матёрая, краснощёкая, Лена вдруг резко села на корточки — будто сломалась пополам — и вытянула руки в стороны. Точь-в-точь бабайка из детских страшилок: догоню, забодаю, съем! Изида бросилась к ней на шею, и вот уже красная ручища гладит лохматые косички.

— Ты моя сладкая, — приговаривает Лена, не обращая внимания на окружающих. — Ты моя вкусная!

Изида слегка отстраняется от матери и вежливо спрашивает:

— Мама, ты что, голодная?

— Как лев, — неожиданно говорит Лена. — Как лев!

7

Бабушка Виктории была врачом, и в доме их часто звучали прекрасные слова, которые могли служить именами принцесс и названиями таинственных королевств. Принцесса Атерома из страны Глюкозурии. Её отец — старый король Ишиас (литовских кровей?), а мать — королева Лимфедема. Слова звучали слишком торжественно для тех больных и страшных вещей, которые обозначали, — а вот, например, в музыке каждый термин — на своём месте. Виктория пару лет училась в музыкальной школе и кое-что помнила: фермата, стаккато, анданте, арпеджио... Чем бы ни занималась она в своей жизни — по собственной воле или же следуя причудам профессии, — слова не переставали удивлять её, даже когда люди стали предсказуемыми. В каждом слове было двойное, а то и тройное дно, с любым из них можно затеять игру, вывернуть наизнанку — как тот двусторонний пуховик, который папа подарил Виктории в честь первой сданной сессии.

В парижской квартире была даже не российская, но советская обстановка. Будто бы это не улица Поля Фора, а переулок Красный, где папа в студенчестве снимал комнату у какой-то медсестры. Потемневший хрусталь на полках югославской стенки, вафельные полотенца в ванной, чайник со свистком — «радость соседа», спиральные тряпичные коврики... На стенах висели чеканные картины — «Ассоль» с надутыми щеками, точно такие же надутые «Алые паруса» — и вязаные из бельевых верёвок макраме: совы и пудели с красными шерстяными языками. Виктория отдёрнула штору — тоже из тех, давних времён: вожделенный целыми поколениями тюль в розочках — в поисках машины времени, но подоконник оказался по-европейски голым. Во дворе — полудохлая «девятка» с пермскими номерами.

— Вы здесь располагайтесь, — сказала Лена, — а мы с Изидкой домой поедем. Нам ещё на электричке с полчаса до Везине.

— А ты нас с мужем не познакомишь? — нахмурилась мама Наташа, которой не хотелось отпускать от себя пусть и неродную, но такую милую внучку. Да и мужа интересно увидеть, и квартира эта странная не нравилась — спасибо, нажилась в таких интерьерах.

Лена пробормотала что-то непонятное, судя по всему, даже самой себе — и распрощалась с гостями, сообщив напоследок, что живут они рядом с чудесным парком Монсури, и что отопление лучше не включать, а то счета набегут такие, что мама дорогая! Маму дорогую она упомянула с безмятежной улыбкой на лице.

— Завтра гуляйте, а в четверг мы вас проводим и ключи заберём. Изидка, скажи всем: «Покапока!»

Девочка крепко обняла по очереди Марусю, Викторию и бабушку Наташу. Малахитовый лев выпал из её рюкзачка, но, к счастью, не пострадал, а вот на полу, покрытом линолеумом, осталась круглая вмятина.

В ванной Виктория обнаружила единственную уступку современности — пакет мягкой туалетной бумаги безмятежно белого цвета. Голый цилиндрик, оставшийся от использованного рулона, на семи языках — в том числе на русском! — радушно предлагал:

— Просто смой меня в унитаз!

Ни хозяева странной квартиры, ни Виктория не вняли призыву цилиндрика-мазохиста: тот так и остался лежать на прежнем месте, между стиральной машиной «Малютка» и корзиной для грязного белья.

Никакого вай-фая в квартире, конечно же, не было — здесь и ноутбук выглядел гостем из будущего.

— А ты ведь была в Париже, дочка! — улыбнулась вдруг мама Наташа. Маруся встрепенулась: как это «была»? Неужели в маминой биографии есть неведомая ей глава, и как могло получиться, что это прошло мимо Маруси?

Виктория растерялась, смутилась. Мама Наташа давно не проявляла к ней искреннего интереса: даже когда Виктория рассказывала что-то важное, например, как она ходила на собеседование в серьёзный журнал, мама вдруг перебивала её неожиданным вопросом:

— В чём ты была?

Виктория покорно описывала свой костюм, а мама заявляла:

— Ну и зря! У тебя есть более эффектные вещи.

После этого рассказ неизбежно захлопывался, как входная дверь на ветру, когда ты вышел на минутку, забыв ключи в квартире.

Даже если речь шла о том, что вчера Виктория встретила на заснеженной улице верблюда, шедшего ей навстречу покорно, как собака, мама Наташа не могла дослушать до конца эту удивительную историю — она выскальзывала из комнаты, чтобы сесть в кухне с кроссвордом, или уснуть перед телевизором, или отправиться на срочную встречу с подружками. Виктория не знала, как она сама в такие минуты становится похожа на свою дочь — расстроенно моргает, губы изгибаются подковой. Чуткая Маруся тут же занимает бабушкино место и заинтересованно спрашивает: а что за верблюд был, двугорбый? С погонщиком?

Погонщик имел независимый вид — изображал, что они с верблюдом не знакомы. Замёрзшая слеза текла из верблюжьего глаза длинной сосулькой. Горбы свисали со спины, как тяжёлые мохнатые крылья, а на снегу дорожкой лежали идеально круглые коричневые шарики, похожие на маленькие пушечные ядра. Те самые «пули из говна», в существование которых никто не верит...

— Не была я в Париже, Маруся, — врёт Виктория. — Пойду-ка я погуляю, не теряйте. Интернет поищу.

— Я с тобой! — вскакивает Маруся.

— Интересно, — возмущается мама Наташа, — а я что, в этом СССР одна останусь? Давайте уж все вместе, что ли.

Через пятнадцать минут они уже стояли на трамвайной остановке *Porte d'Orléans*. Пятнадцать минут назад Виктория и не подозревала о том, что в Париже, оказывается, есть трамваи. То есть, разумеется, как всякий околокультурный человек, она знала о том, что трамваи в Париже появились ещё в середине девятнадцатого века, — но те старинные трамваи походили на резные буфеты на колёсах и не имели ничего общего с худенькими бело-зелёными вагонами, в один из которых они и вошли.

Остановки здесь объявляли сразу два голоса — мужской и женский. Вначале мужчина как будто спрашивал: «Монсури?» После чего женщина мягко подтверждала: «Монсури!»

— Мы не в ту сторону едем, — сообщила Маруся. — Если в центр, так надо было в метро садиться, а станция — рядом с нашим домом.

Раньше она об этом, конечно же, сказать не могла.

Вышли из вагона, вернулись. Всего-то полтора дня на Париж, а они тратят бесценные часы в трамваях!

В метро доехали до вокзала Монпарнас, посмотрели сверху вниз на чёрную башню и разругались насмерть все трое.

Мама Наташа считала, что им надо срочно идти в Лувр, потому что уехать, совсем не прикультурившись, вроде как неприлично.

Виктория объясняла, что Лувр, скорее всего, уже закрыт, а ей нужно обязательно проверить почту (наглое враньё, потому что журнал сдали только вчера, и литред ещё несколько дней никому не потребуется) — вон в том кафе, судя по нашлёпке на входной двери, есть вай-фай.

Маруся молчала, слушая маму с бабушкой, а потом вдруг взорвалась так бурно, что проходящий мимо смуглый юноша невольно сунул руку в карман, где, возможно, хранился пистолет или ещё какой-нибудь предмет, полезный для жизни в городских джунглях.

— Ну что вы за люди такие обе! — вопила Маруся. — Даже здесь не можете взять себя в руки, даже Париж умудрились испортить!

Ругаться с близкими — занятие не менее бессмысленное, чем писать истории про львов. Сколько ни кричи, ни доказывай свою правоту — у близкого человека давно есть сложившаяся картинка, где представлен ты сам и твои особенности. Хоть голос сорви, картинка всё равно не изменится.

Мама Наташа и Маруся давно всерьёз не общались и не взаимодействовали. Маруся была естественным продолжением Виктории, а маму Наташу в последние годы интересовали только те родственники, которые жили далеко и испытывали какие-то неимоверные трудности. Вот для них мама Наташа готова была свернуть горы, повернуть реки и достать с неба все звёзды (даже те, которые кому-нибудь нужны). Ближние, хорошо знакомые и засмотренные родственники маму интересовали только в том случае, если у них вдруг проявлялись неожиданные способности — кто бы мог подумать, что тихая скучная внучка умеет так голосить? Мама Наташа смотрела на Марусю восторженными глазами, и Виктория поёжилась от внутреннего толчка зависти. Ей бы тоже хотелось вызвать у мамы восторг — но что для этого нужно сделать? Пырнуть ножом прохожего? Но у неё нет с собой ножа. Ограбить банкомат? Виктория не сумеет — она словесный человек, ей даже телефон удалось приручить с десятой, кажется, попытки.

Короткая, но бурная вспышка Марусиного гнева пришлась очень кстати — все они вдруг успокоились, как будто вдохнули чистого воздуха после грозы.

В цветочных лавках здесь выставлены сдержанные цикламены, холодные георгины, гортензии и хризантемы. Иногда так хочется цветов — просто чтобы были. Над чёрной башней Монпарнас летит быстрое небо. Засохшие прошлогодние листья на асфальте казались похожими на круассаны.

Виктория всё-таки настояла на том, чтобы зайти в кафе, — проверила почтовый ящик в телефоне, пока мама с Марусей пили кофе из маленьких чашечек. В ящике валялось единственное непрочитанное письмо — от студентки Алисы. Алиса написала статью ко Дню матери, но в газету текст не взяли, и Алиса не понимала: почему? Самой Виктории даже в голову не пришло бы не то что писать статью про День матери, но и как-то всерьёз относиться к этому празднику. Впрочем, она вообще никаких праздников не любила: идеал литреда — сплошные трудовые будни без зазоров и просветов. Просыпаешься утром — и с разбегу ныряешь в тексты, вылавливаешь ошибки, как рыбок в ясной воде... Красота!

Виктория так сжилась со своей работой, что мучительно переносила пять дней молчания, неизбежно следовавшие за подписью номера в печать. То ли в утешение себе, то ли просто потому, что глаза и мысли не успевали перейти в режим отдыха, она находила ошибки даже там, где их не было. «Один непринятый вызов» на дисплее телефона превращался в «Один неприятный вызов» (что, как правило, полностью соответствовало действительности — ей редко звонили приятные люди). Невинные «сосиски в тесте» становились вдруг загадочными «сосисками в тексте». Пять свободных дней напоминали собой пустые пакеты — Виктории нужно было запихнуть в каждый побольше дел, и чтобы они лежали там как можно плотнее. А потом — слава Богу — падали первые капли освежающего дождя после засухи. Модный обозреватель воспевала очередную коллаборацию. Директриса турагентства присылала заметку о Венеции — и «каналах с *гандолами*». Начавшие ржаветь маховики снова принимались за дело, электронный пинг-понг набирал обороты... Как хорошо, что сейчас эти пустые пять дней выпали на Париж!

Можно не проверять почту — ещё несколько дней там будет пусто, сколько ни жми на папку «Входящие».

Когда добрались до Лувра, полностью стемнело — фиолетовые тучи неслись по небу быстро, как будто куда-то опаздывали. Древние египтяне изображали небо в виде льва, ежедневно пожирающего солнце, как крокодил у Чуковского, — так им было проще осознать непрерывность времени. В геральдике лев олицетворяет восходящее солнце: львиная морда с золотой гривой похожа на яростное светило, способное превратить врага в горстку пепла.

Подошли к Лувру со стороны Львиных ворот — и Маруся, давно остывшая после своей истерики, обрадовалась:

— Лёвики, мама! Для тебя специально.

Лувр был, разумеется, закрыт. Он по вторникам не работает.

8

Хочешь любоваться Парижем — научись освобождать его от чужих слов, снимать слой за слоем прилипшие эпитеты, отдирать комплименты, затыкая уши, чтобы не слышать фраз с истёкшим сроком годности. Умей видеть за фасадами, отполированными миллионом взглядов, неведомые миру трещины. Львиные морды на чужих дверях крепко держат в зубах кольца — стучите, и вам, возможно, откроют: впрочем, надёжнее знать номер домофона.

Виктория, мама Наташа и Маруся идут по улицам без всякой цели. У них нет ни путеводителя, ни карты, да и длинных русских слов — таких, чтобы хватило на игру, — не предвидится. Три поколения, три возраста, три самых родных — и самых чужих друг другу женщины. Старшее поколение — Маруся. Жарко ей, наверное, в тёплых колготках. И шапку можно было полегче взять.

Среднее — Виктория. Она по жизни везде средняя — это, в общем, удобно, к тому же в середине никогда не бывает холодно.

Младшее — неутомимая бабушка. Вон как вышагивает — и по сторонам глядит одобрительно. Париж ей впору, нигде не жмёт, «удобно, как в тапочках».

— Давайте здесь пройдём, — предлагает Виктория. Широкая улица носит имя Этьена Марселя.

Чтобы очистить Париж от цитат, которые всплывают в памяти плотными сгустками, Виктория пытается вспомнить, как она была здесь сто лет назад с Иваницким.

Иваницкий имел, по собственному определению, плотное сложение — и когда во сне переворачивался с боку на бок, кровать ходила ходуном. Худенькая Виктория тряслась на своей половине, как будто преодолевала в лодке опасный речной порог. Иваницкий во сне обнимал Викторию, и, удивляясь, открывал глаза — руки не узнавали привычного тела жены но, вспомнив Викторию, он тут же снова засыпал, улыбаясь.

Каждое утро им в номер приносили кофе в белых чашках и круассаны в корзинке.

За стеной вечером начинала негромко смеяться женщина — наверное, радовалась тому, что живёт в Париже.

— ...Мы так и будем гулять или что-нибудь посмотрим? — мама Наташа, не выдержав общего молчания, расколола его своим вопросом, как грецкий орех в двери.

— Вон там какой-то памятник! — примирительно сказала Маруся.

Памятник действительно был — конная статуя.

Place de Victoires.

Площадь Побед.

— Твоя площадь, мама!

Ни льва, ни Египта здесь нет — площадь Побед небольшая и круглая, как блюдце. Шесть улиц бегут от площади прочь, как мама Наташа каждый вечер убегает от разговора с дочерью. Король-солнце — верхом на коне.

— Интересно, как там Изя? — вздыхает мама Наташа.

— Я есть хочу, — сообщает Маруся. Она всегда голодна, это правда — удивительно, что при таком бесперебойном питании (если менять еду, Маруся может есть постоянно, как собака) она остаётся стройной.

— Счастливая кость! — сказала однажды мама Наташа.

Удивительное слово — «мама». Такое большое, широкое, тёплое, но никаких других слов из этих букв не составишь.

А из слова «мать» получаются «мат» и «тьма».

Они уходят с площади Побед по одной из шести улиц, и Виктория оборачивается на конного Людовика, как на маму, которая впервые оставила её в детском саду среди чужих людей. Совсем чужих, которые ничего не понимают, неправильно пахнут и говорят грубыми голосами.

— Вот ресторанчик! — оповещает Маруся. Она любит комментировать и без того понятные явления и напоминает этим деда, папу Виктории. Он тоже часто говорил вслух очевидные вещи — в транспорте, громко. В такие минуты Виктория стеснялась своего папы, но ещё сильнее она стыдилась этого своего стеснения, походившего на предательство.

В ресторанчике тепло, пахнет ягодным компотом и ещё почему-то дровами. Марусю, Викторию и маму Наташу усаживают за столик у окна — рядом с ними ужинает умеренно шумная компания: две молодые девушки и трое мужчин.

— Ой, это, по-моему, дорогой ресторан, — пугается Маруся.

Тканевые салфетки, тарелки с гербами — дочь права, место не из дешёвых. Мама Наташа благосклонно оглядывается по сторонам. Гудят уставшие за долгий день ноги. Пищит телефон Виктории — приходит долгожданное сообщение со словами "Zachislenie na kartu". Хозяин яхты вспомнил про маленький винтик в моторе.

— Заказывайте, что хотите, — говорит маме и дочке Виктория.

Маруся выбирает какой-то странный десерт с черносливом. Мама — фуа-гра (звучит как «виагра» — слова ни на минуту не прекращают своей игры). Виктория — конфи из утиной ножки. В последние месяцы в её журнале часто пишут о высокой кухне уральского разлива, и литред поневоле в курсе гастрономических веяний.

Официант к ним почему-то не подходит, и мама Наташа оглядывается по сторонам уже не так благосклонно.

— А вы меню закройте, девчонки! — советует вдруг один из мужчин за соседним столиком. То, что он обратился к ним по-русски, действует на Викторию освежающе, как удар хлыстом. Маруся вспыхивает. Мама Наташа очень довольна «девчонками»: одобрительно сверкает глазами. — Если меню открыто, значит, вы ещё выбираете.

Действительно, как только они захлопывают книжки меню, у столика появляется официант — как чёрт из табакерки. Он и вправду похож на чёрта каслинского литья. Ломкий, шустрый, и пояс фартука висит за спиной, как длинный хвост.

Выбором дам официант, мягко говоря, недоволен. Бровь, как в лифте, переезжает весь лоб и застывает у линии волос:

— Десерт, закуска и конфи?!

Маруся (считается, она знает английский) пугливо бормочет, что да, так и есть. От вина отказываются все, кроме мамы Наташи — и ей приносят графинчик с розовым, похожим на разведённую марганцовку.

— Чудесно! — говорит мама Наташа, поглядывая на соседний столик.

Маруся заносит ложку над черносливиной, плавающей в ароматном сладком соусе, и вдруг слышит:

— Девушка, вам нравится?

Опять этот всезнаец — не сидится ему спокойно!

— Я ещё не попробовала, — тихо говорит Маруся и поспешно кладёт ложку на стол. В этих парижских бистро столики стоят так близко друг к другу, что может создаться впечатление общего ужина — вот некоторые и пытаются вести беседы с незнакомцами. Виктория на всякий случай кидает на мужчину неприязненный взгляд — но мужчина этот по-настоящему красив, и неприязнь тает, как фуа-гра во рту.

У него чёрные, довольно длинные волосы с сединой: она выглядит запутавшейся леской. Папа Виктории был страстным рыбаком, поэтому она помнит леску, поплавки, блёсны, воблеры, грузила и разочарование, когда нет клёва.

Глаза у незнакомца карие, горько-шоколадные, лицо благородно-истощённое, умное. И он жестикулирует — совсем не по-европейски. Виктория вспоминает папу — однажды за праздничным столом он так махал руками, вспоминая то ли рыбалку, то ли оперу, что выбил у мамы из рук блюдо с голубцами. Голубцы приняли лёгкий душ и снова предстали перед гостями, но ели их уже, конечно, без удовольствия.

Незнакомец наслаждается смущением Маруси, как долгожданным десертом, — пробует краешком ложечки, осознаёт вкус, раздумывает, не взять ли добавки. Маруся недурна, но, как выражается мама Наташа, «на любителя». Неужели именно такой любитель сидит за соседним столиком? Маруся в упор смотрит в свою тарелку, как будто ждёт подсказки, — но тарелка ей, разумеется, не отвечает.

— Может, пересядем? — довольно громко спрашивает Виктория. Мама вскидывается: с чего бы?

Мужчина переводит взгляд на Викторию — взгляд если не львиный, то где-то рядом. Литред терпеть не может, когда на неё так смотрят — как будто снимают слой за слоем одежду, отнимают опыт, уверенность в себе и внутреннее спокойствие. Остаётся жалкая мясная сердцевина или даже голая косточка. Остаётся то, чем — точнее, кем — Виктория себя давно уже не считает: женщина.

Но мужчина уже снова смотрит на Марусю; она воровато донесла до рта черносливину и теперь поперхнулась ею — в горле сладко и больно, саднит и жжёт.

— Амен, — говорит мужчина, прикладывая к груди руку (чёрные волоски на пальцах, дорогие часы на запястье). — А это мои друзья — Мирей и Лидия, Патрик и Шеймас.

Девушки протягивают всем по очереди руки, как мужчины; Виктория не любит этой моды. Мужчины вежливо привстают с места, — им это знакомство без интереса и надобности, всего лишь причуда друга, самого старшего, как успевает заметить литред, в компании.

Виктория молча грызёт утиную ногу. Мама Наташа вовсю болтает с этим Аменом и даже пробует его десерт (похоже на недопечённую меренгу в соусе).

— Ах, вы, оказывается, из Египта, а учились в Москве? Ну надо же! А я преподаю математику на родине Ельцина, в Свердловске, вы, наверное, слышали о таком городе? Теперь он называется Екатеринбург. А вы давно в Париже? Двадцать лет? И так прекрасно говорите на русском, что даже акцента не слышно?

Амен забыл своих друзей, он даже повернулся к ним спиной, но друзья не в обиде, попарно воркуют и заказывают ещё одну бутылку вина. Мама свой кувшинчик давно приголубила, и теперь марганцовочные пятна выступили на её щеках — весёлый пожилой подросток! Ничего, сейчас Виктория сломает ей все планы:

— Маруся, попроси счёт.

— Не торопитесь, — просит Амен. — Мы с друзьями сейчас поедем в клуб, может, вы тоже хотите?

Он спрашивает Марусю, но отзывается мама Наташа:

— С удовольствием!

Амен смеётся и целует руку бойкой старой женщине, но видит, конечно же, только Марусю — робкую, провинциальную, молодую. Тугие щёки. Румянец не винный — невинный. Чёткий контур губ, которым нужны не помада и бальзам, а поцелуи... Над глухим воротом кофты пульсирует тонкая голубая жилка. Амен машинально отвечает на вопросы приставучей старухи и понимает, что не она здесь будет ему преградой — а мама. Желчная, давным-давно не траханная тётка с прогалинами прежней красоты ни за что не отпустит с ним девочку. А колготки-то у Маруси! Неужели до сих пор такие делают? В пору юности, в Москве, он насмотрелся на эти колготки: они как броня или пояс верности, не подберёшься...

Старуха объясняет Амену методику преподавания математики, он вежливо кивает и придвигается ближе к Марусе. От неё пахнет простым мылом, и этот незатейливый запах возносит Амена к вершине желания. Хорошо, что Сильви, его девушка, уехала на выходные в Лондон.

Мирей и Лидия — вчерашние приобретения английских партнеров Амена — изысканнее Маруси во сто крат, но и старше лет на десять. И ни одна не умеет так робко глотать еду, хотя глотают, конечно, и та, и другая всё, что потребуется...

— Ты что это ухмыляешься? — по-английски спрашивает Шеймас, а у Маруси в тот самый момент падает сумка со спинки стула, и весь женский скарб оказывается на полу, нелепый и беззащитный. Кошелёк, массажная расчёска, дезодорант, блокнот и карандаш, проездной в екатеринбургский транспорт, связка ключей, красные «корочки», мятные таблетки, а ещё — ежедневные прокладки в надорванной пачке и пустой смятый пакетик с крупными буквами «НАПИТОК».

Пока Маруся и Амен собирают все эти вещицы с пола, мама Наташа кокетливо смеётся, а Виктория машинально составляет в уме слова из «НАПИТКА». Вечные «кот» и «ток». Тон. Нота. Питон. Кит. Тик. Пита. Пан. Кипа. Понт. Пинта. Топ. Пот. Кино. Копна. Марусины волосы — настоящая копна. Маруся для этого Амена — экзотическое блюдо, новый вкус приевшейся действительности. Амен старше меня, понимает вдруг Виктория.

Маруся снова вешает сумку на спинку стула и поднимает глаза на мать. Прежнее несчастное дитя, но в её взгляде появилось что-то новое. Впервые за все эти годы — новое, но при этом знакомое. Виктория смотрит на дочь — а видит своего мужа, Андрея.

У него были инициалы А.Д. Так он подписывал свои письма к ней: «АД» — читала Виктория, пугаясь, а потом догадалась перевернуть их, и получилось «ДА». «АД» вернулся позже, после его гибели; это был настоящий ад, без прописных букв. И больше ни слова об этом.

Только слова держат Викторию на плаву. Без них она тут же исчезнет.

203

Амен беседует с Марусей и мамой Наташей. Виктория достаёт телефон и открывает статью Алисы, посвящённую Дню матери. В общем, понятно, почему газета завернула материал: в нём много пафоса и мало смысла. Даже не верится, что это писала талантливая Алиса: «Посмотрите в глаза Матерям...» Штамп сидит на штампе и погоняет стереотипом. Да и что Алиса понимает в материнстве — оказалась бы здесь, в бистро на площади Побед, сразу поняла бы, что почём. И написала бы совсем другую заметку — вымоченную в иронии, как сливы в портвейне.

— Мы поедем в клуб с ребятами, — заявляет мама Наташа. Язык у неё заплетается, как ноги у пьяницы. Амен в восторге, его друзья в недоумении, девицы поджимают губы, но Амен здесь главный. И он платит за всех — подгребает к себе счета и кидает на стол кредитку, сияющую, как золотой слиток. Официант берет её осторожно, как хирург, — был бы пинцет, взял бы пинцетом.

— Маруся, может, ты со мной поедешь? — спрашивает Виктория, но дочь молчит и отводит взгляд, как посетитель зоопарка у клетки льва. Выдержать львиный взгляд никто не в силах — и это ещё одно бессмысленное знание, важное только для Виктории, проигравшей все партии на площади Побед.

9

Париж — земля львов, *terra ubi leones*, но маленький женский прайд распался на глазах. Виктория идёт по улице. Мама с Марусей орут друг другу на ухо в шумном клубе, пытаясь перекричать музыку, мощная рука Амена норовит погладить попку внучки, а натыкается на бабушкину. Шеймас и Патрик куда-то исчезли вместе со своими девушками. Лена показывает Изиде её новую комнату — розовую, с куклами, бантиками и ещё какими-то девичьими штучками, от которых у Изиды болит голова. Она предпочла бы динозавров — от них веет прохладой, у них красивые, как у роботов, имена. Дейноних. Трицератопс. Зауропод. Имена-заклинания.

— Вот здесь будет жить Лада, — рассказывает мама, открывая дверь в другую комнату — там тоже куклы и бантики, но теперь уже голубые. — А эта — для Риты и той, кто родится. Ты ведь знаешь, что у тебя будет ещё одна сестренка?

Потом в дверях кто-то громко шумит — и на пороге вырастает вот точно что настоящий трицератопс. Такой большой и лысый дяденька, что сердце бедняжки Изиды падает куда-то в живот и начинает там больно сжиматься.

— Мама, а сердце можно выкакать? — шёпотом интересуется девочка, пока лысый дяденька улыбается ей страшными зубами.

Мама хохочет, говорит что-то дяденьке, и он тоже смеётся и бьёт себя руками по ляжкам, как называла эту часть тела другая Изидина бабушка. Так сильно, что ему, наверное, больно.

С дяденькой мама говорит на странном языке — это очень медленный русский, в котором изредка попадаются иностранные слова — как запонки в шкатулке с пуговицами, которыми Изида играла дома, в Екатеринбурге.

Дяденька — Александр, но можно называть его Сашей. Папу Изиды тоже зовут Саша, и ей неприятно такое совпадение. Новый Саша гладит маму по животу, и снова неприятно — там у мамы сидит ещё одна девочка, которая вполне может получиться умнее, красивее и послушнее, чем Лада, Изида и Маргарита.

Лучше бы Изида осталась с бабушкой Наташей, Марусей и тётей Викторией, которая только притворяется злючкой, а на самом деле она очень добрая и несчастная, как динозавры, которые, как известно, давным-давно вымерли.

Слово «вымерли» звучит ещё страшнее, чем «умерли». Вымереть — значит не оставить после себя никаких следов: ни яйца, ни младенца, ни даже мумии.

Мумии для Изиды — на втором месте после динозавров. Мама обещает сводить её в Лувр, где есть комната, целиком заставленная саркофагами. Там есть даже мумия кошки — она похожа на кувшин с изумлённой ушастой головой.

Виктория идёт по Парижу, считая львов — памятники, барельефы, рекламы. Каменный лев из сада Тюильри и лев с чьей-то куртки, мелькнувшей в толпе, идут в списке на равных.

В том давнем Париже, когда они с Иваницким не выходили из отеля, Виктории даже в голову не приходило, что она приедет сюда ещё раз — чтобы считать львов, составлять в уме слова и сердиться на мать с дочкой.

На площади Конкорд ей снова улыбается Египет — Луксорский обелиск показывает в небо золочёным наточенным пальцем.

Париж — египетский город. Не случайно здесь жил и умер Шампольон. Не зря Бонапарт сражался в Гизе, а Йо Минг Пей украсил стеклянными пирамидами вход в Лувр. И площадь Каира названа не просто так, и площадь Пирамид. Под Июльской колонной спят мумии, сфинксы фонтана на площади Шатле плюют водой в туристов.

Виктория садится в метро только на площади Данфер-Рошро, где ей встречается последний — грозный Бельфорский лев. Ехать три остановки, настроение хуже не придумаешь, хочется плакать и спать.

Она открывает дверь в чужую квартиру и почему-то вспоминает день рождения маленькой Маруси. Дочка позвала пять подружек и мальчика Илюшу по настоянию Виктории. В итоге подружки не пришли, явился только этот ненужный мальчик, и Маруся плакала над тортом, и дедушка, чтобы утешить её, съездил на Птичий рынок и купил хомяка.

Ненужный Илюша был невероятно похож на маленького Ленина. (Недавно Виктория случайно встретила этого Илюшу в маршрутке — оказалось, что он не превратился в Ленина взрослого, а так и остался маленьким.) Илюша с Марусей склонились над трёхлитровой банкой, где возился, обживая пространство, толстый пушистый зверёк. Конечно, хомяк оказался хомячихой, да ещё и беременной — через пару недель начались роды, детёныши появлялись на свет один за другим и тут же умирали. Маруся была безутешна, боялась теперь ещё и смерти хомячихи, и бабушка Наташа отнесла зверька вместе с банкой в школьный «живой уголок», чтобы *не травмировать ребёнку психику*.

Виктория до четырёх утра по уральскому времени ждала Марусю с мамой, но вернулась только мама, уже почти не пьяная, готовая к отпору и борьбе.

— Как ты могла её отпустить? — крикнула Виктория.

— Лучше скажи, как я могла её не отпустить?

10

Утром пили чай с сушками, привезёнными запасливой Марусей из дома. Виктория ломала твёрдые колёсики в ладони на четыре части — привыкла так делать с детства. Всё, что ты привык делать в детстве, не отменяется и почти не меняется. А когда тебе пять лет, сушки, надетые на пальцы, превращаются в драгоценные кольца, и лепестки космеи становятся длинными ногтями, покрытыми ярким лаком...

Мама успела принять душ, сидела напротив Виктории в чужом махровом халате — и ждала начала военных действий. Возможно, она ждала чего-то другого, буквально глаз не сводила с дочери. Непривычно. Виктория вдруг вспомнила, как в детстве её зачаровывали голые мамины ноги — голубые вены походили на реки, мама стеснялась, прятала «реки» под полой халата.

— Ничего сказать не хочешь? — с нажимом спросила мама Наташа. Виктория молчала — сил для спора не было. Да и не хотела она спорить с любимой своей мамой — всегда любимой, пусть даже она неправа, жестока, несправедлива...

Они молча убрали со стола, Виктория помыла чашки — и вытерла их вафельным полотенцем. Резкий, незнакомый звонок напугал её — она даже не сразу поняла, что это за звук. Мама Наташа открыла дверь — с порога к ней на шею бросилась Изида.

— Пойдём сегодня мумий смотреть?

— Сегодня? Ну ладно, пойдём...

— Вот и хорошо, а то у меня тут дела появились, — обрадовалась Лена, убирая с дороги помеху в виде тёть-Вики. Прошла в кухню, достала откуда-то матовую чёрную пепельницу и закурила.

— Лена, ты же ребёнка ждёшь! — возмутилась мама Наташа.

— Да подумаешь, — отмахнулась Лена. — Пусть этот жеребёнок знает, что мама курит. А что такого? Я со всеми тремя курила, и ничего.

— Бабушка Люда говорит, у меня от этого астма, — вмешалась Изида и тут же, спохватившись, прикусила губу, потому что мама рассердилась:

— Бабушка Люда много чего говорит!

— Лен, а чья это квартира? — перевела разговор Виктория. — Вчера не успели спросить...

— Да это Сашкин друг какой-то из Перми перевёз сюда свою маму со всем имуществом — а она возьми и умри.

Изида заплакала. Ужасно, когда мама умирает, даже если не твоя!

Мама Наташа вытерла девочке слёзы, подхватила на руки. Изида совсем лёгонькая, невесомый человек — но такой при этом важный, весомый...

— А чем он занимается, твой Саша? — Виктория вновь сделала поворот в беседе, опасаясь задеть острый угол. Курит Лена жадно, как будто бы дует в какой-то музыкальный инструмент. Она такая сильная, красная, полная жизни! Виктория не сводит с неё глаз, а Лена тушит сигарету в пе-

пельнице, зачем-то прищуриваясь, хотя дым до её лица не долетает. Она с удовольствием рассказывает про Сашу — коренной француз по имени Александр, и Лена еле как объяснила, что можно звать его Сашей. У французов это два разных имени, Александр и Саша, но у французов вообще всё сикось-накось.

Саша родился и вырос в Париже, в детстве родители отдали его в школу, где изучали русский язык — как будто предвидели судьбу своего мальчика. А точнее, решила Виктория, своими руками создали эту судьбу. Русский язык он, впрочем, знает средне: «Объясняю всё по сто раз», — смеётся Лена.

— Ты ведь в школе учила французский, — вспоминает мама Наташа, но Лена машет на неё своей красной ручищей: какое там «учила», тоже ничего не помню! А у Саши было «эспэ», совместное предприятие с пермяками; потом партнёры перебрались на ПМЖ во Францию, и этот Митя тоже, который маму перевёз, а она — возьми и...

Здесь, к счастью, позвонили в дверь.

— А где Маруся? — спросила Лена.

Вот она, Маруся! Почти засохшая розочка, которой очень вовремя подрезали стебелёк и пустили на целую ночь плавать в ванну с холодной водой. Сияет, как... Виктория не может подобрать нужное сравнение, слова-предатели разбежались в разные стороны. Но дочь сияет, это правда. Без «как». Без сравнений.

— Ты что, подстриглась? — недоумевает Лена. Перемены в сестре налицо, но какие именно, она уловить не может — и насторожённо оглядывает счастливую, красивую, совсем другую Марусю.

К груди дочь крепко прижимает трофей — элегантную бежевую сумку, которая ей совсем не подходит. Точнее сказать, эта сумка не подходит прежней Марусе, которая носила тёплые колготки и унылую юбку. Теперь эта одежда выглядит на ней, как маскарадный костюм. Шапка торчит из кармана пальто. Волосы растрёпаны.

Изида с размаху обнимает Марусю, и та сгребает девочку в объятья.

— Это что, «Шанель»? — Лена разглядывает ещё не оторванный ценник. — Ты магазин ограбила?

— Подарили, — небрежно отвечает Маруся. С Изидой на руках она похожа на юную Мадонну, счастливую, не в курсе грядущих мук. Пусть даже кругом разбросаны намёки, прописаны аллегории и сделаны сноски.

Лена закуривает новую сигарету, Изида кашляет, и Маруся уводит её в другую комнату.

— Ты пойдёшь с нами смотреть мумий? — звучит оттуда голос девочки.

В Лувр отправляются все, за исключением Лены — у той сегодня срочные дела: Саша предложил ей руку, сердце и дом в Везине — теперь нужно оформлять брак, получать вид на жительство, перевозить старшую и младшую сестрёнок Изиды. «В общем, начать и кончить!» — суммирует Лена и оглушительно хохочет, прямо как Лёлик из кинокомедии «Бриллиантовая рука». Изида жмётся поближе к бабушке Наташе.

Маруся вышагивает с драгоценной сумкой на локте. «Ни к селу, ни к огороду», — считает Леночка.

— Он вечером приедет, — говорит Маруся на ухо Виктории, пока весь прайд со знанием дела проходит мимо трамвайной остановки. Мужской и женский голоса громко объявляют станцию.

— Я даже не знаю, что тебе сказать, — мнётся Виктория, но дочь заявляет:

— А ты ничего не говори! Просто порадуйся за меня, вот и всё!

«Амен», — думает литред.

На станции *"Châtelet"* они прощаются с Леной и пешком идут по набережной до Лувра. Виктория завидует букинистам с их тёмными ящиками — с удовольствием покопалась бы в книгах, зарылась бы в буквы, нырнула б в слова.

Мама Наташа с Изидой — впереди на полкорпуса, Маруся — со своей сумкой и счастьем — шагает рядом и норовит взять маму под руку.

— Ты не сердишься? — спрашивает дочь.

— Нет, конечно, — говорит Виктория, — ты взрослый человек и можешь делать что угодно, но этот Амен... Только что познакомились, и сразу такие подарки!

Мама Наташа разворачивается к Виктории и стреляет в упор:

— Надо же, какая ты стала правильная, доченька!

(«Доченькой» литреда называют только в самых исключительных случаях — надо крепко напортачить, чтобы тебя назвали «доченькой».)

— Случайно, не помнишь, кто это ездил в молодости в Париж и тоже получил в подарок сумку? — ядовито спрашивает мама Наташа. Она сегодня очень сердится на Викторию, а почему — непонятно.

— Это совсем другое дело! — горячится литред. — У нас роман был! Настоящие отношения, любовь... А тут — поманили, и понеслась, как девочка по вызову.

Маруся плачет, Изида за компанию с ней тоже пытается выдавить слезу, но слёзы не выдавливаются, поэтому она шёпотом уточняет:

— Девочка по вызову — это из «Скорой помощи»?

— Практически, — говорит Виктория.

— А вон там львы, — показывает пальцем Изида. За ссорой и не заметили, как дошли до Лувра.

В небе над Сеной — синие тучи единым мазком, будто бы кто-то провёл широкой кистью по штукатурке.

11

Никто из четырёх поколений семейства Виктории в Лувре не бывал. В эпоху Иваницкого она до Лувра так и не дошла, хотя собиралась. Пока Маруся с Викторией покупали билеты в автоматической кассе, Изида с мамой Наташей глазели на стеклянную пирамиду: вид снизу. Египет шёл по пятам след в след. Маруся больше не плакала и поминутно проверяла телефон: ждала сообщения, звонка или какой-нибудь милой картинки (если верить рассказам, их присылают своим девушкам влюблённые мужчины).

Виктория сердилась теперь уже не на дочь, а на себя. Столько лет мечтала о том, чтобы Маруся разорвала наконец душную пуповину, нашла бы себе кого-то, получила бы прививку страдания, обиды, горечи и вместе с тем — счастья, удовольствия, надежды! Главное — чтобы стала отдельным от неё человеком, взрослым, самостоятельным. Но стоило этому случиться — быстро, в полчаса, потому что египетские боги в Париже действуют стремительно, — как Виктории тут же стало до смерти обидно за себя, и даже что-то вроде ревности зашевелилось внутри, на том месте, где обычно клубились раздражение и усталость. Прежняя забота дочери, её внимание, ласка, вечное присутствие показались вдруг такими желанными, недосягаемыми. Явился этот Амен с леской в волосах — и мама больше не нужна...

Бабушка хотела увидеть Джоконду, Марусе было всё равно куда идти, как, впрочем, и Виктории, но Изида попросила: пусть ей вначале покажут мумий.

— А динозавров здесь, кстати, нет? — спросила девочка на входе в египетский отдел. Издали увидела большие каменные ноги среди колонн, похожие на сапоги с пальцами, и притихла. Что-то варилось в детской головке, пока ещё никому не ясное, но однажды из него прорастут будущие предпочтения и вкусы, интересы и одержимости, страсти и судьба... Никто об этом не знает, даже сама Изида, не говоря уже про её мать

Кстати, из слова «мать» можно составить ещё и слово «там», но Виктория даже с самой собой играет по строгим правилам — существительные, нарицательные, первое лицо, единственное число. У слова «существительное» — общий корень с «существованием» и «существом». Виктория составляет много маленьких существительных из одного большого, слова — обитель существования самой сути её существа.

Маруся прошла между колоссом Сети из Карнака и головой Аменхотепа. В груди горячо бьётся имя — «Амен, Амен, Амен» — и просьба: ну позвони или напиши, чего тебе стоит?

Сегодня утром продавщицы бутика на улице Камбон смотрели не на Марусю, а только на Амена — показывали ему одну сумку за другой, как будто знакомили, официально представляли. Сумки требовали уважения — каждая стоила таких денег, что нули на ценниках складывались в крик восхищения (скорее, впрочем, ужаса) — 000!

Египетские скульптуры все, как на подбор, — прекрасного сложения. Узкие, слегка приподнятые плечи (лёгкое изумление), длинные ноги, вытянутая талия. На папирусах — головы и ноги в профиль, тело развёрнуто к зрителю.

— В Древнем Египте, — рассказывает Изиде Виктория, — о мёртвых заботились больше, чем о живых. Дома строили из простенького кирпича, а гробницы возводили из камня, металла и даже дерева, которое считалось у них бесценным.

(Не зря читала в самолёте популярный журнал по истории, который забыл в кармане впереди стоящего кресла её предшественник. Точнее, предместник.)

Изида слушает Викторию, раскрыв рот, и не выпускает ладошку из её руки — на всякий случай. Кто знает этих мумий, вдруг они вздумают ожить прямо сейчас, при ней?

Но мумий пока что не видно.

Они разглядывают сфинкса, похожего на льва — а он и есть лев, пусть даже частично. Статуэтки Бастет — богини-кошки — в застеклённой витрине, амулеты, украшения, чаши и остраки, стрелы, пекторали, папирусы, ножи из слоновой кости, изувеченный сутулый бюст Эхнатона, сосуды, систры, стелы, рельефы... Статуя Гора указывает дорогу к выходу, львицы Сехмет держат руки на коленях, как примерные школьницы, священный бык Апис похож на смирную деревенскую бурёнку.

— А я нашла Изиду! — говорит Маруся.

Девочка тянет Викторию за руку, чтобы ближе рассмотреть семейство статуэток: Гор с птичьей головой, Изида (почему-то голая) и Осирис, сидящий на колонне на корточках. Братья и сёстры, мужья и жёны, родители и дети. Когда Сет убил Осириса и разбросал части его тела по всему Египту, именно Изида нашла и собрала останки в единое целое — сделала с помощью Анубиса первую в египетской истории мумию и воскресила мужа для новой жизни в загробном мире. Слёзы Изиды по Осирису стали Нилом — она наплакала целую реку, да ещё какую!

Мама Наташа разглядывает статую знаменитого писца — к сожалению, статуя сидит за стеклом, и твоё собственное отражение сбивает с толку: не посмотришь писцу в глаза так, как хочется. Виктория подходит к маме, и она тут же отступает назад, оставляя дочь наедине с сидящей статуей, устремившей взгляд куда-то вдаль и вглубь себя. То ли он ждёт, пока прозвучит нужное слово, то ли ищет его в своей памяти? Лицо писца сосредоточено, губы скептически сжаты.

— А когда будут мумии? — Изида устала ждать: сколько можно уже, в самом деле, терзать ребёнка? Что они приклеились к этим статуям, ни одна из которых не похожа на Амена, хоть и зовутся сходными именами — Аменхотеп, Аменемхет...

Наконец они входят в зал, где выставлены саркофаги, мумии, канопы: тема погребения и упокоения раскрыта со всеми необходимыми подробностями, включая лодку с командой гребцов — на случай, если покойнику захочется поплавать в загробной жизни. Крышки саркофагов выставлены в ряд за стеклом, как лодки в витрине спортивного магазина.

Изида видит наконец вожделенную мумию — высушенное в соли человеческое тело, обмотанное полотном и папирусом. Лицо прикрыто маской. Девочка плачет. Никакая это не мумия, а просто неживой человек, как та несчастная бабушка из Перми, что возьми и умри.

Виктория подхватывает Изиду на руки, и та прячет лицо у неё на плече, как старый кот, который жил у них в детстве, — кот считал, что если он никого не видит, то и сам при этом невидим. Вообще это был удивительный кот — он никогда не царапался и умел проливаться из рук, как вода из кружки.

Маруся тоже бросается утешать Изиду, не выпуская бесценной сумки, гладит её по голове, и они даже трутся носами — в самолётном журнале писали, что такой поцелуй был принят в Древнем Египте: никаких прикосновений губами, ни-ни, мы же не какие-нибудь эллины.

Посетители музея обходят прайд широким сочувственным кругом, а в другом конце зала, возле нарядного саркофага, рыдает мама Наташа.

— Тоже мумию испугалась? — осторожно спрашивает Виктория, и мама поднимает на неё красные злые глаза:

— Как ты могла забыть про сегодняшний день?

— Сегодняшний день, — тупо повторяет Виктория, гоняя в голове календарь и спотыкаясь на числе.

Двадцать шестое февраля.

День смерти папы.

12

Древнеегипетский календарь был строго поделен на счастливые и несчастливые дни.

Несчастливые дни египтяне старались проводить дома; если же они покидали жилище, то всячески избегали купаний, плавания на лодках, путешествий и поедания рыбы. Бывали дни, когда не следовало приближаться к женщинам, зажигать в доме огонь и слушать весёлые песни.

Календарь Виктории поделен на обычные дни и те, которые отмечаются в памяти жирным шрифтом. Дни рождения далёких и близких, официальные праздники, даты смерти родных. Она гордилась своей памятью: даже если не удавалось вспомнить нужное имя или дату сразу, то через минуту нужная информация обязательно появлялась на поверхности, как будто в невидимом хранилище открывалась нужная дверца.

И тут вдруг такое…

Мама права: как она могла забыть про сегодняшний день? Каким образом это число исчезло из памяти, куда смотрел хранитель невидимых архивов?

Они вышли из Лувра, так и не повидав «Джоконду». Изида прижималась к Марусе, потускневшей с утра, но всё так же отчаянно цеплявшейся за свою сумку. Мама Наташа всматривалась вдаль, Виктория разглядывала камни под ногами — вспоминала плитку, которой вымощена родная улица Декабристов: по форме плитки напоминают старые деревянные катушки для ниток, каких уже больше не делают.

Папа любил книги, оперу, жену и дочерей. Сегодняшний день они должны были провести в мыслях о нём, съездить на могилу, ну или хотя бы вздыхать с утра, как призрачные львы из оперы «Евгений Онегин».

А она даже не вспомнила, ни вчера, ни сегодня! Париж, Лена, Амен...

— Мы, наверное, домой поедем, — решилась Маруся. — Изида спать хочет, и я устала.

«Думает, что Амен приедет, а её нет дома», — догадалась Виктория. Сейчас Париж дочке без надобности, лет через двадцать вспомнит — и удивится: ну какая же я была дурочка! Даже к Башне не подошла и Триумфальную арку не видела...

Виктория не сомневалась, что мама Наташа тоже поедет домой, но та всего лишь дала Марусе денег на метро. Изида и вправду уже почти спала на ходу.

13

Виктория с мамой молча, как незнакомые, шли по набережной, потом свернули направо — к саду Тюильри. День разгулялся, тёмная туча исчезла с неба, будто приснилась.

— Помнишь, как отец следил за тем, что день прибывает? — спросила вдруг мама. — Ненавидел зимы, а умер в феврале...

— Но почему ты мне не сказала, не напомнила?

Мамины глаза вновь наполнились слезами — какие счастливые, она и Изида, что умеют так легко плакать! Литреду, чтобы добыть из себя слёзы, приходится смотреть печальные фильмы или, напротив, рассказывать что-то смешное: от смеха она обязательно плачет. У неё хронический гайморит — та подруга, что любила кухонный психоанализ, объясняла: это невыплаканные слёзы.

— Как ты похожа на него, Виктория, — плачет мама. Стоит и плачет прямо посреди сада Тюильри, и статуи, каких здесь множество, смотрят на неё кто с сочувствием, кто с недоумением. (Есть и такие, что заняты своим делом — Тесей, убивающий Минотавра.)

— Но я ведь в этом не виновата, — говорит Виктория. — Мне тоже плохо без него, и, если я не плачу, это ничего не значит...

Соседская девушка недавно жаловалась на своего папу — не то сделал, о чём-то забыл. Виктория кивала, думая: какое же это счастье — просто сказать «папа».

— Я всё думаю, как он там? — сказала вдруг мама. — Хоть бы приснился раз! Тебе не снится?

— Нет.

— Ирина Геннадьевна (кто это, хотела бы знать Виктория — а впрочем, нет, не хотела бы) говорит: если у них там всё в порядке, они не снятся.

Мама Наташа говорила о смерти как о переезде в другой город. Вместо телефонного звонка — сон. Сообщите, как добрались и не нужно ли чего. Похоронный обряд у древних египтян походил, скорее, на переезд в новый дом, нежели чем на погребение. Сны фараонов требовалось решать как задачи — и толковать как пророчества.

На площади Конкорд — Луксорский обелиск, за ним, вдалеке, — две арки. Виктория вдруг понимает, почему она забыла про сегодняшний день.

Она не верит тому, что папы нет, а значит, двадцать шестое февраля — это просто двадцать шестое февраля. Короткий зимний день, который, впрочем, кому-то покажется бесконечным — Маруся до поздней ночи будет ждать Амена, но он так и не приедет, потому что хватит с неё «Шанели», и не так это оказалось интересно, как помстилось в ресторане. Вряд ли Амен знает слово «помстилось», в остальном всё совершенно верно. Лена примчится за пять минут до отправления экспресса в аэропорт, Изида будет махать в окно платочком, который нашла в той странной квартире — и присвоила, ничего страшного, *да хоть всё забирай.*

Журналисты готовятся к новой атаке — заряжают орудия текстами. Директриса турагентства грызёт золотой «паркер», сочиняя статью о Париже: «Здание "Гранд-Опера" настолько поразительно помпезно и удивительно, что и по сей день хранит дух зрителя с времён первых постановок».

В «Гранд-Опера» готовятся к постановке «Аиды» или, возможно, «Набукко».

Виктория сидит в самолёте: одной рукой держит холодную ладошку Маруси, почти мёртвой от горя, а другой — мамину руку, которая всё норовит высвободиться, но Виктория держит её крепко.

И будет держать крепко — всегда.

Минус футбол
рассказ

С новым, две тысячи бессмысленным годом, поздравляли так: дочь прислала сообщение в «Фейсбуке», приятель — мейл с дурацкой картинкой, юная коллега — стикер в «Вайбер». Алиса считала, что мужчина должен проявиться первым, поэтому я с чисто педагогической целью молчал весь вечер, а потом у нас был чудесный скайп. (Сейчас мне жаль, что Алисы здесь нет, но это быстро пройдёт). Маме я, по старинке, позвонил, а бывшей жене отправил SMS (скупое, бесчувственное, не в рифму). Мир стал удобным, как та складная сумка, с которой ходят за покупками экологически грамотные люди — минимум личных контактов, максимум картинок и эмоций за скобками смайлов. До ужаса, страшно удобным.

Теперь о человеке всё можно узнать за полчаса — при условии, что человек этот запутался как

минимум в одной социальной сети. Моя однокурс-
ница Ольга X., укатившая в Париж на четвёртом
курсе журфака (и на четвёртом же месяце беременности), вернулась в виртуальную Россию несколько лет назад — мы с ней долго переписыва-
лись, взаимно одобряя взаимно невыразительные
фотографии, и в конце концов решили встретиться. Это, конечно, риск — соглашаться на свидание
с сорокапятилетней ровесницей и понимать, что
не сможешь в этой встрече ничего отредактиро-
вать, стереть и отфотошопить. Но я всегда дове-
рял обстоятельствам — а они сложились таким образом, что под Новый год у моего приятеля горел
давно проплаченный тур. Его жена попала в больницу с воспалением лёгких, сама горела с высо-
чайшей температурой, так что им было не до па-
рижей. А у меня имелась открытая виза, и, главное, я понимал, что, оказавшись дома, всё равно
пропью эти дебильные зимние каникулы. Знать
бы раньше — взял бы с собой Алису, но она ещё
двадцать пятого декабря улетела с подругой в Таи-
ланд и теперь каждый день присылает фотографии: слоны, крокодилы, подруга, похожая сразу
на слона и крокодила (умная, умная Алиса!), ана-
насы и пляжи. Я разглядываю только те, где Алиса
одна и в купальнике. Красивые фотографии. Красивая девушка.

В конце декабря весь Париж сидит по домам,
театры и музеи закрыты, но я ведь не по музеям
приехал ходить, а спортивные каналы есть в любом отеле, как и «ви-фи» (так у французов называется вай-фай).

С Ольгой X. мы договорились на второе января: как раз прилетит её мама, посидит с детишка-

ми, пока мы будем ворошить прошлое. Вилками в салатах.

Последний день старого года я провёл в отеле в полном одиночестве, не считая полутора тысяч моих виртуальных друзей, наблюдать за которыми веселее, чем за рыбками в аквариуме. Накануне затарился в супермаркете — купил даже специальный пирог, который французы съедают всей семьёй на праздник. К этому пирогу прилагается картонная корона, а в тесте спрятана маленькая фарфоровая фигурка — кому она попадётся, у того весь год будет удачный.

Фигурка досталась мне, как, впрочем, и весь пирог. Она чуть больше зуба, а изображает, по-моему, лошадь — но изображение это довольно-таки условное, как у тех современных художников, которые не научились рисовать, но к искусству их всё равно мучительно тянет. Как меня всю жизнь тянуло к футболу, хотя кому не дано играть — так это мне. Хуже был разве что Лёня Яковлев, но играли мы оба — страстно делали то, к чему не имели ни малейших способностей. Лёня стоял на воротах. Вратарь, голкипер, *варя*.

К Новому году я отношусь спокойно. Когда Янка была маленькой, мы с женой, конечно, делали всё честь по чести — ёлка, гирлянды, подарки, фейерверки. Потом дочь выросла, уехала на учёбу в Штаты, а мы с женой развелись.

Лёня Яковлев разводился много раз — в какой-то момент все перестали считать. Обычно в таких случаях новая жена похожа на генетически улучшенную версию прежней — но у Лёни всё было необычно. Он вообще был странный, но эти странности выглядели, если можно так сказать, относительно нормальными. Например, он мог прокатить меня с важной игрой, которой мы оба ждали, — потому что в этот вечер, видите ли, тренировка его любимой команды! Или когда мы договаривались поехать вместе на стадион — а жили тогда оба на юго-западе, — он почему-то предлагал встретиться на Уралмаше, потому что «там удобнее». Всё это было, разумеется, странно, но не имело никакого отношения к тому, что случилось с ним прошлой осенью.

Новогоднюю ночь я проспал. Это очень приятно: укладываться в кровать и знать, что все твои так называемые близкие именно сейчас пьют и поют, танцуют и блюют, плачут в жилетки и рвут на себе рубахи. Есть в этом что-то мстительное, высокомерное и очень, очень приятное. Но уже к следующей, первой ночи нового года я одурел как от одиночества, так и от аквариума внутри ноутбука. Тем более в чате вдруг появилась последняя жена Яковлева — зелёная точка напротив её имени была как разрешающий сигнал светофора. Давай, напиши Наташе Яковлевой! Поздравь её с Новым годом от всей души или хотя бы от той части, что осталась. А если не решаешься — прихлопни этот чат, как комара, крышкой ноута и сбеги на улицу. За окном комнаты, любовно выбранной моим невезучим приятелем, бурлит, как вскипающая вода, улица Сены. Люди вечно готовы любоваться собой в Париже.

Пока я взвешивал силы, Наташа решилась. Конверт с непрочитанным сообщением бился, как трусливое сердце.

«Прив!»

Она общалась как подросток.

Я ответил: «Привет, Наташа, с Новым годом, будь счастлива сегодня и всегда!»

(Мой универсальный шаблон для поздравлений; важно помнить, кто был им уже осчастливлен.)

Наташа написала: «Спс! И тебя туда же!»

(А вот это — шутка Лёни.)

«Как ты сама?»

«Норм».

«Ещё раз с праздником», — написал я вне себя от счастья, что наш разговор не коснулся Лёни: мы виртуозно, как сапёры или танцовщики, обошли стороной мину. Моя правая нога была уже в ботинке (я всегда начинаю обуваться с правой — это хорошая примета); сейчас я отправлю Наташе прощальный смайл и выйду наконец из комнаты. Какой бы она ни была уютной (а она была именно такой), за последние сутки — да что там, за целый год, уместившийся в двадцать четыре часа, — я устал от того, что в ней ничего не меняется. Особенно удручала картина на стене — даже в самых дорогих (а это был именно такой) отелях на стены вешают чёрт знает что. Картина выглядела так, будто её успешно использовали в борьбе с гигантскими комарами — лупили холстом направо и налево, а потом растянули и бережно обрамили. Окровавленное полотно могло украсить стены абортария или галереи современного искусства, но в четырёхзвёздочном отеле оно выглядело, мягко говоря, ошибкой. Зашнуровав левый ботинок, я снял холст со стены и сунул в шкаф, за сейф. Пусть привидения радуются.

Пока я боролся с искусством, Наташа прислала ещё одно сообщение: «Ты видел?»

226

Не буду отвечать.

Тем более я ничего не видел — это чистая правда. Я целые сутки сидел в номере и пил вино из долины Луары. Русский канал мне даже в голову не приходило включать — смотрел местный спортивный, где, к сожалению, не показывали ничего выдающегося, а новости читал в Сети.

Что я должен был видеть?

Сейчас я не хочу об этом ни говорить, ни думать, ни писать.

Но если бы меня вынудили раскошелиться на «искреннее мнение», сказал бы следующее: то, что случилось с Лёней Яковлевым, я считаю трагедией.

На улице Сены стемнело, как и во всём прочем Париже. Двое очень молодых людей — девчонка не старше Янки! — смачно целовались посреди дороги, и все вежливо обтекали эту пару, как будто она была занята важным делом — ремонтировала, к примеру, асфальт.

И я сделал точно так же, потому что девчонка чем-то напомнила мне дочь.

Улица Сены — оправданное название, она ведёт — и довольно быстро приводит — к реке. Справа виден мягко подсвеченный Нотр-Дам. Сложно сказать, красиво это или нет — когда вид настолько растиражирован, он не вызывает никаких откликов.

Было довольно холодно, и я пожалел о том, что вышел из гостиницы. Можно было сидеть дальше, запас вина и сыра позволил бы продержаться до утра. Мерзкая картина — в шкафу, а завтра — Ольга, и домой.

Мимо прошли два парня в узких брючках, ярких, как у женщин.

Сговорились!

Маша, моя бывшая жена, говорила в таких случаях: «Одно к одному». Когда ты не хочешь о чём-то думать, вокруг тебя сгущаются знаки, совпадения, происходят встречи, которых не должно быть...

Но я равнодушен не только к Новому году, но и к мистике. Узкими брючками меня не проймёшь.

Туристы без устали фиксировали себя и мгновенье.

Наташа, третья или четвёртая жена Лёни Яковлева, не похожа ни на Катю, ни тем более на Веру, ни на промежуточных Оксан (на Оксан Яковлеву в какое-то время особенно везло). И между собой они все тоже похожи не были — кто-то однажды сказал, что у Лёни отсутствует любимый тип женщины. Вот у меня он есть определённо — Алиса похожа на юную Машу больше, чем родная Машкина сестра.

Лёнины жёны были воплощённое многообразие. Учительница Катя — пышная и смешливая, бело-розовый зефир. Милые оттопыренные ушки, старательно замаскированные прядками светлых волос. Женские журналы, вязаные тапочки, пирожки с кисляткой (так у неё назывался щавель), дочка Юлечка...

Доктор Вера была из другой галактики — неловкая, длинная, рот часто уезжал набок, и ещё она выпивала наравне с нами. Вера произвела на свет сына Стёпу, но запомнилась другим — тем, что вместе с нами смотрела все игры и знала на память имена игроков высшей лиги. Когда женщина проявляет страсть к футболу, это кажется мне противоестественным. Сложно поверить в то, что футбол её на самом деле волнует. Маша, Янка, не говоря уже про мою мать и Алису, гордились тем, что ничего в нём не смыслят — футбол представлялся им такой же нелепой мужской привычкой, как посиделки в гараже. И это было правильно, нормально. А вот когда Вера вместе с нами орала перед телевизором, потрясая кулаками — вполне представительными, кстати, — мне всегда становилось неловко. Она, кажется, в самом деле любила футбол и разбиралась в нём — а это женщине сложно простить. Другое дело, когда фальшивая болельщица использует мужскую слабость для тайных целей — пытается расширить поле совместных интересов, всегда быть рядом. Но это не про Веру.

Оксан я помню хуже, они были застенчивы и предъявлялись товарищам редко. А про Наташу даже моя бывшая жена однажды сказала: «Миленькая». («Даже» — потому что с добрыми словами Маша всегда расставалась мучительно.) Наташа была уютная и понятная, как город, который строили с мыслью о людях, которые будут здесь жить. Хорошая дочь, нежная мать (Лёня *взял её с ребёнком*), прекрасная жена, отличный командный игрок.

Я перешёл через Сену. На правом берегу было тише — Париж успокаивался, как младенец, который долго не мог уснуть и вот теперь моргает, проваливаясь в сон, а все вокруг ходят на цыпочках:

— Тссс!

Совсем скоро сон маленького человека перестанет интересовать окружающих, а тех, кому он навсегда останется важен, выросший ребёнок позабудет сам. Это произойдёт стремительно. Но пока — тссс!

Париж моргал окнами, хлопал дверьми, звенел ключами. То здесь, то там открывали бутылки с вином и шампанским, срывали бумагу с подарков, выкладывали на блюда сыр и пирожные.

Для той давней новогодней вечеринки в Доме печати тоже закупали пирожные и сыр. Стандартные наборы с бисквитной фабрики («Ненавижу масляный крем», — ворчал кто-то из коллег, скорее всего Малафеева), сыр сорта «какойужбыл», а ещё — колбаса, от которой пахло чесноком сильнее, чем от самого чеснока. Женщины принесли из дома салаты, ревниво заглядывали в чужие миски-ёмкости. «Оливье», «шуба» и «мимоза» кружились в вечном танце. Чья-то тёща самоотверженно напекла пирогов — довольно вкусных. Чей-то муж пожарил шашлыки. Польское шампанское — колючее, как дедушкин шарф в раннем детстве, когда мама заставляет «утеплиться» после болезни. Водка, все надеялись, не палёная — большего от неё не требовалось.

Все пришли с мужьями-жёнами, если те были в наличии, а Вадим из отдела культуры привёл молодую любовницу — надменную, очень красивую. Я, впрочем, к таким равнодушен — все эти прямые носы, большие глаза, аккуратно вырисованные боженькиной рукой губы... Мне нравятся другие, смешные, полудетские лица — такие девушки-мартышки, которых и в пятьдесят не приложишь тяжёлым словом «женщина».

Сразу три редакции отмечали праздник вместе — такое было в первый и, как вскоре выяснилось, в последний раз. Мы с Лёней Яковлевым представляли каждый свою газету — и он, и я были спортивными обозревателями. И ему, и мне актив газеты — неугомонные затейники, ответственные за коллективный досуг, — поручили подготовить «небольшой номер художественной самодеятельности». Песня, стихи, танец, сценка.

Что репетировали в Лёниной газете, я не знал, а мы договорились выступать вместе с Ниной Малафеевой. Она пришла к нам в прошлом году — видная девица с круглой попкой и очень интересной закадровой жизнью, Нина всегда находилась настолько «не здесь и не сейчас», что её хотелось взять за плечи и потрясти, чтобы вернулась в реальность. Разумеется, потрясти её хотелось не только поэтому, но я сдерживался — прежде всего потому, что не имел шансов. Нину на тот момент интересовали в основном депутаты местной думы — кто-то из них был её (а не только народный) избранник, тогда как остальные составляли волнующий сопричастностью фон. В спорте Малафеева не разбиралась абсолютно, трудилась в отделе информации. И, как все мы, в порядке очереди, дежурила в типографии «свежей головой». Одно её дежурство запомнилось мне на долгие годы — вышедший пятничный номер, украшенный в кои-то веки спортивной передовицей, открылся словами: «Я смотрел на ярко-красный ковёр футбольного поля и не верил своим глазам...»

Под статьёй была моя фамилия.

Я чуть не убил Малафееву, несмотря на её круглую попку (точнее, стараясь на неё не смотреть). Ну что за дура! Хотя бы цвет запомнить можно?

— А что? — пожала плечиками Нина. — Вполне логично! Поле — красное, вот ты и не веришь своим глазам. Я б тоже не поверила.

— Так дальше-то ты почему не прочитала? Там сказано: «Не верил своим глазам, потому что ковер этот расстилался не в Лондоне, а в Нижнем Тагиле!»

— Да ладно, не убивайся, — снизошла Малафеева. — Твои заметки всё равно никто не читает.

Она упорно называла все материалы «заметками». Хорошо, что не записками!

И вот с этой Ниной мы должны были предстать перед тремя трудовыми коллективами с номером художественной самодеятельности.

— Лучше б я на салат согласилась, — бурчала Нина. — Что мы с тобой будем, фокусы показывать?

В конце концов решили спеть. Переиначили песню о бригантине, которая подымает паруса, — окунули романтическое судно в газетные реалии. Вышло довольно складно, и на репетиции мы звучали прилично; но, когда начался концерт, в редакцию явился Нинкин народный избранник, и она отказалась выступать наотрез.

Я пел один, как идиот, под гитару Вадима из отдела культуры. Громче всех мне хлопал депутат, пока предательница Малафеева торопливо набиралась шампанским.

Салаты увядали на глазах.

Бухгалтерия исполнила частушки (к сожалению, не матерные), главный редактор с ответсеком читали бесконечные стихи собственного сочинения, кто-то из молодёжи показывал нижний брейк и страшно бился животом об пол.

Последний «номер» был от Лёниной газеты, и я малодушно рассчитывал на то, что друг мой тоже опозорится. Когда ты один — всегда невыносимо, но если вас таких двое — можно жить дальше.

Это была сценка на злобу дня. Барышня и хулиган, бандит и проститутка.

Бандита играл наш охранник Олег, а проститутку — Лёня Яковлев.

Я не помню, в чем был пафос сценки, но никогда не забуду Лёню, выпорхнувшего из-за «кулис» в платье и туфлях на высоких каблуках.

Лёня, повторюсь, был мой старый друг и однокурсник, десантник и вратарь, муж и отец. Даже у меня — при том что вся моя жизнь происходила вокруг да около футбола («Тебя ничего кроме этого не интересует», — справедливо заметила Маша незадолго до развода) — никогда не было столько красивых фотографий на поле. Такие мужественные позы. Такой брутальный вид.

А тут — платье. Намазанные блестящей помадой губы. Светлый парик. И, самое ужасное, ноги. Стройные ноги, каких не может быть у футболиста, в чёрных кружевных чулках.

Все мы: три редакции с мужьями и жёнами плюс красивая любовница Вадима и Нинкин депутат — все мы замерли, глядя на этого неузнаваемого, страшного Лёню, а он всё тянул, улыбаясь, свои блестящие губы и произносил — по роли — какие-то слова.

Первым опомнился депутат — сказался опыт вращения во властных структурах:

— Какой артистизм! Браво!

— Браво! — послушно зашумел весь «зал».

Лёня раскланивался, делал что-то похожее на реверанс.

Его жена Наташа аплодировала так страстно, как будто хотела насмерть оглушить окружающих.

Потом все очень быстро напились и танцевали под Анжелику Варум:

— Ля-ля-фа, эти ноты! Ля-ля-фа, одиноки!

Лёня скакал вместе со всеми, на губах у него осталось немного помады, и Наташа заботливо стирала её пальцем.

Но это всё ещё был наш обычный Яковлев — с его нормальными странностями и вечно недовольным лицом.

Как будто судья назначил дополнительное время.

Почти двадцать лет.

Париж утих, навстречу мне попадались теперь уже совсем редкие компании. Дул холодный ветер, было неуютно.

Я повернул назад. У реки ветер совсем разгулялся, и я пожалел, что оставил в номере шапку.

На правой стороне моста стоял элегантный клошар в шляпе и галстуке. Он просил подаяния с таким важным видом, что мне стало смешно, и в благодарность за это чувство я бросил перед ним монету — как будто мы разыгрывали ворота. Клошар с достоинством кивнул и поздравил меня с Новым годом. В изысканных, как я понял, выражениях.

Улица Сены почти опустела — ветер раздул всех по домам и отелям.

Я обрадовался при виде неоновой вывески моей гостиницы. Окно на четвёртом этаже, где длинный балкон с чугунной решеткой, светится ничуть не хуже, чем у парижан с их пирожными, сырами и шампанским. Приму горячий душ, открою новую бутылку вина — и нырну в ноутбук-аквариум. Или посмотрю спортивный канал — какую-нибудь лыжную гонку. За неимением футбола сойдёт.

Футбол, футбол, футбол...

Когда мы переехали в новый дом на Посадской, это был край города — у болота рядом с моей школой жили ондатры. Все наши соседи катались, или, точнее сказать, ходили на лыжах — никто не носил их сложенными под мышкой, а сразу от подъезда отталкивались и шли. Алиса веселилась, когда я ей об этом рассказывал.

— Старикан! — хохотала она.

Отец выписывал «Советский спорт», и всё в моей жизни крутилось вокруг этой газеты. Подшивки десятилетиями лежали на даче: жёлтая пыльная макулатура, которую я долго не решался выбросить — в конце концов это сделала Маша. А ещё был еженедельник «Футбол-Хоккей», на который можно было подписаться только через обком партии, — в розницу в нашем киоске выбрасывали несколько экземпляров при общем тираже в миллион! Очередь завивалась крупными кольцами, как хвостик Янкиной косы, потом её кто-то выравнивал, но она снова завивалась — хотя все знали, что еженедельник достанется только первым пяти счастливчикам, ночевавшим у киоска. Но люди упрямо продолжали эту безнадёжную рыбалку, караулили счастливый шанс. Я всегда стоял в той очереди, вначале с отцом, потом один. Лишь однажды повезло — кто-то вовремя отошёл, и киоскёрша равнодушно сунула мне в руки заветный выпуск.

У Яковлева, думаю, всё было примерно так же — он бредил футболом с детства. Посредственности, мечтавшие о славе... Я сопротивлялся дольше Лёни — да я и сейчас играю, и не только в футбол. Зимой у меня — хоккей на валенках. Гардеробщица из оперного театра, принимавшая у нас с Янкой верхнюю одежду, однажды ехидно поинтересовалась:

— Вы что же, сегодня без клюшки?

Вспомнила, что несколько лет подряд я приходил с дочкой на балет перед тренировкой. И действительно сдавал клюшку в гардероб.

А Лёня играть перестал. Вообще.

В сентябре прошлого года я позвонил ему по делу — бывает, когда рядом сидит кто-то важный для тебя, и ты звонишь по его просьбе, надуваясь от счастья, что можешь так легко и запросто решить чужую проблему. Кажется, речь шла о каких-то билетах.

— Лёня, здоро́во! — сказал я в трубку.

Мы целое лето не виделись: Янка готовилась к отъезду в Штаты, мы с Машей — к разводу.

Он ответил:

— Не Лёня, а Лена.

Я мог подумать, что ошибся номером, но ведь у всех нас мобильники, и номеров мы не помним в принципе. И на экране телефона светилась фотография Яковлева — в тельняшке, с мрачным прищуром.

Я мог подумать, что трубку схватила какая-то Лена — в конце концов, вокруг него всегда вились и трепетали женщины, — но я хорошо знал его голос, это был прежний брюзжащий баритон.

Я мог подумать, что это шутка, — в общем, я так и подумал. Мы все порой по-дурацки шутим.

— Лёня, — повторил я ещё раз, потому что человек рядом со мной волновался о каких-то билетах, и это было очень важно.

— Лена! — раздражённо сказал Яковлев. И бросил трубку.

Для первого в году вечера в гостиничном холле было уж слишком людно. Кто-то громко хохотал — и я невольно вспомнил слова бывшей жены: «Всем хороша, пока не засмеётся». Это она про Наташу Яковлеву — у той действительно был резкий, неприятный смех.

С мягкого диванчика ко мне метнулась женщина — в летах, под градусом, блондинка.

— Ты почему на звонки не отвечаешь? — она напустилась на меня с такой яростью, что я не сразу узнал Ольгу X. в её реальной версии.

— Телефон оставил в номере. Уже все позвонили, кто хотел. А мы же завтра с тобой?..

— Какое завтра! — Ольга говорила так громко, что на нас смотрели все, кто был в холле. — Я не усну до завтра, мы прямо сейчас должны с тобой об этом поговорить. Выложили, блин, в Сеть подарочек, как раз к Новому году. Ты видел?..

Она так выделила голосом последнее слово, что я увидел его набранным жирным шрифтом.

Ольга вернулась к диванчику, где лежала, раскрыв пасть, зелёная сумка, и вытащила из неё планшетник.

— Пойдём наверх? — предложил я.

Не хотелось смотреть этот «подарочек» здесь, в холле гостиницы, где уже никто теперь не смеялся, а все глазели на взбудораженную, румяную Ольгу, вцепившуюся в планшетник обеими руками.

— Рум фо-файв, сильвупле.

Портье выдал мне ключ с тяжёлым металлическим брелоком — в карманах такой не потаскаешь.

В лифте Ольга прижалась ко мне, от неё непротивно, но явственно пахло потом. Годы заметно отредактировали её внешность, и я с трудом узнавал в потёртой, как старый ковёр, дамочке одну из самых красивых девочек нашего курса. Теперь эта девочка показывалась редко — только если Ольга улыбалась. Но сейчас она почти плакала, и я машинально гладил её по голове — как специально разработанный для этой цели робот.

— А с кем дети? — вспомнил я, когда мы доехали наконец до моего этажа. У Ольги было двое совсем ещё маленьких сыновей и взрослая дочка, та самая, которая эмигрировала в утробе, на четвёртом курсе.

— Сестра с мужем приехали, — махнула рукой Ольга. — У нас же проходной двор, всё время кто-нибудь живёт.

Я открыл дверь в номер. На столе возмущённо посверкивал телефон — одиннадцать пропущенных! Три от Ольги, два от Маши, шесть от Наташи Яковлевой. Ноут лучше не открывать — там наверняка роятся неотвеченные письма. Бьются, как голодные рыбы в аквариуме.

Ольга скинула туфли, влезла с ногами на кровать. Я не потрудился застелить постель, но мою гостью это не смутило. Она хлопнула рядом с собой, как будто обращаясь к собаке:

— Садись!

(«Хорошо, что не "ложись"», — малодушно подумал я. В самом крайнем случае я бы, пожалуй, справился, хотя реальная Ольга Х. казалась мне и вполовину не такой привлекательной, как далёкая Алиса в купальнике.)

Впрочем, Ольга, похоже, ни о чём таком не думала — и в лифте прижалась ко мне всего лишь как к давнему другу. Я сел рядом, она тряхнула волосами, брякнула браслетами — и включила наконец свой планшетник. Ток-шоу было записано в начале декабря, но в Сеть его выложили только вчера.

Студия, оформленная в синих тонах. Зрители, перед которыми сидит, красиво сложив ногу на ногу, Лёня Яковлев. На нём платье и парик, длинные губы растянуты в жалкой улыбке. Или нет, не жалкой! Привычное недовольное выражение лица исчезло, Лёня сиял и переливался, как новогодняя ёлка у Нотр-Дама.

— Как мне вас называть? — спросил ведущий. Он держал микрофон, как ребёнок — мороженое.

— Лена, — сказал бывший голкипер. — Я ещё не получила документы, но на Лёню уже не отзываюсь.

Ольга ткнула меня в бок, будто бы нас кто-то подслушивал и вслух говорить было опасно.

В студии выступали психологи, психиатры, юристы и возмущённые дядьки, все как один похожие на Нинкиного давным-давно позабытого депутата. Дядьки заявляли, что если человек родился с яйцами, то он должен с этими яйцами жить и умереть. Юристы и сердобольные женщины призывали их к терпимости и ссылались на европейский опыт. Лёня закатывал глаза и рассматривал свои накрашенные ногти так, будто хотел набраться у них мудрости. В студию, под аплодисменты, по очереди входили наши бывшие и действующие коллеги — ответсек, Светлана Михайловна из отдела культуры и — вот сюрприз! — оплывшая, как свеча, Нинка Малафеева в блестящей кофточке. Малафеева бросилась Лёне на грудь, и он бережно обнял её своими большими руками.

— Как грабли! — причитала Ольга X.

Коллеги рассказывали телезрителям всей страны о том, что Леонид Яковлев был прекрасным журналистом, отличным спортсменом и другом. Видеоряд торопливо предъявлял доказательства — вот Лёня стоит на воротах, вот Лёня с блокнотом поспешно идёт по перрону, провожая кого-то на соревнования, а вот он в тельняшке обнимается с армейским другом, лицо которого деликатно скрыто серыми квадратиками.

— Мы понятия не имели, — говорила Светлана Михайловна, а ответсек добавлял:

— Но он сам ушёл, по своему желанию. Никто не увольнял...

Я знал, что Лёня работал в газете до зимы, а потом начал, как выражались родители, «чудить». К тому времени он уже год как принимал женские гормоны.

Родителей тоже зачем-то позвали в студию: пришёл растерянный отец, простой работяга, который никогда не сможет понять и поднять эту беду.

— Лучше бы он умер, — честно сказал отец. Он тоже разглядывал свои руки.

И Лёня, не сводя взгляда с ногтей, говорил, что всё равно сделает себе операцию — она называется двусторонняя орхиэктомия — потому что он только теперь чувствует себя счастливым, когда ему не нужно ничего скрывать. Потому что с детства ему приходилось доказывать всем, что он настоящий мужчина, — а он всегда был женщиной. Потому что есть хромосома игрек и хромосома икс, и виноваты во всём родители, которые передали ему неправильный набор этих самых хромосом. Десант, футбол, женитьба, дети — только для того, чтобы убедить себя и окружающих в том, чего никогда не существовало.

Между прочим, Лёня-Лена не собирается жить с мужчинами — они ему никогда не нравились, какая гадость! Он-она влюблён-влюблена в девушку из другого города, и они будут жить вместе.

Потом по экрану побежали титры — как тараканы с грязной кухни, когда включаешь свет. Мы с Лёней нагляделись на таких тараканов в юности, когда ходили в гости ещё к одной нашей однокурснице — она жила в Городке чекистов.

Ольга Х. выключила планшетник.

— Я же с ним практику проходила, — раскачиваясь, как пьяная, сказала она. — Он был такой, знаешь, настоящий мужчина!

Ольге Х. нужно было успокоиться — прямо сейчас. Не дожидаясь завтрашнего дня и чтобы уснуть! А завтра будет новый прекрасный день. Мы встретимся в кафе, как договаривались, и Ольга Х. начнёт поначалу мягко, но потом всё жёстче и жёстче критиковать свою бывшую страну. Будет хвалиться успехами детей и мужа, рассказывать о том, какой защищённой чувствует себя во Франции, а к финалу обязательно зарыдает.

— Прости, я сегодня не смогу, — сказал я, пытаясь отлепить от себя Ольгу. Я надеялся, что слово «сегодня» утешит её и оправдает меня, — но Ольга вскочила с кровати так резко, что я понял: завтрашний день прекрасным не будет.

— Не зря вы с ним дружили! — выпалила она, прежде чем хлопнуть дверью.

Я открыл окно, чтобы выветрился запах пота.

Алиса несколько раз стучалась в «Скайп», а потом прислала фотографии «вчерашнего шоу с трансвеститами». Красивая, забывчивая Алиса. Одно к одному.

От Наташи Яковлевой пришло длинное письмо, усыпанное печальными смайлами — как будто пересоленное слезами: я стёр его, не читая, а потом вышел из номера и спустился вниз.

В холле было пусто, ночной портье уныло сидел за стойкой, как ребёнок, которого забыли в детском саду.

Улица Сены устало бурлила — будто из ванны утекали остатки воды.

Я снова дошёл до реки, на мосту по-прежнему стоял тот нарядный клошар. Он так посмотрел на меня, что сразу стало ясно — он меня не узнал. Нам вечно кажется, что другие люди должны запоминать нас с первого взгляда — ведь мы ни на кого не похожие, уникальные носители единственно возможного набора хромосом. Но это неправда — забыть чужие лица проще, чем код от нужного домофона.

Я дал клошару ещё одну монету. Он церемонно поблагодарил меня, поздравил с Новым годом и вновь забыл моё лицо.

По мосту, как в давно забытой книге, бежал мужчина в ярко-жёлтом пуловере.

«Смешное это зрелище, — говорилось в той книге — видеть вратаря вот так, без мяча, когда он в ожидании мяча бегает туда-сюда».

Я склонился над тёмной водой. На дне реки — старые велосипеды, выскользнувшие из дырявых рук фотоаппараты, ненужные обручальные кольца, краденые телефоны, ошибки и тайны.

Наши лица скрывают не меньше.

Мужчина в ярко-жёлтом пуловере пробежал мимо меня.

От него пахнуло сладким, как компот, одеколоном.

Шубка
повесть

1

Учителя иностранных языков — всё равно что учителя пения, только ещё хуже. Они так заметно выделяются на фоне монолитного педагогического состава, что состав проявляет по этому поводу коллегиальное неудовольствие. Каким образом Вера Николаевна накопила на путёвку в капстрану и зачем Ирине Альбертовне так выряжаться к нулевым урокам, — обсуждалось широко и подробно, но Вера Николаевна с Ириной Альбертовной, англичанка и француженка, делали вид, что не слышат пересудов математички, физички, химички и прочих нормальных учителей, которые не изображали из себя невесть что, а честно выполняли свою работу, пестуя, наставляя, воспитывая советского школьника во всех его горластых воплощениях. Вера Николаевна вызывала особое негодование — потому что каждый день приходила на работу в новой кофточке; и пусть даже это собственная мама её обшивала и обвязывала, всё равно педсостав испытывал по этому поводу коллективную досаду. А Ирина Альбертовна, тоже, конечно, выступила — посреди учебного года взяла и ушла в декрет.

— Она поставила меня перед фактом! — возмущался директор школы, похожий на белого медведя, пережившего голодную зиму. И показывал рукой куда-то в сторону, так что собеседник тоже из вежливости поворачивал голову в ту сторону, как будто там и находился тот самый факт. Разумеется, ничего такого там не было — директор всего лишь злоупотреблял жестикуляцией. И вообще, слишком уж он возмущался по поводу Иркиного декрета. «Будто она ему изменила!» — тряслись от хохота кримпленовые плечи химички.

Весёлые были тогда времена, приятно, как говорится, вспомнить.

Новую француженку нашли только через два месяца — а дети-то быстро привыкли, что по средам и пятницам у них «окно», и встретили эту Елену Васильевну с явным неудовольствием.

Педсостав не сомневался, что Елена Васильевна окажется такой же, как все учительницы иностранного языка, — в клипсах, накрашенная, надушенная («Рижские на уровне парижских», как сказала однажды Ирина Альбертовна про свой парфюм «Диалог»). И поэтому педагоги испытали даже нечто вроде разочарования, когда увидели новую француженку. Оказалось — обычная женщина, в таком же костюме, какой уже пятый год носила географичка, туфли с тупыми носами, и даже уши не проколоты! Разве что подстрижена была чересчур коротко, а в остальном выглядела нормальным человеком, но педсостав не проведёшь! Географичка, раздосадованная появлением двойника своего любимого костюма, заявила:

— Что-то в ней не так!

— Я тоже чувствую, — поддакнула математичка, хотя не чувствовала в данный момент ничего кроме голода: не успела позавтракать дома.

— Говорят, она с Москвы, — подала голос русичка.

Елена Васильевна в тот самый момент открывала дверь в кабинет химии, где сидел восьмой «В», — кабинет французского языка почему-то оказался занят седьмым «А» и физичкой. На «камчатке» полулежал широкоплечий юноша с крупным родимым пятном на щеке — ногами он попирал таблицу Менделеева, начертанную на стене. У окна кто-то играл на гитаре и даже пел хлипким, невызревшим тенором, а остальные слушали с мечтательными лицами. Девица за второй партой у двери крепко спала, всем своим видом доказывая, что человек, действительно нуждающийся в отдыхе, может заснуть в любых условиях: ни гитарные переборы, ни шаткий вокал ему не помеха.

Елена Васильевна, конечно, знала, что в большинстве окрестных школ — даже в приличных, не то что эта, — сейчас происходят и куда более возмутительные вещи. Да что там в школах! Страна рушится на глазах — та самая страна, которую они с детства были приучены любить, должны были гордиться ею, ежедневно благодарить судьбу, что родились именно здесь, а не в прогнившем мире капитала...

Никто не обращал на новую француженку внимания — только две девочки, сидевшие встык с учительским столом, достали из сумок учебники. Тут в класс забежала завуч — она же учитель истории Надежда Гавриловна, довольно полная особа на неожиданно тонких ножках. Казалось, что ножки с трудом выдерживают мощный зад и выдающийся бюст завуча и однажды сломаются у всех на глазах.

Надежда Гавриловна хлопнула в ладоши:

— Данилюк, убрал ноги со стены! Кокоулин, ещё раз увижу после звонка гитару — заберу и домой унесу! Мамаева, подъём!

Гитара исчезла, ноги Данилюка с таблицы периодических элементов — тоже. Мамаева подняла голову, широко, по-кошачьи зевнув и предъявив миру заспанную, но довольно симпатичную физиономию. Дети слушались завуча привычно, без раздражения — как ворчливую, но в общем-то любимую родственницу. И это общее чувство родства, единения, безусловного приятия даже не самых приятных тебе людей холодком отозвалось в душе новой француженки. Среди незнакомых людей, давно свыкшихся друг с другом, Елена Васильевна почувствовала себя ещё более одинокой, чем всегда.

— Новый педагог по французскому языку Елена Васильевна Рябцева приехала к нам из столицы нашей родины, города-героя Москвы! — завуч говорила так торжественно, что новой учительнице захотелось сделать реверанс.

Кокоулин присвистнул, но тут же сник под убийственным взглядом Надежды Гавриловны. Девочки шушукались, обсуждая немосковский прикид училки и сравнивая её с Ириной Альбертовной, которую можно было разглядывать целый урок и каждый раз открывать в её внешности что-то новое.

— Елена Васильевна будет вашим новым классным руководителем, восьмой вэ, — добавила завуч. — И я надеюсь, что вы не опозорите наш город и область перед таким замечательным педагогом, который преподавал даже в московском университете.

Кокоулин присвистнул ещё раз, и завуч, покидая класс, пронзила его прощальным угрожающим взглядом.

Елена Васильевна начала урок с переклички, стараясь ставить ударения в фамилиях правильно, но всё равно назвала Ма́лкова Малко́вым, а Бажуко́ву — Бажу́ковой. Ученики хором исправляли ошибки, а оскорблённые владельцы фамилий поджимали губы, не зная, что ошибок больше не будет. Память у Елены Васильевны была, к несчастью, даже слишком хорошей. Потом француженка велела восьмиклассникам читать учебник по очереди, а после спрягать *être* и *avoir*.

Мамаева подняла вдруг руку и спросила:

— А вы правда в университете работали?

— Спроси на французском, и я отвечу, — предложила Елена Васильевна. Мамаева с трудом выдавила из себя очень приблизительный перевод, и учительница кивнула:

— *C'est vrai.*

— «Врэ» похоже на «вру», — вмешался Данилюк. Родимое пятно на его щеке выглядело как ещё один, дополнительный глаз и было точно такого же *карего* цвета.

247

— А зачем вы в школу перевелись? Да ещё в Свердловске? — упорствовала Мамаева.

— Французский!

Мамаева надулась: ей хотелось знать ответ, но говорить по-французски — это было как-то чересчур. Ирина Альбертовна обычно давала им читать учебник, а сама уходила из класса или вздыхала над каким-нибудь своим журналом (у неё были даже французские *ELLE*, кто-то привозил из Алжира). Ни троечница Мамаева, ни отличница Ольга Котляр, да и никто в этом классе, как, впрочем, и во всей школе, языка по-настоящему не знал.

— А вы были во Франции? — спросила Мамаева, когда уже прозвенел звонок, и все вскочили с места, потому что после первого урока был завтрак, и восьмой «В» летел в столовую, сметая на своём пути все одушевлённые и неодушевлённые предметы.

Мамаева, в общем, и не ждала ответа на свой довольно глупый вопрос (во Франции не бывала даже Вера Николаевна, плававшая на теплоходе вдоль берегов Болгарии и Турции), но Елена Васильевна вдруг сказала:

— Была. В Париже.

Мамаева так и повалилась обратно за свою парту, и Ольга Котляр вернулась от самых дверей:

— В Париже?

— Да. Жила рядом с памятником Александру Дюма, на правом берегу.

Мамаева обожала книжки про мушкетёров, представляя себя в раннем детстве д'Артаньяном, чуть позже — Констанцией, а теперь — изысканно злобной Миледи.

— Я забыла дать вам задание на дом, — спохватилась Елена Васильевна, и Ольга Котляр милостиво согласилась передать всем остальным номера упражнений.

2

Педсостав с неослабным вниманием вёл всестороннее наблюдение за новой француженкой, которая не спешила вписываться в коллектив. Эта Елена Васильевна убегала домой сразу после уроков и довольно-таки поверхностно вела классное руководство. Вот, например, к Международному женскому дню восьмой «В» подготовился из рук вон плохо — мальчики поздравили не всех девочек, Таня Тихонова и Зоя Бажукова остались без подарков и плакали в рекреации. По макулатуре восьмиклассники вышли на последнее место в школе.

— Зато французский уже, наверное, выучили, — злобствовала русичка.

Елена Васильевна со всеми держалась вежливо, но смотрела всегда как будто в сторону и вообще словно бы присутствовала где-то не здесь. Хотелось взять её за шкирку и встряхнуть, чтобы из этой неправильной француженки высыпались все её тайны. Зачем-то она ведь уехала из Москвы в Свердловск, сменила МГУ на затрапезную школу в Верх-Исетском районе! Сама-то живёт, как сообщила Надежда Гавриловна, в центре. Ездит каждый день сюда с Первомайской, а могла и в спецшколу устроиться — мигом бы взяли! Но Елена Васильевна откровенничать не спешила и видимость общения поддерживала только с Анной Алексеевной по пению. Это, впрочем, было как раз таки неудивительно — иностранные языки и пение всегда держатся вместе, как физика и химия.

В середине марта географичка принесла обжигающую новость:

— Наша-то, оказывается, курит! Видела её сегодня прямо на улице с сигаретой. Утром, представляете? Я понимаю, если в ресторане, с шампанским — но утром, на улице! Какой пример детям подаёт!

— Курить — неженственно и даже, говорят, уже не модно!

— Ну, в Москве, может, и снова модно.

— Ирка с Веркой тоже покуривают! Ирку, говорят, даже беременную с сигаретой видели.

— Да уж, ещё неизвестно, кого она там родит...

Тут вдруг все смолкли, потому что в учительскую вошла та самая Верка — англичанка Вера Николаевна, считавшаяся во время декрета подруги первой и единственной красавицей педсостава. Судя по всему, она не слышала последнего пассажа, потому что приветливо всем сразу улыбнулась.

— Девочки, — сказала она коллегам, — это только мне кажется, что Елена Васильевна — довольно странная женщина?

— Вера Николаевна, не вам одной, — заторопилась математичка. — Просто есть такие люди, которые очень много о себе понимают, как бы считают себя выше других только потому, что они жили в Москве...

— Подумаешь, Москва! — вскинулась Верка. — Мой брат три года в Индии работал, так я же ничего из себя не воображаю!

На этот счёт у математички имелось вполне определённое мнение, но им она делиться не стала, а изобразила на своём круглом лице искреннюю солидарность. Как, впрочем, и все остальные, только вчера склонявшие Верку по всем числам и падежам. Неприязнь к москвичке — обычной тётке, одевавшейся и выглядевшей как все, но почему-то взявшей моду держаться наособицу, — обогатила педсостав ещё одной единомышленницей. Этакое войско вполне могло одержать победу над зарвавшейся коллегой — и кто её защищать-то станет, Анна Алексеевна, что ли? Так она была та ещё квашня и кроме своих композиторов ничем не интересовалась. Директор, с каждым днем всё больше и больше худевший (то ли на диете, то ли болеет, не могли определить подчинённые), в учебный и сопутствующий ему процесс не вмешивался — ему хватало организационных моментов, да и страну так лихорадило, что приходилось слушать новости чуть ли не каждый час...

Елена Васильевна как будто и не замечала «всенародного ополчения» — ей было, честно сказать, некогда. Французский она вела в классах с пятого по десятый, а со своим восьмым «В» занималась ещё и дополнительно, на факультативе. К ней записались едва ли не все поголовно — даже Данилюк пришёл, правда, только на первое занятие. Мамаева — та просто проходу не давала француженке: расспрашивала её про Париж, в чём там ходят да какую музыку слушают... Елена Васильевна отвечала на вопросы без особого удовольствия, как будто бы ей неприятно было вспоминать о Париже, что выглядело довольно-таки странно. Вот, например, Вера Николаевна рассказывала о своём легендарном круизе при каждом удобном случае, а тут ведь Париж, не Болгария... У Мамаевой не было до сей поры ни одного знакомого человека, который действительно бывал в Париже, и она практически каждый день поджидала Елену Васильевну после уроков, чтобы проводить её до автобусной остановки у «Буревестника». Елена Васильевна мучилась этими провожаниями: очень хотелось курить после долгого рабочего дня, но при Мамаевой она это делать стеснялась. А Мамаева всё пытала её новыми расспросами: а в Лувре были? А Елисейские Поля широкие? А Эйфелева башня наверху сильно шатается?

Когда наконец приходил автобус, Елена Васильевна втискивалась в него, даже когда тот был набит до отказа: несколько раз не удавалось выйти на своей остановке, автобус увозил её к ТЮЗу, зато вскоре можно было спокойно выкурить сигарету, а иногда и вторую, прикуренную от первой. Мамаева задумчиво шла домой, глядя на носы своих изношенных сапог, и размышляла о Париже, где женщины носят шубку вместе с туфлями. В мечтах Мамаева переносилась в Париж — видела себя взрослой, в белоснежной шубке и шляпе, с красной сумочкой Ирины Альбертовны на плече. Вот она, взрослая и красивая Мамаева, стучит каблучками туфель, переходя Сену по Йенскому мосту...

Елена же Васильевна, добравшись наконец до своей квартиры на Первомайской, снимала в прихожей пальто и садилась на тумбочку, оставшуюся от прежних хозяев. Привычные действия, заведённый раз и навсегда порядок, помогали ей убивать бесконечные дни. Посидеть несколько минут, прежде чем зайти в комнату и в очередной раз убедиться в том, что там никого нет и никогда не будет.

Француженку вовсе не угнетала мебель бывших жильцов, которые были так рады обмену с Москвой, что прибавили к доплате ещё и «обстановку» — самодельную «стенку», потертые плюшевые кресла и скрипящий диван. Ещё здесь были старый шифоньер с выцарапанными на нём словами «Аня дура. Сам дурак!», буфет, от которого кисло припахивало муравьями, кухонный гарнитур с переводными картинками и даже пианино «Этюд»... Каждая из этих вещей обладала собственной историей, и, рассматривая их, Елена Васильевна представляла себе маленькую Аню и её брата, слышала, как играет на пианино их мама, окончившая когда-то музыкальную школу, видела мастеровитого папу, который своими руками сделал клетку для морской свинки (она обнаружилась в кладовке, и Елена Васильевна долго рассматривала это поразительное изделие)... Чужая, практически незнакомая семья (виделись всего пару раз), голоса, которые звучали в этих комнатах, детский плач и взрослый смех — предметы хранили память о каждом сказанном слове, о всех ссорах и объятиях, надеждах и разочарованиях... Думая о бывших хозяевах своей квартиры, Елена Васильевна отвлекалась от других, тяжёлых мыслей, а потом приходило время проверять тетради, готовить какой-нибудь скромный ужин, курить, смотреть телевизор и приближать ночь, когда можно будет лечь и уснуть. Ещё один день прошёл, какое счастье! Ночь была любимым временем француженки, потому что ночью не нужно было думать о том, где взять сил на завтра, послезавтра и всю оставшуюся жизнь. Ночью она спала, и если ей вдруг снилась Леони, то это можно было расценивать как счастье — не более призрачное, чем те реальные события семилетней давности, узнав о которых, педсостав дружно утратил бы дар речи. А может, и ещё кое-какие дары.

3

Леони была рыжей, бледной и очень худой, — так и хотелось налить ей срочно тарелку борща, да чтобы с гущей, но борщ гостья московской Олимпиады отрицала как явление. И это несмотря на то, что на ветвях родового древа у неё значились русские предки, бежавшие из Москвы после революции — вначале Берлин, потом Париж и точка на кладбище Сен-Женевьев-де-Буа. *Ньет, борш я нье могу.* Мать Елены — ветеран Великой Отечественной войны, глубоко верующая как в коммунизм, так и в пользу усиленного питания, — тщетно уговаривала парижанку хотя бы попробовать, ведь таких борщей та сроду не едала, но вредная Леони зажимала рот рукой, как дошкольница в кабинете зубного врача. Зато ей почему-то понравился местный сыр — пошехонский, российский и особенно — голландский с впаянными в него синими пластмассовыми цифрами.

Жили они в большой квартире на Садовой-Самотёчной — как говорила тётка Зина, центрее не бывает; а впрочем, именно так и бывает, если ваша мама — Герой Советского Союза. Она родила Елену между подвигами, во время короткого отпуска, и оставила младенца на руках у своей сестры, тётки Зины, которая и стала Леночке настоящей мамой. Когда война закончилась и мать вернулась в Москву, маленькая Леночка расплакалась, не понимая, почему ей нужно идти обнимать чужую тётю с сильно блестящим лицом и коротко остриженными волосами. Тётя басом повторяла:

— Поди к мамке!

Зина утирала слезы полотенцем, Леночка верещала как собака, угодившая под трамвай (на днях поблизости был, к сожалению, именно такой случай), и тогда блестящая тётя резко поднялась с корточек, на которых сидела, приноравливаясь к росту маленькой девочки, и со всей силы треснула кулаком по столу. Удар был такой силы, что с кастрюли слетела крышка и непреклонно покатилась к краю стола, чуть-чуть дребезжа. Когда крышка упала на пол, весело подпрыгивая, Леночка поняла, что жизнь её изменится навсегда.

Потом она, конечно, привыкла, но тот первый страх перед матерью никуда не исчез.

В целом с ней можно было ладить — важно было не притрагиваться к святыням (вышитый гладью портрет Сталина, ордена, наградные документы, именной пистолет, хранившийся в специальном железном шкафчике — шкафчик тоже был неприкосновенен), учиться на одни пятёрки и хорошо питаться. С питанием, как любой наголодавшийся в детстве человек, мать, конечно, перебарщивала — в прямом смысле, потому что борщ в семье варился в еженедельном режиме, а ещё были разные продуктовые заказы, дотации, подарки — в общем, буфет ломился от припасов, жаль, что едоков Бог забыл послать.

Вот и эта француженка, явившаяся в виде нагрузки от факультета, где Елена преподавала третий год, тоже не слишком-то следила за питанием: вечером сыру порежет, яблочко накрошит, и все, *спасьиба, хватьит.* Утром пила цикорий, съедала слоёный рогалик (один!), — потом они целый день с Еленой работали на Олимпиаде, а вечером опять: сыр, яблочко, спасьиба.

— До гастрита себя доведут! — возмущалась мать. До Леони ей, в общем, дела не было — как приехала, так и уедет, но Елене-то, при её нагрузках, научной работе, диссертации, нужно было правильно питаться!

Мать гордилась достижениями дочери — не зря требовала от неё пятёрок по всем предметам! Сама-то пусть и Герой Советского Союза, но при этом без высшего образования — после войны постеснялась за парту садиться как студентка, возраст уже был приличный. А потом её взяли работать в московский Дом офицеров *специалистом,* и там она трудилась честно, до пенсии. 7 Ноября и 9 Мая обязательно выступала перед школьниками, в газетах о ней писали, в общем, жизнь прожила такую, что не стыдно. У сестры Зинаиды всё было, конечно, пожиже — начиная с квартиры и заканчивая общественным положением. Замуж не вышла, детей не родила, по-настоящему любила в своей жизни только одного человека — Елену. Та при матери звала её как положено — «тётка Зина», но наедине позволяла себе вспомнить нежное прозвище «Зизя», которым сама и наградила её в несмышлёном детстве. Зизя баловала Елену, как только могла: шила на неё, вязала, даже купальники были у племянницы ручной работы. Знакомясь с Леони, Зизя первым же делом оглядела парижанку с ног до головы — и срисовала фасон нового платья для своей ненаглядной девочки.

Е-ле-на. Ле-о-ни. Можно воспринимать созвучие имён как знак судьбы — а можно не думать о такой ерунде, но просто наслаждаться каждым счастливым днём, из которых и состоял весь тот июль. Леони сопровождала французских фехтовальщиков, была у них переводчицей, а к ней, в свою очередь, приставили переводчицей Елену — так, на всякий случай. Парижанка несколько дней думала, что эта русская — из КГБ, пока ей не показали добрые люди, на кого нужно правильно думать. И тогда Леони подружилась с Еленой и не боялась брякнуть что-нибудь опасное.

25 июля умер Высоцкий, и Леони объявила, что пойдёт на похороны — она слышала о русском барде в Париже, даже была в какой-то компании, где его знали. Фехтовальщики в тот день отдыхали, и девушки отправились на кладбище вдвоём. Елена сама не могла потом объяснить, почему начала плакать ещё задолго до того, как они добрались до места — она не была какой-то яростной поклонницей Высоцкого; то есть как все, ходила на спектакли, несколько раз бывала на концертах, и всё... Ни кассет с записями, ни фотографий на стенах — ничего этого не было, мама не потерпела бы. Но здесь, на кладбище, все плакали, и Елена тоже плакала — возможно, не о Высоцком, а потому что уже не чувствовала себя молодой и была непоправимо одинока. Человек всегда плачет о себе, даже когда оплакивает ближнего.

Леони взяла мокрую от слёз руку — платка у Елены не было, и она утирала слёзы пальцами, — и крепко сжала её. Это было именно то, что следовало сделать, — впрочем, Леони тем и отличалась от других людей в жизни Елены, что ошибалась только в русских словах, но никогда — в поступках или чувствах.

Они пришли домой к вечеру. Зарёванная Елена говорила в нос, как слонёнок из советского мультика. Губы искусаны до крови. Матери не было дома; на столе, придавленная солонкой, лежала записка: «Уехала к тётке Зине».

Леони обняла Елену так ласково, как её никто никогда не обнимал, — и поцеловала в распухшие губы. Или же это Елена её поцеловала?

Позже, намного позже мать орала на неё:

— Кто из вас первый такое удумал? Она? Скажи, она?

Но разве можно вспомнить, кто был первый, и вообще для кого, кроме матери, это было важным?

Мать застала их в последний день июля. Маленькая порция счастья, жалкая горстка любви — даже недели не набралось! Елена молча тянула на себя простыню, а мать вырывала её у неё из рук с таким лицом, как будто снова оказалась на поле боя и шла на фашиста с гранатой. Леони вдруг начала хохотать — это была истерика, но выглядело всё как издевательство над порядками, которым подчинялась в этом доме, в этом городе и в этой стране.

Слова «лесбиянка» мать не знала, да она и вообще понятия не имела о такой напасти — чтобы женщина валялась с женщиной. И не просто какая-то распущенная женщина, но её собственная дочь, её гордость, Елена! Мать считала, что с личным у дочери не складывается по какой-то другой причине, а тут вдруг — пожалуйте! Извращенка! Да ещё и с француженкой, пусть та и разливалась третьего дня, что член компартии.

— А я её борщом кормила! — возмущалась мать, начисто позабыв о том, что Леони так и не проглотила ни капли страшного русского супа. — А она! Да я таких, как она, к стенке ставила! И не жалею! Фашистка!

Леони тем временем уже успела полностью одеться и сделать губами «пффф», как всегда делают французы, выражая неудовольствие или затруднение (это открытие Елена сделала совсем недавно, общаясь с фехтовальщиками-чемпионами — сначала-то она думала, что такая привычка есть только у Леони).

— Давай отседова, и чтобы духу твоего здесь не было, — надрывалась мать. — И ты тоже уходи, — сказала вдруг она совсем тихо. — Куда хочешь, Ленка, уходи, но я тебя в своём доме больше видеть не желаю. Писать про тебя в университет не стану, хотя как коммунистка сделать это обязана, потому как ты не педагог, а развратница и преступник. Но я не стану — ещё не хватало такого позора в мои-то седые годы. Час тебе на сборы даю. Час! Время пошло! Ну а ты что стоишь тут, глазами лупаешь! — она снова закричала, обращаясь к Леони, поскольку считала, что с иностранцами надо говорить громче — и тогда они всё поймут. — Не понимаешь? Так я тебе сейчас объясню!

Мать метнулась куда-то за ключом, открыла железный шкаф, загремела именным оружием. Леони, взвизгнув, вылетела из квартиры.

— Борщом кормила... — задумчиво сказала мать, убирая пистолет на место и аккуратно закрывая железный шкаф.

Елена ушла из дома ровно через час — Леони ждала её у соседнего подъезда с пачкой «Мальборо» и разливным пивом в полиэтиленовом мешке. Они расположились на детской площадке, где отродясь не гуляло никаких детей. Елена выкопала из чемодана кружку с Эйфелевой башней — подарок Леони, — и они пили из неё пиво по очереди и выкурили столько сигарет, что обеих потом тошнило.

Говорили они в тот вечер, как и всегда, на русско-французском, то есть каждая объяснялась на своем родном языке, и это было прекрасно: слушать чужую речь, но отвечать так, как привычнее и быстрее. Ни словом, ни взглядом не удостоили Героя Советского Союза и сиротливый чемодан, прильнувший к детским качелям.

Леони рассказывала о своей жизни в Париже — у неё была квартира на правом берегу, рядом с памятником Александру Дюма-отцу. На той же площади напротив отца стоял памятник сыну, писателю с тем же именем.

— Приедешь ко мне, и мы будем ходить по этой площади от одного Александра до другого, — говорила Леони, и Елена закрывала глаза, представляя себе город, знакомый с детства по книгам и учебникам, но совершенно при этом незнакомый.

Той ночью Елена пришла к тётке Зине — а куда ей было ещё идти? Леони жила в гостинице, туда гостей не пускали. Приставленный к французской делегации специалист и без того косо поглядывал на парижанку, чересчур быстро освоившуюся в Москве.

Зизя вопросов не задавала — сестра уже успела позвонить ей и без интеллигентских «сюси-пуси» выпалить:

— Ты её хотела? Вот и забирай. И не смейте мне больше звонить!

Господи, думала Зизя, мы уже такие старые, и Елена давно не ребёнок, а женщина не первой молодости, так почему же сестра ведёт себя так, будто у неё запас жизни в тридцать лет? Разумеется, Зизе хотелось знать, что произошло, но всё-таки она не решилась тревожить единственную любовь своей жизни. Сдвинула вешалки в платяном шкафу — это твоя половина, располагайся. Согрела чай. Елена была нетрезвой, табаком от неё несло не хуже, чем в тамбуре плацкартного вагона. Уснула она даже не раздевшись и во сне глухо вскрикивала, а Зизя так и не сомкнула глаз до самого утра.

Через три дня французская делегация возвращалась домой. Золотые медали, красная икра, чёрный хлеб для русских родственников в Париже. Елена смотрела на Леони и мучилась от невозможности обнять её так, как хотелось. Леони сама обняла её уже перед тем, как скрыться в коридоре для иностранцев, — и чмокнула в губы, как сестру.

— Это тебе, — сказала она на прощанье, сунув в руки Елене объёмистый пакет из ненашенского, мягкого полиэтилена с розочками. Подобный пакет был сам по себе ценность, но когда Елена увидела, что там лежало, то смеялась до слёз, и таким образом можно было скрыть другие слёзы.

Там лежала шубка, в которой Леони прибыла в Москву две недели назад. *Готовь шубу летом!* Леони слышала, что погода в России очень капризная, что даже в июле может пойти снег. И вообще, Россия — это снег, а снег — это шуба и меховая шапка, как у Джули Кристи в фильме «Доктор Живаго».

Шубка была примечательной. Искусственный мех пародировал норку и отсвечивал стеклянным блеском. Рукава расширялись книзу, а полы расходились в стороны даже на такой худышке, как Леони, — в общем, тепла от этого наряда было не больше чем красоты, но парижанке он был к лицу. Разумеется, шубку в Москве никто не носил — стояла тридцатиградусная жара, сложно изображать из себя Лару.

На Елене шубка выглядела нелепо — она ни за что не решилась бы такую носить, вот разве что в пакете. Ей в последнее время хотелось стать как можно более незаметной — слиться с общей массой, раствориться в толпе... Поэтому она теперь носила старые, списанные на берег тёткины костюмы — к ужасу Зизи, потерявшей главный смысл жизни — обшивать и обвязывать Елену, — а также покупала в комиссионках чужие стоптанные туфли и пальто, от которых шибало нафталином. Весь свой милый, игривый гардероб Елена оставила в квартире на Садовой-Самотёчной — и ни разу не вспомнила ни о вязаной «двоечке», ни о расклёшенных брюках, ни даже о любимом голубом пиджаке, «подчёркивающем глаза». Вот и шубка была из той прежней компании, где она вписалась бы в коллектив, и, может, давняя, вчерашняя Елена однажды отважилась бы надеть её по какому-нибудь особому случаю. Елена нынешняя, в три дня постаревшая на десять лет — как в страшной сказке! — навеки заточила шубку в глубинах Зизиного шифоньера. Лишь изредка, оставаясь одна, Елена выпускала арестантку на свет божий — раздевалась догола и накидывала на плечи нелепое изделие парижских портных, тщетно пытаясь ощутить запах Леони и вспомнить разлетевшееся на тысячи несвязанных минут счастье. Иногда это у неё получалось, чаще — нет. Мех на обнажённых плечах, взгляд в зеркало — дурная копия «Шубки», портрета Елены Фоурмен... Тёзка тоже носила мех на голое тело, но в отличие от Елены была счастлива не три дня, а многим дольше.

Чужие туфли и пальто, в карманах которых можно было обнаружить истлевшие абонементы на трамвай, помогали Елене отвлечься от собственной жизни: точно так же, как мебель в свердловской квартире на Первомайской спустя несколько лет, они переносили её в какую-то другую историю. От своей она не знала, куда деться и где спрятаться, хотя на факультете, к счастью, ни о чём не узнали: мать слово сдержала, но простить Елену не смогла. Спустя какое-то время она мягко и почти ласково сказала дочери по телефону:

— Уж лучше бы ты умерла...

Мать скончалась через полгода после отъезда Леони — квартира на Садовой-Самотёчной, и скопленные на сберкнижке деньги были отписаны государству, портрет Сталина — дочери. Хоронили её с почестями, место отвели на Ваганьковском кладбище — мать была бы довольна. Как, впрочем, и тем, что Елена чувствовала теперь пожизненную вину — за то, что вогнала Героя Советского

Союза в гроб раньше времени. Сделала, в общем, то, что не удалось ни фрицам в касках, ни майору Петрову, расставшемуся с матерью задолго до рождения Елены — лишь только узнал, что беременна, так тут же и вспомнил: его ждут в Хабаровске жена и сын...

Что, если уехать в Хабаровск? Это как будто другая планета — лететь туда целую вечность, утро там начинается на полдня раньше, и на высоком берегу Амура ходит старший брат Елены, о котором она с детства скучала, не зная его. После того как Олимпиада закончилась, Москва стала для Елены чужим городом. Да и вообще всё, что раньше радовало или хотя бы утешало, всё ей теперь опостылело: от студентов до почти готовой диссертации, от суетливой Зизи до назойливых подруг, чующих, как собаки, перемены в скучной правильной Елене, но не способных вытянуть их наружу. Она похудела так сильно, что ей теперь было ощутимо больно спать, лежа на боку. Курила, не скрываясь от Зизи. По десять раз на дню ходила к почтовым ящикам — но Леони писала редко, за год пришло лишь четыре письма, и те были написаны чересчур крупным почерком: так обычно делают дети, не понимающие, о чём писать бабушке, и заполняющие страницы аршинными буквами. Поспешные были письма — со страниц веяло иной жизнью, срочными заботами и, конечно же, *другими отношениями*, о которых Леони проговорилась под Новый год: в открытке с изображением Пер-Ноэля сообщалось, что это мужчина, англичанин, потому что «должно же быть какое-то разнообразие», шутила Леони. Она к тому времени превратилась уже только в свой почерк, распалась, как на молекулы, на крупные буквы, не имевшие, казалось, ничего общего с той худенькой и ужасно бледной девушкой, которую Елена, к ужасу своему, внезапно начала забывать. Среди ночи просыпалась от вопроса: боже мой, а какие у неё были брови? Не помню, не могу вспомнить... Вот так, частями, фрагментами, Леони ускользала из памяти, а фотография осталась только одна, и очень неудачная: общий снимок с фехтовальщиками, где половина лица Леони скрыта головой белорусской спортсменки, стоящей в первом ряду. То ли было, то ли нет — эти несколько дней вполне могли присниться. Стояла такая жара, что людям даже среди бела дня мерещилось всякое...

Леони, словно спохватившись, приписала в конце той открытки несколько слов — и даже увела их в сторону, подняла вверх, держа курс на почтовую марку с Марианной: если захочешь приехать, я буду рада. Мы с Майклом примем как родную. «Мы с Майклом» — чужие люди, готовые потерпеть тесноту в квартире ради гостьи из СССР: для парижанина такое дорогого стоит! Елена это, впрочем, не оценила, подорвавшись на другом: ах вот как, они уже вместе живут... Гуляют вечерами от одного Александра до другого, а впрочем, Майкл наверняка придумывал для Леони нечто более захватывающее.

Глядя вечерний телепрогноз погоды, где звучала музыка из песенки Мари Лафоре (что очень смешило Леони), Елена ждала, пока объявят температуру воздуха и осадки в Хабаровске — упоминание этого города волновало её, как любая возможность начать новую жизнь. Она даже начала робкие хлопоты — спрашивала знакомых на факультете, купила книгу о флоре и фауне Дальнего Востока (других не было), как вдруг внезапно заболела Зизя, и мысли о переезде пришлось отложить до лучших времён.

Это ещё вопрос, что хуже: когда больной здоров физически, но ничего не соображает, или же когда он в полном сознании, но при этом лежит недвижимый. Бедной Зизе (а с ней и Елене) достался вариант номер один. Бодрая старушка вполне приличного для своих лет здоровья помутилась рассудком так внезапно и крепко, что Елену некоторое время не оставляли подозрения: что, если Зизя всего лишь изображает из себя сумасшедшую, чтобы удержать дома племянницу и не остаться без присмотра в одинокие годы? Увы, слабоумие тётки оказалось самым что ни на есть настоящим — теперь Зизю нельзя было оставлять одну ни на минуту, потому что она норовила готовить и стирать без передышки, благодаря чему едва не спалила квартиру и залила соседей снизу, только-только завершивших длительный ремонт. Пребывая в блаженном мире безумия, Зизя оставляла включенными краны в ванной и газ в духовке — ей казалось, что она делает что-то полезное, и сердиться на неё было невозможно. Да Елена и не сердилась — напротив, она была благодарна тётке за то, что та занимала теперь всё её время и все мысли: она жила теперь с ней как с младенцем, который бродит по квартире ночами и стучит кулаком в кухонную дверь, куда пришлось врезать замок. Выбора не было, потому что Зизя помешалась на еде — она, как и старшая сестра, любила *покушать*, и теперь эта простительная слабость выродилась в самую настоящую одержимость. Бедная больная душа,

Зизя не разбирала теперь вкуса продуктов — глотала, как собака, всё подряд. Обнаружив брусок сливочного масла со следами укусов и тем же вечером — обглоданные кости сырой курицы, Елена купила замок и вызвала мастера. Зизя стучала в закрытую дверь и обречённо рыдала, пока племянница не уводила её в постель и не давала карамельку.

Из университета пришлось уйти — в таких условиях учебную нагрузку Елена тянуть не могла, а без нагрузки нет науки. Зизя получила инвалидность, Елена давала частные уроки французского и немецкого, который был у неё вторым в институте. Сердилась на саму себя, что никак не состарится — уже за со́рок, а она всё ещё разрешает себе на что-то надеяться. Вдруг Леони вернётся? Напишет, позвонит, приедет?

«Не вернётся, — отвечала сама себе. — Не напишет, не позвонит и не приедет.».

И всё-таки у Елены было какое-то предчувствие перемен — почти физическое, как за миг до землетрясения, пережитого в юности на Кавказе, когда внутри томит, тянет и ощущаешь вдруг каждый сантиметр своих костей и мышц...

Она не знала, что это будут за перемены, но ощущала их неизбежность — как если бы заглядывала в своё будущее. Поэтому и жила почти без отвращения — сторожила тётку, натаскивала абитуриентов иняза, готовила, стирала, убирала, зная о том, что однажды всё это кончится и по щелчку чьих-то пальцев начнётся новая и, вполне возможно, сносная жизнь.

В январе 1985 года, пока Елена принимала душ, Зизя проломила дверь к своему счастью — выбила замок и, сидя на полу у холодильника, с удовольствием поедала творог и нечищеный картофель. Лицо у неё было довольное — бедняжка совсем не различала вкуса, но каким-то остатком памяти помнила, что пища приносит удовольствие.

Елена вызвала «Скорую», сделали промывание желудка. Врачиха с состраданием сказала:

— Она ещё лет двадцать проживёт!

Но тётка Зина, как будто услышав эти слова, скончалась в ту же ночь — в результате остановки сердца. И вот тогда начались перемены — новая жизнь после новой смерти.

Тётка отнимала столько внимания и сил, что, схоронив её, Елена ощутила поистине пугающий избыток свободного времени — даже голова кружилась. И руки были свободны — не нужно кормить, переодевать, успокаивать, мчаться в булочную, молясь, чтобы за эти пятнадцать минут дома ничего не случилось. Теперь все заботы свелись к коротким поездкам на Ваганьковское — тётку удалось подхоронить к матери, и они лежали теперь рядом, как в детстве, когда спали на одном диванчике.

Елена вернулась к книге о флоре и фауне Дальнего Востока, а потом дала объявление в газету про обмен квартиры — искала Хабаровск, но ей неожиданно позвонили из Свердловска. Заикались от волнения, обещали доплату... Тем же вечером в телепрогнозе погоды Елена впервые обратила внимание на градусы и облачность в Свердловской области — а уже через месяц переехала сюда, в квартиру на улице Первомайской. Из Москвы она увезла словари, пару тёткиных костюмов и шубку из искусственного меха; всё прочее новым хозяевам было позволено выбросить. Так они и поступили, сделав исключение лишь для венских стульев и портрета Сталина, который ровно через тридцать лет стал экспонатом музея в Берлине.

4

Завтрак, сигарета, автобус восемнадцатого маршрута... Ежедневные заботы выстраивали из кучки обломков, которыми жизнь неизменно оборачивалась к полуночи, пусть и плохонькое, но всё же пригодное для обитания здание. Дорога на Юго-Запад и обратно съедала заметный кусок дня — вот потому-то Елена Васильевна и выбрала эту школу, а не специализированную немецкую в соседнем квартале. Лишнего времени у неё и так было в избытке — дни в Свердловске тянулись значительно медленнее, чем в Москве. Темнело здесь рано, и зимы оказались суровыми, какими она себе их и представляла. Смешную парижскую шубку Елена Васильевна примеряла всё реже — последний раз был, кажется, в тот день, когда она отправила Леони письмо с Главпочтамта: странного здания, похожего на гигантский трактор. В письме сообщила новый адрес, сдержанно звала в гости в Свердловск... Тем же вечером, сидя в шубке перед чужим зеркалом, Елена Васильевна вдруг подумала: а что, если Леони в самом деле приедет? И увидит, какой она стала: скучная стареющая училка, в которой лишь изредка, просветами, как небо среди облаков, мелькает прежняя Елена...

Тревожилась она совершенно напрасно — вместо ответа к ней через три месяца вернулось то самое письмо, которое в Париже никто не прочитал: Елена зачем-то распечатала конверт, но не нашла там ничего, кроме своего собственного послания.

В школе Елена Васильевна жила совсем другой жизнью — обременительной, раздражающей, но при этом бесценной. Педколлектив уже не испытывал к француженке такого интереса, как поначалу, — к ней привыкли, своей она не стала, но и чужой больше не была. Теперь учителя обсуждали другие проблемы. Например, у математички женился сын, и выяснилось, что невестка, о ужас, моет пол поперёк досок. А ещё директор наконец распорядился поставить у гардероба внизу зеркало в рост, и оно оказалось расширяющим. А новый ученик в шестом «А» оказался дальтоником — на уроках труда дети показывают ему цветную бумагу и веселятся. И он, бедный, смеётся вместе со всеми!

Жужжание сплетен и чужие разговоры — иногда злобные, чаще глупые — успокаивали Елену не хуже домашней мебели и сношенных костюмов. Ну а на уроках всё было просто отлично — единожды солгав о том, что «жила в Париже», она лгала теперь сознательно и с удовольствием, обманывая не столько трогательную в своей наивности Мамаеву и её одноклассников, сколько саму себя.

Мамаева так увлеклась французским, что в конце мая неожиданно обнаружила в табеле «пятёрку» — и за четверть, и за год. Были и другие новости: Данилюк сломал ногу, выпрыгнув со второго этажа на спор, отличница Ольга Котляр перешла в девятую, самую престижную в городе школу, а в стране вдруг начали происходить те самые перемены, предчувствие которых бродило в крови столько лет.

Всё вокруг было теперь не тем, чем его привыкли считать: деньги перестали быть деньгами, ценности утратили всякую ценность, памятники сносили с постаментов, великие слова вымарывали из памяти... Учительницы математики, географии, физики и химии, бывшие всю жизнь равными, вдруг выяснили, что все они, оказывается, разные — и кому-то может везти по-крупному, а кто-то останется не при делах. У химички всего за полгода «поднялся» сын (взошёл, как хлеб) — и она быстренько оформила пенсию, потому что доходы от сыновнего кооператива позволяли содержать не одну, а десяток таких мам. А вот у математички ребёнок (это она его так называла, не мы) мало того что женился неудачно, так ещё и работу потерял — загремел из института по причине расформирования. Анна Алексеевна по пению вдруг уволилась — выступала с какой-то группой на клавишных, ездила по гастролям, вот вам и «квашня». Вера Николаевна устроилась переводчицей в совместное предприятие...

В отличие от учителей и родителей, Мамаева не считала происходящие вокруг перемены чем-то из ряда вон выходящим. С ней, как, впрочем, и с каждым юным человеком, вообще всё происходило в первый раз — и она не понимала, почему нужно ужасаться облепившим всю округу коммерческим киоскам и тому, что в газетах теперь пишут о сексе. Перемены в обществе точно, как по писаному, совпали с естественными изменениями взрослеющей личности, поэтому Мамаева воспринимала их спокойно и с радостью: главное, что скоро откроют границы, и она сможет поехать в Париж. Учиться, работать, жить, умирать — неважно что, лишь бы там. Ах, как ей повезло с учительницей! Лена-Вася (этим благожелательным прозвищем француженку окрестил Кокоулин, сразу после восьмого класса сгинувший в тумане самостоятельной жизни) поставила Мамаевой произношение, отточила грамматику и, самое главное, доказала, что Париж — не мечта, а реальность. Раз уж это получилось у Лены-Васи, то тем более получится у Мамаевой! Те дни, когда она спала на уроках, навек остались в прошлом — новая Мамаева была целеустремленной ракетой с безупречными тактико-техническими данными. Поступать решила на иняз — мать Мамаевой сокрушалась, что она у них всегда была *не от мира всего*.

К экзаменам Мамаева готовилась дома — мать работала в больнице и таскала оттуда гуманитарную помощь, которую абитуриентка уничтожала в устрашающих количествах. Особо налегала на невиданный шоколадный напиток в жёлтых банках «с зайчиком».

— Кушай, — приговаривала мать, — мозги нужно питать хорошо!

Мамаева зубрила слова и смотрела на мать «сквозь прищуренный глаз», как пелось в песне, — видела вместо неё элегантную парижанку, которой даже в голову не придёт воткнуть спичку в использованную губную помаду, чтобы выковырять из неё остатки... «Ну а как ты хочешь, — сердилась мать, — я за этой помадой два часа в очереди мучилась!»

Пока ракета готовилась к старту, Елена Васильевна страдала оттого, что сигареты теперь можно было купить только по талонам. Курила француженка по две пачки в день: приканчивая одну сигарету, начинала думать о другой — и то ли жила для того, чтобы курить, то ли наоборот.

И когда Мамаева позвонила ей летом, счастливая («Лен-Васильна! Я прошла на иняз! Мать спрашивает, что вам купить?»), француженка спросила, может ли мама достать сигареты. Мамаева рассмеялась. Мать могла добыть что угодно при любом режиме — она была гением материального мира и примадонной взаимовыгодного сотрудничества. Хотя работала, между прочим, в онкологии. Три блока «Веги» уже через день были торжественно вручены дорогому учителю.

— Это так непедагогично, — раскаивалась Лена-Вася, но Мамаева утешала учительницу:

— Верка с Иркой, ой, то есть Вера Николавна с Ирин-Альбертовной тоже курили!

Больше они с Мамаевой не виделись — на третьем курсе иняза та перевелась в Москву, а потом уехала в Париж. У некоторых людей (способных к труду и обороне своих потребностей) мечты сбываются до последней завитушечки — как всё рисовала себе Мамаева, таким оно в точности и оказалось. Даже белоснежная шубка, пригрезившаяся сто лет назад на автобусной остановке у «Буревестника», материализовалась точно до пуговицы: именно в такой Мамаева переходила Сену по Йенскому мосту и блаженствовала, вспоминая давние рассказы Лены-Васи. Родной аррондисман учительницы Мамаева знала лучше других — табачная лавка на бульваре Мальзерб, авеню

Вильер, парк Монсо и площадь генерала Катру, где стояли памятники двум Дюма, отцу и сыну...

Мамаева осваивала и вместе с тем присваивала Париж, а у Елены Васильевны, как цыплята каждую осень, появлялись новые ученики. Тем и прекрасна школа, что всё здесь обновляется с каждым годом. И город француженка выбрала, как оказалось, правильно: Хабаровск остался далёкой мечтой, Париж стал несбывшейся сказкой, а Свердловск — утешением. Только такое утешение — скрытое сочувствие, грубоватую ласку — она и могла принять, прочее было бы фальшью. Елена Васильевна всё так же убедительно лгала ученикам о том что жила в Париже, — и ложь эта со временем обросла таким слоем правдивых подробностей, что будто бы перестала быть ложью. Учительница искренне возмутилась бы, упрекни её кто-нибудь во вранье: да и кто бы смог её упрекнуть? Названия французских улиц спархивали с языка как бабочки, а надуть губы, изображая возмущённое «пффф», она умела не хуже коренной парижанки...

Школа, где работала Елена Васильевна, менялась вместе с городом — пионерскую дружину и комсомольскую организацию расформировали ещё при Мамаевой. Город сменил пол (мужскую фамилию сместило женское имя, поистине чешское скопление согласных — просторное немецкое слово), а вот в школе менять полы было некому и не на что.

Директор умер в 1990-м — «действительно болел, девочки», всхлипывала на похоронах физичка. Растущий капитал бряцал только что снятыми — и быстро обратившимися в ювелирные — цепями. Названия коммерческих магазинов сияли амбициями и невежеством: неподалёку от школы открылся мясной магазин «Кентавр», а где-то на Московской покупателей манил своей вывеской целый «Мир колготок», где подрабатывал Кокоулин.

Елена Васильевна старела теперь именно с той скоростью, о которой мечтала в Москве, — будто летела с горы на санях, как в детстве. Но и здесь её ждало неприятное разочарование: француженка полагала, что старость отменяет чувства, которые мешают если не жить, то доживать, — увы, с годами здесь ничего не менялось. Морщины и седые волосы никак не связаны с проклятой пагубой — коротенькой любовной историей, которую всякая кроме Елены забыла бы спустя столько лет. За всё это время она не то что не пыталась найти замену Леони, но даже и думать в эту сторону себе не разрешала. Душа её — верная, чуткая и бесполезная — сидела на цепи, а тело ничем не могло помочь.

И всё же в конце концов они примирились — душа и тело, ведь любой человек со временем научается добывать из своей жизни если не целые куски счастья, то как минимум, сверкающие крупицы мелких радостей и удовольствий. Елена Васильевна вначале была всего лишь благодарна Свердловску за то, что он не Москва, и нет у него к ней личных счетов, и на кладбищах здесь лежат чужие люди, а не Высоцкий, мама и Зизя. Екатеринбург же она и вовсе полюбила — и тот, поначалу угрюмый, закрытый на все засовы, с годами начал хорошеть, как всегда хорошеет тот, кого любят. Она привыкла к местной погоде, у которой был характер взбалмошной дуры. Высматривала среди унылых и, как ей раньше казалось, одинаковых зданий «образцы конструктивизма» — восхищалась ленточными окнами и скруглёнными фасадами. Вообще, в архитектуре здесь было много округлых форм и женственных линий — так Екатеринбург уравновешивал строгий облик города-завода Свердловска. Прямые улицы, чёткая перспектива — ни малейшего сходства с путаницей старой Москвы...

Елена Васильевна купила абонемент в филармонию, записалась в библиотеку Белинского и научилась вести приятные и совершенно пустые беседы с незнакомыми людьми, ожидающими автобус (тоже почти пустой, пусть и не слишком приятный — но не то что душегубка конца восьмидесятых). Её ученики выигрывали школьные олимпиады, и в этом тоже были сверкающие крупицы удовольствия — мерцающий отблеск давно забытой диссертации, несбывшегося Парижа и потускневших от времени слов научного руководителя: у вас, Леночка, большое будущее.

На пенсию Елену Васильевну выпроводили в 2012 году. Школу переделали в гимназию с экономическим уклоном, и новый директор — полноватый мужчина с жаркими восточными глазами — полностью обновил «парк» учителей. Французский был признан неактуальным, его заменил японский.

Из старой гвардии к тому времени уцелели только физичка и Лена-Вася: остальные кто умер, кто копался в садах и огородах, а Веру Николаевну, представляете, прикончил любовник, находясь в состоянии аффекта. Об этом рассказывала физичка, внутренне страдая от того, что даже в смерти проклятущая англичанка умудрилась обставить нормальных учителей... Они-то, понятное дело, как умрут — от рака или инсульта, лишь в том вопрос. А тут — убийство на почве страсти, любовник в таком возрасте, вы подумайте, Елена Васильевна! С годами физичка почему-то решила, что француженка — её лучшая подруга, и, когда их отправили на пенсию, долгое время изводила Елену Васильевну телефонными звонками, пока та не догадалась отключать аппарат вечерами. Больше-то ей никто не звонил. И не писал. И теперь уж точно не напишет — жди, не жди...

5

Шубка за долгие годы изрядно состарилась — пусть её ни разу и не выгуливали, всё равно успела поблекнуть и скукожиться. Когда-то блестящая и кокетливая, она превратилась теперь словно бы в собственную мумию. Елена Васильевна натыкалась на шубку, как на гвоздь в паркете, который забываешь выдернуть, потому что он торчит не в самом видном месте, но руки так и не дошли (какое всё-таки нелепое выражение) навести порядок, и шубка в очередной раз с облегчением сворачивалась клубком на задворках платяного шкафа. Неодушевлённое, но при этом живое существо, хранившее в себе счастье, обиду и горе (каждый раз вспоминалось разное), могло пролежать ещё полвека без движения, а вот у Елены Васильевны с домоседством отныне не ладилось. Пенсионные радости её не прельщали, а энергию она умела расходовать только на учеников. Увы, желающих брать частные уроки не было, хотя объявления она развесила у всех подъездов окрестных домов. Один раз позвонили — но так и не пришли, а включённый телефон реанимировал мнимую дружбу с физичкой, и поэтому Елена Васильевна отменила идею репетиторства решительно, как в своё время — Москву.

Развлечений было не так уж много: сигареты, концерты в филармонии, библиотечные книги — старые, в холстинковых переплётах, как будто в изношенных платьях, — разумеется, классика. Сериалы Елена Васильевна не любила — потому что чересчур крепко привязывалась к персонажам, а один из сезонов неизбежно оказывался последним. Зато случайные разговоры с незнакомыми людьми — на остановках или в очереди к кассе — оказались в итоге не такими уж и пустыми: выяснилось, что далеко не все её ровесницы тратят остатки сил на взращивание внуков и борьбу с происками взбалмошной дуры-погоды в коллективных садах. Некоторые вышивают иконы (Елена Васильевна вздрогнула, вспомнив маминого Сталина), другие путешествуют по миру, третьи становятся свечницами при храмах: вытаскивают из подсвечников не прогоревшие до конца чужие просьбы... Широта возможностей, открывшихся перед француженкой, была непостижимой, как вселенная: она впустую тратила время, пока другие старые женщины рисовали маслом, осваивали йогу, состояли в поэтических клубах... Бо́льшая часть пенсионерок находила себе новую работу — не по специальности, им же не восемнадцать, а такую, чтоб *немного капало* и быть среди людей.

Вот и Елена Васильевна, плоть от плоти своего трудолюбивого поколения, не пробыв и двух месяцев на пенсии, трудоустроилась. Новое начальство — решительная женщина, у которой практически не было шеи и голова лежала прямо на плечах, — потребовало выйти первого сентября. Было странно впервые за столько лет пропустить праздничную линейку, не получить букет из ледяных лапок пятиклассницы, а вместо школьного звонка услышать сдержанное «здравствуйте» от новых коллег — повара, официанток, уборщицы и охранника, носившего уголовное, по мнению Елены Васильевны, имя Семён. Новый мир старой француженки — затрапезное в прямом и переносном смысле слова кафе всё в том же Верх-Исетском районе, к которому она считала себя приваренной намертво. Всех продавщиц из киосков она здесь знала по имени, и вместе с коренными жителями Белореченской, Ясной и Шаумяна осуждала вероломный ремонт дороги, из-за которого сорок первый ходил теперь по другому маршруту, и оплакивала скоропостижный снос кинотеатра «Буревестник», на месте которого построили очередной торговый центр, бессмысленный и беспощадный. И пусть даже ей, пенсионерке, нечего было здесь теперь делать, она каждый день упрямо садилась в маршрутку и высаживалась на углу знакомых улиц — потому что вновь, как в тот далёкий год, чувствовала близкие перемены и знала, что нужно пойти им навстречу.

В конце августа на дверях бывшей пельменной, где француженка бывала несколько раз (всегда почему-то зимой), появилось объявление: «Требуется гардеробщица». Сама пельменная называлась отныне кафе «Париж». Елена Васильевна склонила голову, мысленно поздравляя шутника, что заведовал обстоятельствами её жизни, — это было и в самом деле смешно. Интерьер в «Париже» оказался «богатый», пластмассово-золочёный, с букетами павлиньих перьев и атласными скатертями в сигаретных шрамах. Гардероб располагался по правую руку от входа — там никого не было, хотя на плечиках топорщились пальто и шубы всех пород.

Добротно накрашенная официантка выскочила из зала с подносом и, увидев Елену Васильевну, испугалась:

— Ой, мамочки! А где Семён?

Входная дверь бахнула — вернулся Семён с перекура. Ему в последние дни приходилось работать и охранником, и гардеробщиком — за те же деньги, поэтому он нервничал и ходил курить чаще обычного.

— Я по объявлению, — сказала Елена Васильевна. — Хочу быть гардеробщицей.

Это прозвучало у неё как-то робко, по-детски. Маленькая девочка впервые доверила свою мечту взрослым людям.

— Хотите — значит, будете! — философски заметил Семён. — Анна Петровна! — воззвал он как будто бы к небесам, и вскоре со второго этажа спустилось строгое начальство без шеи. Вот так Елена Васильевна и обрела в конце концов свой Париж — тот, что был ей по размеру и заслугам. Работал гардероб круглый год — спасибо дуре-погоде, а кафе, как выяснилось в первый же день, было самым популярным в районе местом поминок («У нас своя ниша», — гордилось начальство). Автобусы, полные скорбящих пассажиров, прибывали в «Париж» прямиком с кладбища — родные и близкие меняли верхнюю одежду на чёрные номерки в виде Эйфелевой башни и уходили в зал, к прожжённым скатертям, блинам и кутье. Не чокаясь пили, вспоминали усопших, плакали — Елена Васильевна оставалась среди шуб и курток, пальто и накидок, в тени чужого горя, в запахе кожи, духов, табака и пота. Из рукавов вытекали платки, с крючков падали шапки — в отсутствие хозяев одежда жила своей жизнью, далеко не всегда тихой. Подвыпив, гости навещали гардероб всё чаще — кто-то забыл сигареты в кармане куртки, кто-то замёрз и требовал шаль, а один молодой человек оставил в гардеробе телефон, и тот едва с ума не свёл Елену Васильевну, исполняя «Полёт шмеля» без перерывов и остановок в течение десяти минут: в конце концов она попросила Семёна сходить к гостям и аккуратно спросить, у кого из них номер четырнадцать?

В компании Семёна француженка проводила теперь основную часть своей жизни, что, в общем, было неудивительно — охранник и гардеробщица исполняют классическое па-де-де в любом учреждении. Они быстро нашли общий язык, вернее, сошлись на том, что язык можно использовать редко: Семён и Елена Васильевна предпочитали взаимное уважительное молчание. Оба помногу курили, но делали это по очереди, оставляя гардероб и безопасность на попечении друг друга. В часы затишья Елена Васильевна читала книги в холстинковых платьях, Семён *сидел в телефоне*, как это теперь называлось (русский язык дурнел на глазах, теряя красоту и благозвучие).

Охранник был молод — лет тридцать, не больше, — и относился к своей жизни с искренним изумлением: то немногое, что он о себе рассказывал, удивляло его, судя по всему, намного сильнее, чем слушателей. Слушатели ждали неожиданного поворота, шокирующего признания, но это была самая обычная судьба: школа-училище-армия-дембель-женитьба-развод, ничего выдающегося, ни одного гвоздя, на который можно повесить чужое восхищение. Манера держаться — многообещающая, с интригой и грандиозным замахом, но на деле всё оборачивалось пустяком: возможно, потому, что говорил он мало, и все, кто удостаивался внимания, невольно ждали откровений. Но дожидались разве что шуток с каламбурами — Семён балагурил редко, но метко: важной даме, поинтересовавшейся: «Какой у вас режим?» — ответил в рифму: «Наелись — и лежим!» Елену Васильевну покоробило — всё-таки обслуживали в «Париже» память тех, кто лежал: в их честь и наедались гости блинами и кутьей... Но делать Семёну замечаний она не стала — слишком уж дорожила их взаимным равнодушием.

Зеркало, висевшее на стене у гардероба, каждый раз показывало француженке то мать, то Зизю — они словно бы навещали её по очереди. Мать раздражённо слизывала с нижней губы фантомную соринку, Зизя мягко улыбалась, пытаясь вернуть правую бровь на один уровень с левой, но та как дотянулась однажды до середины лба, так и не сдавала позиций. Это сходство, которого тщетно искали при жизни и та, и другая старуха, проявилось в Елене Васильевне только теперь, и она долго не могла к нему приспособиться, пугаясь от неожиданной встречи с давно умершими родственницами.

Чем ближе было к зиме, тем чаще заказывали поминки.

— Сезон! — радовалось начальство. В декабре настала пора корпоративов — добротно раскрашенная официантка (её звали Эля, и по легенде даже муж ни разу не видел её без макияжа) показывала клиентам «залу», и те листали заламинированные, кое-где слипшиеся листы меню, прикидывая *сумму на каждого гостя*.

Корпоративные шубы заметно отличались от похоронных — неизвестный француженке мех бывал коротко обстрижен или выкрашен в яркие, не свойственные дикой природе цвета («В такой шубе соболь долго не пробегал бы», — заметил однажды Семён). Вместо поясов на этих шубах часто висели широкие ленты или тонкие кожаные ремешки, а от воротников пахло такими вкусными духами, что Елена Васильевна, всю жизнь свою чуткая к запахам, не могла порой сдержаться — и прятала лицо в пушистый мех. Расплата за прегрешение была невелика — шерстинки, застрявшие в ноздрях, и удивлённый взгляд Семёна, однажды заставшего француженку на «месте преступления»...

В «Париже» любили корпоративы, и это было понятно, ведь печаль поминальных обедов передаётся и обслуживающему персоналу: Эле и другим официанткам приходилось сновать по залу со скорбными лицами, ну и чаевых никто, в общем, не ждал. А на корпоративах было весело: конкурсы, розыгрыши, танцы, где сто, а где и пятьсот рублей на блюдце... Декабрь и март, Новый год и Женский день — два карнавальных месяца среди вечно постного «парижского» года. Но забывать о том, где «наша ниша», начальство не позволяло — у него был прикормленный люд в пяти похоронных агентствах и прямо сейчас окучивалось шестое.

Поминки, назначенные на 15 декабря, выглядели в списке «спецобслуживаний» белой вороной — и до, и после шли корпоративные вечеринки. Одну из них пришлось передвинуть, загасив недовольство *скидочкой* на спиртное.

В тот день Елена Васильевна пришла на работу вовремя. Сдержанно кивнула маме, отразившейся в зеркале, и заняла свой стул: позади неё, как железные зубы, сверкали пустые вешалки. С кухни тянуло блинами, а сравнение с зубами, как выяснилось ближе к вечеру, было провидческим.

— Слушайте, — Семён всегда так обращался к гардеробщице, и это её, в общем, устраивало. — У меня зуб разболелся! Сейчас позвонил в стоматологию, тут они, за углом, — сказали, примут с острой болью. Присмóтрите тут за всем, а?

Начальство Семён беспокоить не хотел — в последние дни Анна Петровна была целиком занята новым меню: захотелось внести в список привычных блюд что-то французское, соответствующее наименованию кафе. Начальству грезились европейские акценты, свежие ингредиенты и замысловатые названия блюд, вот только денег на всё это тратить категорически не хотелось — и это противоречие вынуждало изворотливый ум Анны Петровны метаться из стороны в сторону в поисках оптимального решения. Лезть к ней с больными зубами категорически не следовало — гардеробщица отлично справится, тем более сегодня поминки, хоронили пожилого мужчину, гости будут сидеть в зале смирные и грустные, никаких хлопот!

— Конечно, Семён! — сказала Елена Васильевна. — Вот только покурю, подождите минутку...

— Слушайте, спасибо, — расчувствовался Семён. — Должен буду!

Француженка вышла на улицу. Стемнело рано, был мороз, и пар изо рта вылетал даже у тех, кто не курит. Пешеходы бежали мимо кафе, закрывая носы варежками. Внутри тёмного джипа помаргивала красным огоньком сигнализация — как будто и там страстно затягивались сигаретой...

Елена Васильевна давно привыкла измерять время сигаретами — и, когда ей приходилось нарушать расписание, страдала как физически, так и душевно, что и произошло с ней ровно через два часа. Семён убежал в поликлинику, и с тех пор о нём ни слуху ни духу. Она маялась в своём гардеробе, как в клетке, проклиная день и час, когда вздумала устроиться на работу, — чего ей дома не сиделось, спрашивается? Все телесные потребности, какие у неё были, свелись к регулярным перекурам, и когда привычный график нарушался, француженка мучилась, как в те далёкие дни, когда юная Мамаева провожала её из школы к остановке...

Пытаясь отвлечься, вспомнила Мамаеву — пытливую троечницу, вырастившую из лживого корня прекрасное мощное дерево. Елена Васильевна не сомневалась, что в далёком настоящем Париже Леони и Мамаева живут на соседних улицах и, может быть, кивают друг другу при встречах. Леони, скорее всего, состарилась красиво — стройная, бледная, обязательно в перчатках и шляпке... Бывшие коллеги — математичка, историчка, географичка и даже знаменитая Ирина Альбертовна — выглядели в её фантазиях куда хуже, но в реальности те из них, кто остался жив, управлялись со своими преклонными годами умело, как с группой сложных подростков. Математичка была однажды в «Париже» на поминках по соседке, но, к счастью, не узнала Елену Васильевну в засохшей, как позабытое комнатное растение, гардеробщице. И та её не узнала, машинально вручив номерок в обмен на шубу из нутрии.

Семён всё не шёл, зато клиенты прибыли раньше времени. Топали ногами, сбивая снег. Бросали холодные шубы на перегородку. Елену Васильевну обдавало чужими запахами, Эля торопливо несла в залу водку на помин души.

Дублёнки, шубы, пуховики, пальто и куртки с подстёжкой — молчаливая гвардия, по которой встречают, затихли каждый на своём месте, пронумерованные и отдыхающие. От одних разило духами, от других несло табаком. Елена Васильевна разминала в пальцах сигарету, думая: а что, если выбежать на улицу буквально на секунду? Одна-две затяжки, и она вернётся к своей отаре мёртвых шкур... В зале было тихо, все слушали женщину, что говорила о покойнике со слезами в голосе: наверное, вдова. Проплыла Эля с рюмкой и кусочком чёрного хлеба — забыли поставить к портрету. Попросить Элю присмотреть за гардеробом? Нет, так нельзя, у каждого своя работа: Эля с другими официантками разносит горячие закуски, Семён в полуотключке лежит в зубоврачебном кресле, пока над его открытым ртом колдуют два специалиста.

Елена Васильевна зажмурилась от злости, готовая отдать за сигарету даже самую главную свою ценность — воспоминания. С годами они становились всё прекраснее — даже не верилось, что Елена Васильевна имела к ним какое-то отношение, а не читала всё это у классиков.

Когда она открыла глаза, перед ней стоял пожилой мужчина — невысокий, тщедушный, в хорошем, как ей показалось, костюме. Вот только галстук был немодный — вязаный. Такие носили в семидесятых.

— Простите великодушно, — сказал мужчина, — забыл сигареты в куртке.

Елена Васильевна протянула руку за номерком, перекинула через перегородку довольно старую куртку — и мужчина действительно выудил из кармана пачку сигарет. Что удивительно — дамских, лёгких, ещё и с ментолом. Француженка вздохнула — она согласилась бы сейчас даже на такую...

Мужчина вышел на морозный воздух, не забыв аккуратно притворить за собой дверь, чтобы не хлопнуло. И, кажется, всего через минуту вернулся, потирая озябшие руки.

— Ну и холодина сегодня! — дружелюбно заметил он. Руки у него, заметила Елена Васильевна, были красивыми — такие бывают у музыкантов и других асов тонкой работы.

Гость снова сдал ей куртку и вернулся в зал, но всего через полчаса вышел снова — уже с целой компанией курильщиков. На женских щеках расцвели винные розы, глаза блестели уже не только от слёз по ушедшему — жизнь продолжалась, Эля с коллегами готовилась разносить горячее, а Семёна отправили на рентген в другое здание.

Когда мужчина появился в гардеробе в пятый раз — и вновь в одиночестве, курить, счастливый, — француженка не выдержала и, стоило гостю вернуться с перекура, воскликнула:

— Да где же его носит?

— Это вы мне?

— Нет, извините.

— А что случилось?

— Курить хочу — умираю, вот что случилось... А гардероб оставить не на кого. Охранник у зубного.

— Что ж вы сразу не сказали! — улыбнулся мужчина, поглаживая длинными пальцами узел вязаного галстука. — Я присмотрю, без проблем. Курите на здоровье!

Может, и не на здоровье, но курила она в тот момент с наслаждением, вбирая отравленный дым и глядя на то, как мигает красная точка в чёрном джипе. А когда вернулась, мужчина уже снова был в верхней одежде — Елена Васильевна обратила внимание на то, что в куртке он выглядел значительно плотнее, чем в костюме. Покачал пластиковым пакетом перед носом гардеробщицы:

— С собой дали — водку, закуску... На поезд тороплюсь.

— Далеко едете? — спросила Елена Васильевна, и мужчина ответил:

— Ещё как далеко! В Хабаровск.

У француженки кольнуло в груди острой иголочкой — и одновременно прошлось быстрой волной по памяти... Зизя забывала пользоваться специальной швейной подушечкой и часто оставляла иглу в диванной спинке, а мать — втыкала себе в халат, на грудь, как если бы пристраивала туда ещё один, невидимый орден. Этот вежливый мужчина с красивыми пальцами вполне мог быть старшим братом Елены Васильевны — своих ровесников она, как все люди, угадывала безошибочно, но родственника узнать не смогла бы...

На прощанье «брат» спросил, что она читает, и Елена Васильевна сказала:

— О'Генри.

— О чём, о чём? — любезно переспросил гость, и француженка, стушевавшись, промямлила что-то себе под нос. «Брат», кивнув ещё раз, распрощался, и почти сразу же вернулся Семён — щека у бедного охранника распухла, ни говорить, ни даже курить он не мог, но всё же махнул Елене Васильевне рукой: спасибо!

Поминки закончились только к восьми часам. Гости, одеваясь, покидали «Париж», и, когда одна из молодых женщин подала номерок, француженка наткнулась взглядом на пустой металлический крючок с тем же номером. Ощущение было такое, будто этот крючок вошёл ей прямо в глаз — как подлещику. Елена Васильевна вспомнила пропавшую шубку — та была коротенькой, с поясом, цвет — как топлёное молоко, подёрнутое рыжей пенкой...

— Норка! Подарок мужа!

О покойнике все тут же позабыли — даже вдова утешала теперь жертву дерзкой кражи.

— А вы куда смотрели? — напустился на француженку «шубкин» муж, толстозадый брюнет с холодными глазками. — Зачем вы здесь сидите, для красоты, что ли? А вы? — это уже адресовалось Семёну, с трудом отображавшему реальность. — Чёрт знает что!

По лестнице стучали каблуки начальства — Анна Петровна безошибочно распознавала, плохой или хороший звучит в «Париже» шум. Ради хорошего она не стала бы отрываться от меню, над которым сидела вот уже битых три часа: но этот шум был несомненно плохим. Общий расстроенный гул...

Мизансцена, представшая перед Анной Петровной, выглядела многообещающе. Гардеробщица трясущейся рукой закрывает себе рот, как будто сдерживает слово, что рвётся наружу. Семён, опухший точно с перепоя, пытается вести беседу с напрыгивающим на него джентльменом, зад которого, невольно отметило начальство, напоминал спрятанный в штанах арбуз. Девушка в длинном платье рыдает в кресле, её утешает, судя по всему, вдова покойного. Вокруг — кордебалет гостей и хор официанток во главе с Элей. Ждали только дирижёра...

— Что случилось? — спросила Анна Петровна. Спрашивала она только потому, что людям нужно было дать выговориться, — а так-то она ещё на лестнице поняла, в чём здесь дело.

«Париж» впервые за всю его недолгую, но славную историю посетил кладбищенский вор.

6

Время вело себя с Еленой по-разному: то разгонялось, как на трассе, то — значительно чаще — еле перебирало ногами, словно ребёнок, отказывающийся идти в школу. Судьба, та была куда более последовательной и даже предсказуемой: упрямо предъявляла одни и те же метафоры, настаивала на совпадениях, тыкала носом в случайности... Очередная шуба вновь предъявила права на её свободу, вмешалась в судьбу и грозилась прописаться в воспоминаниях до смертного часа.

Слава Богу, что Анна Петровна, нужно отдать ей должное (а ей всегда возвращали должное — посмел бы кто не вернуть!), не стала запугивать француженку судом и следствием — материально ответственной гардеробщица не была, и предъявить ей счёт за утраченную клиентом собственность возможности не было. Начальство сделало только то, что ему оставалось, — уволило гардеробщицу Елену Васильевну Рябцеву и охранника Семёна Рудольфовича Градова в связи с полным несоответствием занимаемым должностям.

Собирая личные вещи — даже странно, как много их скопилось в «Париже» за несколько месяцев! — Елена Васильевна внимательно слушала официантку Элю. История о кладбищенском воре — это вам не байки из склепа или детские страшилки, но самая что ни на есть правдивая городская легенда, страшный сон похоронных контор и поминальных кафе.

Кладбищенский вор — это уродливый родственник вора свадебного, куда более мирного и симпатичного. Свадебный вор кормится чужим счастьем, получая от щедрости молодожёнов (а чаще — их родителей) богатое угощение, выпивку и немудрёную культурную программу (слайдовые презентации, танго в исполнении матери неве-

сты, романсы, которые поёт женщина с железными зубами и таким же в точности железным голосом, и так далее). Свадебный вор может прихва-
тить — по привычке, ставшей профессией, — что-то
из личных вещичек гостей, но никогда не станет
омрачать торжество серьёзным ограблением.
Внешность свадебного вора — такая же непример-
чательная, как и у кладбищенского, но у первого
лицо заточено под радость, лёгкую улыбку и слёзы
умиления, а на лице второго лежит печать сострадания и глубокое сочувствие. Свадебный вор —
скромный воробей, подбирающий крошки ро-
скошного торта, кладбищенский — безжалостный
стервятник, который преследует осиротевших
людей. И тот, и другой прибиваются к празднич-
ному или поминальному столу совершенно случайно, и если на свадьбе бывает уместно спросить: вы
со стороны жениха или невесты — то на похоронах таких вопросов не задают. Мало ли кто пришёл проститься, отдать последний долг, закрыть
глаза и тихо плакать? Поминки делаются для мёртвых, живые здесь всего лишь гости... И если даже
забрёл вдруг сюда посторонний человек, не имеющий отношения к усопшему, нужно его накормить
и налить ему рюмку — всё это соответствует народ-
ному кодексу, своду традиций и примет. Но если
посторонний человек живёт от одной поминаль-
ной трапезы до другой, а потом перестаёт доволь-
ствоваться подаянием, сдирая кожу с кормившей
руки, то это уже, конечно, никакой не добрый
странник, это и есть кладбищенский вор...

Анна Петровна, припудрив нос, давала интервью местным теленовостям. Рассказывала по
просьбе корреспондента, как всё произошло. Кор-

респондент сообщил работникам кафе, что в последние месяцы кладбищенский вор изрядно распоясался: в кафе на улице Викулова с поминок увели сумочку, в ресторане на улице Амундсена девушка осталась без сапог (почти новые были сапоги и очень дорогие, дизайнерские). Потом телекамера уставилась на Елену Васильевну, и той пришлось закончить свой последний рабочий день в кафе самым нелепейшим образом — предъявляя всей Свердловской области лицо безответственного сотрудника, из-за которого клиентка осталась без дорогостоящей шубы. Что-то она там такое вякнула в своё и Семёна оправдание, неубедительное даже для самой себя.

— Антиреклама — это самая лучшая реклама! — бодрилась Анна Петровна, пытаясь осознать, чем обернётся для «Парижа» происшествие с шубой. И так ведь кризис, дела идут плохо у всех, а тут ещё и такой урон репутации! Вполне возможно, что их вынесет из удобной, нагретой ниши, и придётся осваивать новую специализацию... Детские праздники? Дорого и невыгодно. Свадьбы? Конкуренция... Оставим Анну Петровну в размышлении о судьбах «Парижа» — она, будьте покойны, всплывёт на поверхность из самых тёмных глубин. Хотелось бы нам сказать то же самое о француженке!

Елена Васильевна ехала домой, прижимая к груди пакет с надписью *I love You* — каблук левой туфли прорвал пластик и целил ей прямо в сердце. Как будто её сердце могло ещё что-то почувствовать!

Дома она упала на кровать и хотела расплакаться — но у неё не получилось. Она никогда не была плаксивой, вот и теперь выдавила из себя лишь несколько слезинок. Уснула только под утро, но выспаться ей не удалось: в дверь колотили так, как обычно колотят люди, обременённые чувством собственной правоты.

Елена Васильевна открыла дверь, и перед нею предстал бывший охранник Семён (как выяснилось из приказа об увольнении — Рудольфович). Слегка нетрезвый и очень решительный. Отверг предложенные тапочки и прошествовал в кухню с таким видом, будто ходил по этому маршруту изо дня в день.

Француженка дрожащими руками заваривала чай — сначала хотела из пакетиков, потом достала припрятанный листовой с чабрецом и ещё какой-то эхинацеей. Семён придвинул к себе пепельницу:

— Слушайте, а вы помните, как он выглядел?

— Никогда не забуду, — поклялась Елена Васильевна. — Узнаю в толпе!

— Я тут с ребятами говорил, они могильщиками на Широкой Речке... Говорят, есть у них один такой кадр — пасётся рядом с храмом. Как отпевание закончится, так он и пристраивается, в автобус подсаживается, на поминки едет... Вот я и думаю: а что, если нам, слушайте, проверить?

— Можно и проверить, — согласилась француженка. — Но работу ведь нам всё равно не вернут...

— А я не из-за работы! — заявил Семён, глаза которого нехорошо сверкали (левый ещё и подёргивался). — Я из чувства принципа.

Француженка не слыхивала о таком чувстве, но побоялась говорить об этом бывшему охраннику — слишком уж целеустремлённым он выглядел.

— Поесть у вас нету? — спросил Семён, и Елена Васильевна, не готовившая для себя ничего серьёзнее яичницы и горячих бутербродов, начала вдруг метаться по кухне, сочиняя ужин. Семён терпеливо курил, потом попросил разрешения включить телевизор... Увидел бы их кто со стороны, решил бы, что взрослый сын зашёл поужинать к матери. Иллюзия семьи, которой у француженки никогда не было и теперь уже точно не будет, оказалась такой сладкой, что Елену Васильевну повело — голова закружилась от собственных скачков и пируэтов вокруг плиты.

Семён ел с удовольствием, хотя приготовлены были всё те же самые блюда — яичница с ломтями водянистого зимнего помидора и горячие бутерброды с сыром, сильно припахивающим коровой.

— Слушайте, вкусно, — признал Семён, промакивая губы салфеткой.

Француженка польщённо улыбнулась и предложила сварить кофе. От еды Семён подобрел и расслабился, и глаза теперь уже не сверкали, а как будто подёрнулись масляным блеском. Он даже завёл одну из своих историй, которые Елена Васильевна слышала ещё в сентябре, — с широким эпическим зачином и таким невзрачным финалом, что слушатель отказывался верить: неужели это всё?

Француженка достала из буфета красивые синие чашки с золотым орнаментом, унаследованные от прежних жильцов. А что, если рассказать ему мою историю? — мысль обожгла висок, как сильный спазм, и тут же сбежал кофе, лавой выплеснувшись на плиту. Елена Васильевна разлила по чашкам уцелевший после извержения напиток, села напротив гостя и улыбнулась ему, как будто и не мыслила минуту назад нарушить своё главное правило — никому не открывать правды о себе.

— Там в дверь звонят, — сказал вдруг Семён. Француженка встрепенулась — она не услышала звонка, хотя он был у неё довольно громкий и тембр имел неприятно-резкий, как у певицы с железными зубами, заслуженного работника культурно-массового сектора.

Елена Васильевна пошла в прихожую, и Семён зачем-то отправился следом — как телохранитель, готовый в любую минуту прикрыть своим телом тщедушную француженку.

За дверью обнаружилась женщина непостижимого возраста — ей могло быть от тридцати до пятидесяти. Шарф обвит вокруг шеи, как змея. Пальто, перчатки, сумка — как из журнала «Стиль жизни», который бесплатно оставляли в кафе рекламные агенты. Кончик носа покраснел — на улице мороз, а гостья почему-то без шапки.

— Елена Васильевна! — закричала женщина и тут же стремительно превратилась в школьницу Мамаеву. Ведь это просто чудо, что я вас увидела в новостях! Я вас искала на Интернете — на «Фейсбуке», в «Одноклассниках», повсюду, но вас нигде нет!

— В «Одноклассниках» даже я есть, — скромно ввернул Семён, с одобрением разглядывающий крепкий бюст бывшей школьницы.

«На Интернете» резануло слух — что ж, нельзя прожить в Париже столько лет и не упустить из виду изменений в родном языке...

Мамаева распространилась по всей квартире: сапоги лежали в прихожей, пальто — на спинке стула в комнате, а сама она плюхнулась на табурет и с удовольствием закурила.

— Я к матери приехала, — рассказывала она, держа сигарету на расстоянии от своих пышных волос, — а она у меня смотрит новости каждый час. И тут вдруг вы! Гардеробщицей! В кафе «Париж»! Я сразу туда поехала, и официантка дала мне ваш адрес. Такая приятная женщина, но слегка переупотребляет мейк-апом.

— Злоупотребляет, — поправила Елена Васильевна.

— Пусть так, — Мамаева влюблённо разглядывала обожаемую учительницу. Встречая людей из далёкого прошлого, мы только в первую минуту замечаем, как сильно они изменились, а потом воспоминания побеждают реальность, и нынешняя Мамаева, крепко стоящая на ногах парижанка, вновь превращается в сутулую троечницу, очарованную московской учительницей. А худенькая старушка становится коротко стриженной дамой, загадочной и странной Еленой Васильевной...

Мамаева была не из тех эмигрантов, что считают свой отъезд из России главным жизненным достижением, а все прочие успехи числят по разделу бонусов. Она полюбила вначале свою учительницу, затем — французский язык, и только потом — страну, где прожила уже большую часть жизни. Все эти годы Мамаева скучала по родному городу, русскому языку, чусовскому хлебу и огурцам бочкового засола — и тратила на дорогие поездки в Екатеринбург те деньги, которые можно было обратить в морской отдых или новый гардероб. В Екатеринбурге жила мама, так и не пожелавшая оставить квартиру на улице Пальмиро Тольятти и переехать к дочери в Париж. Здесь, как в консервной банке, было надёжно спрятано угрюмое детство Мамаевой, тайный источник её сил и неиссякаемой радости жизни. Она всякий раз возвращалась в Европу обновлённой, готовой к испытаниям и разочарованиям, которых, не сомневайтесь, хватает везде. Ведь даже если ты каждый день проходишь мимо Эйфелевой башни и моста Бир-Хаким, это не сделает тебя счастливой.

— Замуж я так и не вышла, — сообщила Мамаева, и Семён слегка встрепенулся, даже как будто бы пошёл рябью, как озёрная гладь на рассвете.

— Ещё не поздно! — сказала Елена Васильевна, но Мамаева решительно покачала головой. Она рассказывала о работе (стала синхронистом, а это высшая каста переводчиков), о затяжном романе с американцем и о том, что никак не убедит маму решиться на переезд — а француженка тем временем готовила новую порцию горячих бутербродов. Ей вдруг показалось, что за столом сидит семья — сын и дочь или, возможно, дочь с мужем, или, например, сын с невестой. Елена Васильевна была согласна на любой из этих вариантов. Она захмелела от приступа счастья — неожиданного и нелепого, особенно если вспомнить о том, что случилось на днях.

Из тряпичной сумки, украшенной призывом к экологически чистой жизни, Мамаева достала дары для учительницы — шёлковый разноцветный шарф, браслет и ещё что-то насколько изысканное, настолько же и не подходящее Елене Васильевне. Кольнула мысль, что эти подарки могла бы выбрать Леони: шарф, браслет и что-то изысканное приходились родными внуками московской шубке, тихо доживавшей свои дни в чужом шкафу.

— А вы-то как, Елена Васильевна? — спросила Мамаева, почувствовав, что слишком долго говорит о себе. — Что теперь будете делать?

— Ловить преступника, — ответил за учительницу Семён.

Мамаева сказала, что поедет на кладбище вместе с ними, — ей как раз нужно навестить могилу отца. Машину ей даст подруга, так что пусть Елена Васильевна и... Семён, правильно? — ждут её завтра к десяти.

— Отлично, — ликовал Семён, — значит, мы теперь с транспортом. Мужики сказали, завтра в одиннадцать — первое отпевание. Ворюга-то наш совсем обленился в последнее время — если нет отпеваний, зря не ходит. Звонит, видать, в церковь заранее...

Разошлись гости поздно, но француженка долго не могла уснуть — то жарко ей было, то холодно, то в затылке стучало, то в груди кололо. Она искренне старалась вызвать у себя чувство ненависти к вору, лишившему молодую женщину красивой шубки, «Париж» — репутации, а их с Семёном — работы, но почему-то не могла на него рассердиться. Эта история с ограблением вдруг придала бесцветной жизни Елены Васильевны если не радужную окраску, так хотя бы некий смысл. Не будь этого — Семён не пришёл бы к ней в гости, а Мамаева не увидела бы Елену Васильевну в новостях.

Она уснула глубокой ночью и видела во сне, как живые шубы разгуливают по кладбищу на тонких журавлиных ногах.

7

Семён проживал в доме по улице Ухтомской — отсюда было рукой подать до кладбища, если кто-нибудь захотел бы, конечно, простирать туда руку. Договорились, что он будет ждать Мамаеву с француженкой ровно в пол-одиннадцатого у главного входа в обитель скорби.

Мамаева оказалась по-европейски точной — Елена Васильевна еле успела собраться (взяла с собой бутерброды — вдруг *дети* проголодаются — и старый термос, из которого почему-то пахло сушёными грибами, пока она не налила туда крепкий чай с сахаром), как под окном появился обещанный автомобиль. Кем бы ни была щедрая подруга Мамаевой, религиозные взгляды у неё были на редкость широкие — на панельке рядом с радио крепилась православная иконка, с зеркала свисал на шнурке «глаз Фатимы», а в держателе для стаканчиков, куда Елена Васильевна по чистой случайности сунула ладонь, обнаружилась фигурка Будды. Мамаева пристегнулась — и они помчались через весь город. Елена Васильевна еле успевала рассказывать о том, как изменился Екатеринбург, — стоило ей показать за окном приметное здание, как оно тут же скрывалось из виду: водила Мамаева совершенно не по-европейски: гнала так, будто скрывалась от преступников.

Между улицей Ухтомской, где обитал Семён, и кладбищем располагался сравнительно новый торговый центр под названием «Радуга». На фоне чёрных сосен погоста истошно-яркие цвета этого здания выглядели так абсурдно, что Мамаева поморщилась, как будто налетела на это зрелище не взглядом, а глазом.

Небо сегодня было тяжёлым и ноздревато-серым, как бетон. Елена Васильевна не сомневалась в том, что у неё подскочило давление: в затылке стучало и жгло. Экуменистическая машина, управляемая железной рукой Мамаевой, с трудом передвигалась в плотном потоке «ашанцев» — любителей выгадать несколько сотен рублей в известном продуктовом магазине, где бабушки с тележками привидениями бродят от полки к полке... Водители-«ашанцы» оставляли кладбище по левую руку, держа курс на главный торговый центр, осенявший район немеркнущим светом ламп дневного освещения. «МЕГА», «ИКЕА», «ОБИ» и «АШАН» — то были имена новых свердловских богов, конкурировать с которыми могли только лишь обладатели поистине радужного оптимизма.

Мамаева въехала на парковку кладбища и не без шика затормозила прямо напротив лавочки, торговавшей искусственными цветами. Всё, что природа создавала с деликатностью и вкусом, пародировалось здесь без тени жалости: раздирающе-красные розы и ядовито-синие колокольчики продавались поштучно, а безымянная цветочная мелочь шла пучками, как зелень. Похоронные венки напоминали щиты средневековых рыцарей. Когда вышли из машины, к ногам Елены Васильевны подбежало целое собачье семейство, учуявшее бутерброды, а от ворот махал рукой Семён, приодетый в новое пальто: заезжайте сюда, я договорился с мужиками! Мамаева снова села за руль, и ворота действительно открылись — за машиной следил один из местных пожилых работников, обладатель таких ярко-синих глаз, какие редко сохраняются у стариков. Глаза, как и чернила, и чувства, со временем выцветают — но этому человеку, возможно, в порядке исключения или как награда за страдания, досталась вечная материя. Елена Васильевна встретилась взглядом с этой небесной синевой и подумала: хорошо бы он смотрел на меня вечно. И ещё она подумала, что человек с такими глазами не может стать преступником — эту примету не спрячешь.

Семён звал синеглазого могильщика запросто — Коля. На кладбище излишняя вежливость отмирает сама собой, как и чужие достижения, перестающие быть ценными. Машину они оставили на боковой дорожке, и Мамаева проверила сигнализацию, дёрнув за ручку дверь. Храм стоял прямо перед ними — новостройка, напоминающая шахматную ладью или замок из парка развлечений. Кругом аккуратно расставлены образцы надгробных памятников, скульптурные ангелы и скорбящие длинноногие девы. Шли гуськом: впереди Семён (тоже без шапки, а уши-то уже красные, как бы не отморозил!), за ним Мамаева в утеплённом пальто из болоньи, и, замыкающей, Елена Васильевна с брякающим в сумке термосом.

Поминальная служба ещё не началась, а француженка уже заприметила вора — он стоял в ногах покойника и скорбел за десятерых. Елена Васильевна испугалась, что похититель шубы узнает её — как же она не подумала о том, чтобы изменить свою внешность! Но вор не отрываясь смотрел на покойника, у которого на расстоянии были видны только нос и ноги, — и мелко кивал, прощаясь навсегда.

Француженка юркнула за спину Семёна и дёрнула его за рукав.

Началось отпевание. Покойная оказалась одного года с Еленой Васильевной, и в этом был печальный смысл. Суровый ликом батюшка прочёл и пропел все необходимые слова, после чего, как опытный лектор, выбрал среди присутствующих отдельное лицо — Мамаеву — и прочёл проповедь, не сводя с неё глаз. Мамаева заметно выделялась среди толпы, в ней чувствовалась детская открытость европейцев, которые, в отличие от нас, не живут в ожидании пинка или обмана, но просто — живут.

Гроб закрыли, толпа вытекала из церкви и разливалась по кладбищу — Елену Васильевну удивило, что к могиле пошли далеко не все. Земля, лежавшая рядом с прямоугольной ямой, была здесь песочно-жёлтой. Многие плакали. Маленький мальчик повторял, не понимая, что происходит: «А где бабушка?», и высокая женщина терпеливо гладила его по голове.

Елена Васильевна вспомнила похороны своей матери и тётки и подумала, что саму её, скорее всего, зароют здесь, на Широкореченском кладбище; единственный вопрос — под сосной или берёзой? Неизвестной им женщине досталась сосна.

Вор стоял чуть вдалеке от близких родственников и тоже был без шапки, хотя пошёл сильный снег. Француженка вздрогнула: а что, если он действительно хоронит близкого человека? И у преступников такие есть... Он одним из последних бросил горсть земли на крышку гроба.

Когда всех пригласили проследовать к автобусу, вор с облегчением надел шапку и пошёл по дорожке к воротам. Так и простудиться недолго, зимой работать хуже не придумаешь... Промёрз до самых костей! Он сунул руки в карманы, когда с ним поравнялась машина, за рулём — симпатичная женщина. Открылось окно:

— Вы ведь тоже на поминки по Лидии Павловне? Садитесь, подвезу!

Вор был отменным психологом и считывал людскую натуру с первой же минуты знакомства. Вот и сейчас внутри его что-то дёрнулось, предупреждая: не надо, не садись, — но он замёрз, а в машине было тепло и женщина смотрела так приветливо...

Задние окна автомобиля затемнены, на пассажирском сиденье справа никого нет.

— Ну так что? Поедете?

Женщина слегка нахмурилась, и вор испугался, что она сейчас уедет, а ему придётся трястись в автобусе вместе с незнакомыми заплаканными людьми, и до парковки ещё так далеко...

Он открыл дверь и отпрянул — но мужчина, сидевший сзади, успел втащить его в машину за руки, водительница заблокировала двери, а через минуту на пассажирское сиденье плюхнулась старуха-гардеробщица из кафе «Париж», где он на днях взял отличную шубу — жаль, что пришлось продать её по дешёвке.

Вор считал свою деятельность не преступной, а, скорее, промысловой — он добывал чужие ценности, как охотник добывает дичь. Но он никогда не становился дичью сам! В «Париж», например, он приехал с другого кладбища — строго следил за тем, чтобы не повторяться и не примелькаться в храмах. Всегда заранее звонил, чтобы узнать распорядок церковных служб. Менял, по возможности, внешность — усов, конечно, не приклеивал, а вот очки порою надевал... Мужчина, державший его за руки в буквальном смысле слова одной левой, вытащил из кармана наручники.

— Мне вот интересно знать, а что вы сделали с той шубой? — вежливо спросила гардеробщица.

Вору было интересно знать, что они сделают с ним. Отпираться здесь — дело пустое. Старуха вытащила из сумки термос, налила в кружку дымящийся чай и поднесла к губам вора бережно, как будто поила любимого внука (хотя они, похоже, были ровесниками).

— Есть хотите?

Он кивнул — с утра не поел из экономии, да и времени не было, а поминальный стол с блинами и кутьей был теперь для него таким же недоступным, как свободное передвижение.

— Мы что, его кормить будем? — возмутилась Мамаева. Она была до краёв полна мстительным чувством, — в европейской жизни таким можно было разжиться разве что в кино.

— А куда деваться? — сказала учительница, разворачивая свёрток из фольги. Мамаева и Семён взяли себе по бутерброду, вора Елена Васильевна покормила из рук. Потом отряхнула руки от крошек — как от мела у школьной доски.

По дороге в полицию они обогнали поминальный автобус — водитель автобуса счёл этот поступок бестактным.

8

Учителя иностранных языков не обязаны бывать там, где говорят на иностранных языках. Эта мысль никогда не дошла бы до Мамаевой, как не доходит сложный оборот до переутомлённого студента. Француженка так точно описывала далёкий город, что Мамаева, очутившись здесь спустя несколько лет, узнавала его улицы, фонтаны и памятники, красные ромбы табачных лавок и зелёные стулья в садах... Как же, наверное, Лена-Вася мечтала о Париже все эти годы, заживо похороненная в Свердловске (Мамаева так и не смогла привыкнуть называть родной город другим именем)!

— Обязательно приезжайте ко мне в мае! Или в сентябре. Только предупредите заранее, чтобы я была свободна и смогла вас принять.

Мамаева довела Лену-Васю до зоны вылета — и махала рукой, удивляясь самой себе, почему она плачет, если всё прошло замечательно и в следующем году они, Бог даст, увидятся в Париже.

Кладбищенского вора приняли в полиции с распростёртыми объятьями — Елена Васильевна с Семёном дали свидетельские показания, и в тот же день на квартире вора провели обыск. Там обнаружилось много интересного, в том числе три норковых женских шубки (одна — довольно поношенная и даже с дырой в кармане), сумки, кошельки, документы, наличные... Одежду из кафе вор выносил одним и тем же способом — надевал на себя, под безразмерную куртку: это, конечно, слегка ограничивало выбор, длинную шубу так не унесёшь, но длинную и продать сложнее.

Семён попросил у Мамаевой номер телефона, она дала неправильный — охранник ей не нравился, да и жил далековато от Парижа... Проводив Лену-Васю в аэропорт, Мамаева ощутила, что сыта впечатлениями и готова возвращаться в Европу, чтобы тратить накопленные на Родине силы в ежедневной борьбе за право жить в лучшем городе мира. Хватит их примерно на год, а потом она приедет снова.

Директор кафе «Париж» Анна Петровна сочиняла «отзывы посетителей» для странички ресторанного сайта: «В кафе нас покормили очень вкусно, мясо *таило* во рту». Если хочешь, чтобы дело было сделано хорошо, надо всё делать самой!

Бывшая физичка подобрала на улице кошку — симпатичную трёхцветку, похожую на лоскутное одеяло. По утрам кошка приходила в кровать как по часам и трогала учительницу за нос мягкой лапкой. Других новостей у физички не имелось.

Леони вот уже десять лет как не было на свете — она умерла в Марокко, во время отпуска, от аневризмы головного мозга.

Елена Васильевна вместе с другими пассажирами ждала посадки на рейс до Москвы — выход 13, место 9F. В Москве она первым делом пойдёт на кладбище, к матери и Зизе, а потом — посмотрим. Теперь она не боялась ни Москвы, ни своего прошлого, и очень хотела навестить тётку и мать.

Старую шубку, подаренную француженке в другом аэропорту другого века, она отнесла вчера в театр на проспекте Ленина — где-то прочитала о том, что костюмы для артистов здесь подбирают на вещевых рынках.

Директор театра, весёлый человек с печальными глазами, восторгался:

— Где вы такое откопали?

Елена Васильевна в последний раз провела пальцем по старому, устало бликующему меху.

И вот так они простились навсегда.

Лолотта
повесть

– Мало ли на свете людей, похожих друг на друга.
– Да, но есть лица, которые никогда не забываются.

Эрих Мария Ремарк

1

Она пришла ко мне в среду, девятнадцатого января. Днём раньше я записал её по телефону — на три часа, перед Игорем. (После я стараюсь никого больше не принимать; во всяком случае, никого серьёзного.) Новую пациентку ко мне направила Лидия — и просила проявить особое внимание. Лидия — из той породы людей, которые делают всё исключительно по знакомству. Им даже в голову не придёт обратиться к человеку, номер которого не сохранён в телефоне — зачем, если для всего найдётся знакомый профессионал: слесарь, репетитор или, не допусти Господи, онколог? Однажды я отвозил телефон Лидии в ремонт и случайно заглянул в список контактов. Там были диковинные имена — Маша Ногти, Эля Ресницы, Света Эпиляция, Галина Наращивание, Владимир Плитка, Игорь Слесарь, Вадим Роутер, Иван Геннадьевич Лор, Сергей Петрович Виза и, конечно, я — Михаил Психолог.

— Михаил, к тебе придёт девочка от меня, — сказала Лидия. — Там ерунда какая-то, но человек переживает. Прояви, пожалуйста, особое внимание. За мной, ты знаешь, не заржавеет.

(За ней никогда не ржавеет — что правда, то правда.)

Я только что нашёл ту старую запись в ежедневнике: «Д. от Лидии — 15:00».

Пациентка вошла в кабинет и плотно прикрыла дверь:

— У вас всегда так шумно?

Я объяснил, что по средам в поликлинике работает транспортная медицинская комиссия — десятки автолюбителей носятся из кабинета в кабинет и создают этот шум. Психолога в списке обязательных специалистов нет, зато в нём есть психиатр и нарколог, две барышни. Поначалу я пытался с ними общаться, как-никак, коллеги. У барышень был общий кабинет, и стул для пациента стоял на заметном удалении от стола — ну я и пошутил: дескать, это чтобы не бросились? Ни та, ни другая даже не подумали улыбнуться, хотя перед этим я слышал, как они хихикали над несмешным анекдотом хирурга. Женщины всегда снисходительны к высоким и красивым мужчинам, а наш хирург, в отличие от меня, именно таков.

Разумеется, обо всём этом я уже не стал рассказывать девочке от Лидии, а просто объяснил, что нам придётся потерпеть — мимо кабинета ещё часа два будут бегать туда-сюда взволнованные автолюбители.

Она вдруг выпалила:

— Зря я к вам пришла!

Начало традиционное, можно сказать, классическое.

— Как вас зовут? — спросил я. Мне показалось, что ей подходит имя Анна, но угадал я только начальную букву имени. Её звали Алия. Удивительно, что я не почуял восточную кровь, — в извинение своей ненаблюдательности могу сказать, что кровь эта была значительно разбавлена среднеевропейской. Глаза тёмные, но не чёрные, а зелёные. Лицо приятной формы, жаль, подбородок чуточку длинноват. Под левым глазом — небольшой розовый шрам. Симпатичная женщина моих лет, но ничего особо выдающегося в этой Алии я не заметил. Разве что нервничала она не в пример сильнее других женщин, посещавших кабинет Михаила Психолога. Даже пот на лбу выступил.

— Кем вы работаете, Алия?

Она испугалась:

— А это ещё зачем? Лидия сказала, вы анонимно принимаете...

— Конечно! Но мы должны с чего-то начать.

Она помолчала несколько секунд, а потом заявила с каким-то вызовом:

— Я нянечка в богатом доме.

Честно сказать, я ожидал другого ответа. Алия засмеялась:

— А вы думали, я *руководитель проектов*?

Видимо, руководителем проектов работал кто-то из её близких — возможно, подруга, которой Алия всю свою жизнь завидует. Или, например, мамаша того ребёнка, с которым её наняли возиться.

— Зря вы так, — осудила мои мысли Алия. — Я люблю малышей. Моя-то давно уже выросла, самостоятельная...

Заговорив о дочери, она сразу же успокоилась — как будто кто-то протёр ей лицо чистой салфеткой. Рассказала, что Мира окончила школу с золотой медалью, институт в Москве — с красным дипломом. Работает, купила квартиру. Ясно, что проблема, которую Алия мне принесла, но никак не решается предъявить, не связана с дочерью.

Я мельком глянул на часы, но Алия это заметила и тут же вскочила на ноги:

— Я же говорю, зря это всё! Вам, тем более, некогда.

— Нет-нет, что вы! Просто у меня после вас очень сложный пациент. Но у нас есть ещё время, Алия! Не уходите!

Она снова села, суставы в коленях громко хрустнули. Я тут же вспомнил Игоря, который дёргает себя за пальцы вначале правой, потом левой руки. Выдёргивает каждый палец, чтобы щёлкнуло, и так — каждую нашу встречу. Кроме того, Игорь постоянно чешет нос и подмигивает, как будто намекает на тайну. Я терпеливо переношу всё, что он делает, — особенно после того, как увидел однажды себя по телевизору. Та же Лидия сосватала меня поучаствовать в телепередаче, посвящённой наркозависимости, — вместе с двумя представителями городской администрации, которые бесконечно долго отчитывались перед ведущим в проделанной работе по борьбе с *наркоманией*. Когда я увидел себя на экране, то выяснил, что в паузах между разговорами я жую изнутри свои губы — и это заметно каждому. Так что пусть Игорь сколько угодно дёргает себя за пальцы и подмигивает — не мне делать ему замечания.

Психологи не должны учить и давать советы — для этого у людей есть семья.

— Вы замужем? — спросил я.

— Развелась. — Алия сказала это без всякого вызова, но с тяжёлой точкой в конце — такая сойдёт за чугунное пушечное ядро, из тех, что лежат перед военно-морскими музеями.

Как будто решившись, пациентка вынула из сумки сложенный вчетверо листок и протянула мне.

— Вы верите, что мы живём не один раз? — спросила она.

Я не успел ни ответить, ни развернуть листок, вырванный, судя по всему, из старого журнала, потому что в кабинет, который мы забыли закрыть изнутри (Алия — потому что не знала, а я — потому что рассеянный идиот, который вечно всё забывает), ворвалась решительная сорокалетняя блондинка с обходным листом.

— Здрасьте, это вы психиатр? — блондинка улыбалась, как женщина, привыкшая к восхищению.

— Вам нужно в соседний кабинет, — сказал я. Улыбка тут же исчезла, но хозяйка исчезать не спешила. Она скрылась только наполовину, сверяя табличку на двери с моими словами. Убедившись, что я действительно психотерапевт, а не психиатр, блондинка чертыхнулась и отбыла восвояси. Извиняться за всю свою долгую красивую жизнь она так и не выучилась.

Алия улыбнулась и стала вдруг совсем молодой. У неё была редкая, неяркая красота — она то появлялась, то исчезала. На женщин с такими лицами можно смотреть подолгу — не надоест.

— Вы спросили, верю ли я в реинкарнацию. — Я говорил быстро, потому что Игорь и его мама уже наверняка сидели под дверью. — Если коротко, то нет. Но вообще здесь должен быть подробный ответ, а времени уже почти не осталось. Сможете прийти к трём часам в пятницу?

Я говорил всё это, а сам машинально разворачивал журнальную вырезку — и, когда увидел наконец то, что там было напечатано, замолчал. Алия следила за мной с явным удовольствием.

— Можно мне оставить это у себя до пятницы?

Она разрешила.

И сразу же после того, как Алия закрыла за собой дверь, в кабинет вошёл Игорь.

2

Игорь достался мне по наследству от психолога и психиатра Евгения Алексеевича, с которым мы пару лет назад проводили совместные тренинги.

— Он уже не ребёнок, — сказал тогда Евгений Алексеевич и так энергично стал при этом потирать себе переносицу, что я заподозрил подвох. — Мне иногда кажется, Миша, что он никогда и не был ребёнком, хотя я наблюдаю его с пяти лет.

Ирина Викторовна, мама Игоря, была очень недовольна тем, что Евгений Алексеевич передал вдруг мальчика другому специалисту — она боялась, что я разрушу хрупкие (весьма хрупкие) достижения коллеги. Но Евгений Алексеевич уже просто не мог больше работать с Игорем — не мог и не хотел. Игорь выпивал людей до дна: при знакомстве выяснял, куда бить, а после этого наносил удар за ударом — и все в область души. Мальчик вполне справедливо считал, что хоть все люди и разные, чувства у них — одинаковые. И что единственное исключение здесь — сам Игорь. Наблюдательный, умный — и при этом инфантильный, беспомощный. За шестьдесят минут консультации я поначалу выматывался так, будто отпахал целую смену в кочегарке (а я работал в кочегарке в юности, так что говорю это со знанием предмета речи). Минуты ползли так же медленно, как это бывает в аэропорту, когда ваш рейс задерживается на несколько часов, а вы об этом только что узнали.

Когда пятилетнего Игоря впервые привели к Евгению Алексеевичу, он предложил ему цветовой тест Люшера — выдал пачку ярких карточек и попросил выбрать те, которые понравятся. Стандартный тест, не вызывающий затруднений ни у взрослого, ни у ребёнка; но это был Игорь, не-взрослый-не-ребёнок. Он спрятал стопку разноцветных карточек где-то на книжных полках, когда Евгений Алексеевич отвлёкся на телефонный звонок.

— Тогда я по-настоящему на него разозлился! — признался старик. — А он был радёхонек! Будто я ему подарок сделал.

Игорь любит, когда окружающие выдают именно те реакции, которых он ждёт. Я это понял быстро, Игорь это почувствовал и тут же изменил правила игры.

Он с трудом учится в школе, одноклассники его не любят, учителя не выносят, а самый главный враг мальчика — его родной отец. В прошлом году я решился ему позвонить, уговаривал прийти на консультацию хотя бы один раз, но он буркнул в трубку: «Мне есть чем заняться и без этой фигни». Игорь рассказывал, что папа проводит много времени в спортзале и ежедневно выпивает по два с половиной литра воды. Но, зная Игоря, я могу предположить, что это не совсем точный портрет.

Сегодня мальчик не настроен общаться — садится в свой угол дивана и вздыхает. Очень бледный, под носом пробиваются усики, пальцы вздрагивают. Предлагает:

— Давайте сегодня о вас поговорим.

Иногда я соглашаюсь поменяться ролями. Как будто это Игорь — психолог, а я — пациент. В таких случаях я чаще всего придумываю себе «проблемы», но, бывает, и проговариваюсь. Вот и сегодня — возможно, из-за Алии, затронувшей во мне то, что давно не болело и вдруг ударило изнутри, — я заговорил о моей бывшей жене. Вспомнил какие-то истории из нашей прошлой жизни. Например, моя жена плохо знала географию и считала, что Непал находится в Африке, а ещё она не могла понять, где расположен запад, а где — восток. Жена заменяла понятия «восток» и «запад» словами «справа» и «слева», и меня это всегда умиляло, как и то, что если она рассказывала о каком-то месте вблизи от нашего дома, то обязательно указывала рукой в противоположную сторону.

— Какая-то она была у вас не очень умная, Михал Юрьевич, — заметил Игорь.

Я сказал: отнюдь. У моей жены было два высших образования и кандидатская степень; кроме того, она постоянно посещала тренинги, семинары, учёбу. По пути на работу слушала познавательные книги и очень боялась остаться наедине с собой — а с некоторых пор и со мной. Об этом я Игорю уже, конечно, не рассказал, тем более что он вдруг заплакал — иногда с ним такое случалось. Порой это были искренние слезы, а порой — особый приём, чтобы проверить реакцию окружающих. На сей раз — нечто среднее.

Сегодня Игорю не хочется рассказывать об отце — видимо, у них совсем всё плохо. Сидит, дёргает себя за пальцы — вначале правая рука, потом левая. Успокаивается.

— А где сейчас ваша жена? — спросил Игорь. Я сказал, что она живёт с другим человеком, потому что мы давно развелись. И подумал, что на память о ней мне не осталось ничего, кроме тех историй из прошлого, когда она путала запад с востоком, а север — с югом.

— В Пермском крае есть речка Северный Юг, — сказал Игорь. — Кстати, вы тоже считаете, что те, кто верит в Бога, — идиоты? Ну, или не очень здоровые люди?

Слово «кстати» Игорь использует не так как все — для него это нечто вроде булавки, которой можно подколоть одну тему к другой. И себя он, разумеется, считает абсолютно здоровым — впрочем, это как раз таки обычное дело. Ко мне лет пять ходила девушка, у которой были серьёзное заболевание почек и аменорея, — она любила порассуждать о том, как станет воспитывать своих детей, и никто не решился бы сказать в ответ, что детей у неё никогда не будет. Она-то считала себя здоровой.

— Я так не думаю, Игорь. Ты разве не веришь во что-нибудь такое... в переселение душ?

Он сморщился от жалости ко мне.

— От вас я такого не ожидал.

Я и сам не ожидал — никогда не был чрезмерно внушаемым и не признавал слепой веры, тогда как жена моя, начав ходить в церковь, изменилась полностью. В буквальном смысле слова родился другой человек — не ребёнок, как у других пар, а верующая женщина. Меня она не агитировала, но, когда рассказывала о молитвенных подвигах, святых мощах и крестных ходах, в голосе её звучало ожидание, а после — осуждение.

Я не был внушаемым, но вдруг начал говорить о переселении душ — да ещё с Игорем? С самым сложным моим пациентом, о котором я не забываю даже ночью — во многих моих снах мы продолжаем разговаривать, а иногда мне снится, что Игорь падает откуда-то с крыши, и я успеваю его поймать, но потом он снова ускользает из моих рук, оборачиваясь грудным младенцем.

К счастью, время вышло, Игорь, сгорбившись, как старый невролог из кабинета напротив, идёт к дверям. Через секунду в кабинет зайдёт Ирина Викторовна — с купюрой, свёрнутой стыдливым рулетиком.

— В следующий раз *как обычно?*

Дежурные слова вдруг кажутся мне горькими. Я мало о чём мечтаю так же часто, как о нормальной жизни для Игоря — такой, чтобы была как обычно. Физически он здоров, и психиатр не нашёл отклонений — но душа Игоря хрупка, как роза пустыни, да простится мне этот поэтический образ, вывезенный из турпоездки в Сахару. Чтобы не сломаться самому, Игорь крушит своих близких. Красивое этот мальчик считает уродливым, зато уродливому поклоняется от всей души. Не Игорь, а Кай из сказки: в глазах — осколки зеркала злого Тролля.

Я пытаюсь извлечь эти осколки, но они рассыпаны в мелкую соль.

3

Когда моя жена убедилась в том, что я никогда не стану религиозным человеком, она ушла — и стала моей бывшей женой. Вопрос веры определил и её, и мою жизнь. Церковь не благословляет разводы, но в особых случаях идёт навстречу верующим. Моя бывшая жена быстро нашла себе нового мужа, с которым они совершают паломничества и замаливают грехи (в том числе, разумеется, мои грехи — тяжёлые, вонючие, окостеневшие, как заношенные портки). Господь, как сообщила при случайной встрече бывшая тёща, благословил их сыном. Я видел его однажды — в мягких складочках младенческого тела скрывалась верёвочка с нательным крестиком... В тех статьях о реинкарнации, которые я нашёл сегодня вечером в Интернете, было много слов о младенцах, родившихся с отметинами на теле. Чаще всего это случается в Индии — стране, где никто не сомневается в том, что души путешествуют от тела к телу. Индусы замечают странные родимые пятна, повторяющие следы от пуль, — и узнают место прежнего обитания новой души. Я рассматривал фотографии детей, родившихся без пальчиков — потому что они лишились их в прошлой жизни, а потом развернул вырванную из журнала репродукцию.

Журнал «Крестьянка». 1989 год. Женский портрет — «Лолотта, или Женщина в ожерелье», художник А. Модильяни, 1916. Чикаго, Институт искусств.

Рыжая девушка с покатыми плечами. Курносый нос, подбородок вытянут и заострён. Карие глаза, под левым — небольшая родинка. Ожерелье на длинной шее, под ним ещё одна цепочка — судя по тому, что она спрятана под платьем, там нательный крест. Руки крепко сцеплены в замок — так Лолотта удерживает себя на месте: по наклону головы и взгляду чувствуется, что она устала позировать. Ничего похожего на улыбку, губы сжаты крепко и, пожалуй, раздражённо.

Кажется, я знаю, что сказать Алии в нашу следующую встречу.

Я не верю в то, что души перепрыгивают из одного тела в другое, как из поезда в поезд, но я никогда не сомневался в том, что у каждого из нас есть двойник.

Своего я встречал в молодости чуть ли не каждую неделю. Он был старше лет на десять, но мы походили друг на друга так, что оба всякий раз вздрагивали при встрече. Это и вправду очень странно — внезапно наткнуться на зеркало.

Моя жена настаивала на знакомстве: вдруг мы родственники? Дальние? Близкие? Вдруг у моего отца была когда-то другая семья или какая-то женщина родила от него сына? Жена почти уговорила меня подойти к двойнику, но тот вдруг перестал мне встречаться. Зеркало исчезло — возможно, он умер или уехал жить в другое место, где никто на него не похож.

В пятницу Алия выглядела не такой скованной, как в прошлый раз. На ней была красивая блуза с вышивкой, на шее — ожерелье, а на правой руке — тяжёлый с виду браслет. Она улыбалась сжатыми, как у Лолотты, губами и походила на неё так точно, что мне захотелось ещё раз взглянуть на репродукцию. Хорошо, что я успел сделать себе копию.

— Двойник? — переспросила Алия. — Не думаю. Я ведь ещё не обо всём вам рассказала.

Она повернулась так резко, что ожерелье съехало с шеи набок, и мне захотелось его поправить. Кожа её была смуглой, матовой, без единой родинки. Даже самый наблюдательный индус не нашел бы ни одного свидетельства из прошлого — следы от пуль, ожогов и рваных ран отсутствовали. Вот только этот маленький розовый шрам под глазом...

— У меня была здесь родинка, — сказала Алия, отследив мой взгляд — точнее, поймав его, как муху на лету ладонью. — Я её удалила, мне врач посоветовала. И сразу же после этого — ещё корочка не отпала, уж простите за подробности, — подруга принесла этот журнал и говорит: «Мне тебя с почтой принесли!»

— И вы что-то вспомнили? — догадался я. Не зря читал вчера про индийских детей с отметинами. — Что именно?

— Корову, — с досадой ответила Алия.

Я-то думал, она начнёт рассказывать про Монпарнас, абсент и бархатную куртку Модильяни.

— Корову?

— Ну да. Чёрно-белая, как дворняжка. И смотрит так пристально, вот прямо как вы на меня.

Алия хихикнула:

— Только не обижайтесь! У коров самый внимательный в мире взгляд, честное слово.

— И что было дальше?

...Алия решила выбросить корову из головы — вспомнилась и вспомнилась. Свойства памяти до конца не изучены, никто не знает, почему нам часто приходят на ум какие-то нелепицы. Мира тогда пошла в детский сад, с деньгами было худо — ни работы, ни перспективы. Муж устроился проходчиком в метро, приходил домой еле живой от усталости, а денег за этот адов труд не платили, задерживали. У соседки родился мальчик, и она с ним не справлялась — бедный ребёнок орал с утра до ночи, и Алия, не вытерпев, постучалась однажды к ним в дверь. В соседской квартире стоял плотный, как туман, запах отчаяния. Мальчик был весь сморщенный, на спине — красная гемангиома размером с куриное яйцо. Соседка от недосыпа валилась с ног, как муж Алии после смены.

Алия взяла мальчика на руки, он зашлёпал губами, как рыбка в аквариуме. Мать отобрала ребёнка, прижала к груди, но он тут же закричал, выгнувшись назад.

— Да у тебя молока нет! — сказала Алия.

— Идёт понемножку, — оправдывалась соседка.

— Покажи, — велела Алия. Она окончила медицинское училище, считала себя опытным специалистом.

Соседка, красная от смущения, сдавила пальцами сосок.

— «Идёт»! — рассердилась Алия. — Эх, ты!

— Врачи говорят, надо грудным кормить...

— Ты его так заморишь до смерти! Лучше уж молочной смесью, но чтобы сыт был. Есть у тебя деньги на смесь?

Вечером за стеной было тихо. Алия легла спать раньше обычного, потом к ней, как обычно, прибежала Мира. Алия закрыла глаза — и снова увидела чёрно-белую корову. Струи молока с колокольным звоном били в ведро. По лбу катился пот, над губой давно намокло — но она продолжала доить корову, пока не уснула накрепко.

На другой день к ней пришла соседка: не сможет ли Алия посидеть с мальчиком пару часов? Она слетает в собес и в магазин.

Алия согласилась. Так она нашла свою новую работу.

Время консультации заканчивалось. Алия сказала, что не сможет прийти в среду, — хозяйка с детьми возвращается из отпуска. Это её бывшая соседка, та самая. Спустя десять лет после того мальчика у неё родилось ещё двое сыновей. Беспокойные, сказала Алия с такой нежностью, что стало ясно: она любит этих оглоедов всем сердцем.

— А что, если мы просто так где-нибудь встретимся? — спросил я, сам не понимая, что говорю.

Я никогда не приглашаю пациенток «просто так где-нибудь встретиться». Алия нахмурилась:

— Бесплатно?

4

Вечером, уже из дома, я позвонил Лидии. Она сразу же спросила, как там Алия.

— Не думай, что это обычная нянечка! Лариса на неё буквально молится. Золотая женщина! Ещё и дом ведёт, и математику с парнями делает. Сто раз пытались переманить, сейчас таких днём с огнём...

Это было сказано таким тоном, что я сразу понял: именно Лидия пыталась переманить Алию для каких-нибудь своих нужных знакомых, погрязших в быту и многодетности.

— Я тебе не за этим звоню, Лидия. Мне нужен искусствовед. Или просто человек, который разбирается в живописи.

— Купить что-то хочешь? — обрадовалась Лидия. — У меня есть чудная галерейщица, Оксана.

Я тут же представил себе запись в телефонной книге — Оксана Галерея. Нет, спасибо, я не собираюсь покупать картины.

— Подумаю, — сказала Лидия. — Набери меня через полчаса.

Ровно через тридцать минут мне был продиктован номер некой Эльвиры Аркадьевны, муж которой защитил диссертацию по русскому авангарду. Загвоздка была в том, что Эльвира Аркадьевна недавно развелась с этим самым мужем, и Лидия не знала наверняка, захочет ли она говорить о нём.

Я не стал объяснять, что, конечно, захочет. Ни мужья, ни жёны не бывают бывшими.

Позвонил. Эльвира Аркадьевна поначалу держалась холодно, но я стойко выдержал многочисленные «по какому делу?» В конце концов она дала мне адрес мастерской, где с некоторого времени обитал её бывший муж Геннадий — оказывается, он решил стать художником и как раз в связи с этим ушёл от Эльвиры Аркадьевны.

Все люди вокруг — мои потенциальные пациенты.

Я решил поехать к Геннадию завтра же вечером. Консультация с Игорем отменилась: Ирина Викторовна сообщила, что мальчик заболел, — как бы не грипп. Я пожелал ему скорейшего выздоровления, стараясь, чтобы женщина не заметила облегчения в моём голосе. Впрочем, она бы не удивилась, заметив это, — у неё давно не было иллюзий по поводу Игоря. Люди, у которых часто теряют багаж в путешествиях, в конце концов начинают удивляться, когда видят свои чемоданы на ленте в аэропорту. Ненормальность становится нормой. Так и с сыном Ирины Викторовны — ей было привычнее ощущать чужую неприязнь к нему, а не симпатию или ещё какое-нибудь радостное чувство.

— Игорь — моё испытание, — говорила Ирина Викторовна. А Игорь добавлял:

— Можете звать меня «чтоб-жизнь-мёдом-не-казалась».

И тут же признавался:

— Я, кстати, ненавижу мёд. Я же не пчела, чтобы его любить.

Плох тот психолог, который не пытается анализировать каждую минуту себя и всех, кто рядом. Я — неплох и понимаю, что Игорь заменяет мне ребёнка, так же как я частично заменяю ему отца. Разница лишь в том, что отец у Игоря имеется, а вот у меня детей нет и не предвидится. Я часто вспоминаю ту девушку из ранней юности, которая сделала от меня аборт. Тому аборту — восемнадцать лет, чуть меньше было бы моему сыну. Не сомневаюсь, что это был сын: я назвал бы его мужественным именем — Андрей.

«Андрей — ушастое имя. Лопоухое!» — смеялась моя бывшая жена. Своего младенчика, с крестиком в пухлых складочках, они назвали Стасиком — это имя звучит так, будто кто-то дважды мазнул тряпкой по полу.

Игорь — мой эрзац-сын: я беспокоюсь о нём, как о нерождённом Андрее, и боюсь, что это совершенно нормально.

5

В пору моей юности художники изрядно выпивали, поэтому я на всякий случай взял с собой в мастерскую бутылку коньяка. Коллеги по этажу каждый вечер уносят домой груды конфетных коробок и бутылки всех мастей — это благодарность пациентов, но мне она достаётся редко. Психологи — не настоящие врачи, поскольку лечат не всем понятную печень или простату, а довольно-таки сомнительную душу, в наличии которой люди сомневаются, хотя и твёрдо знают, что вес её составляет от 3 до 7 граммов (по последним данным — 21 грамм; возможно, секрет здесь в простом умножении). Нарколог и психиатр просят красивого хирурга помочь им донести бутылки до машины, а мне если что и достаётся, то книги или сувениры, вроде вышитого крестиком корабля в рамочке. Психолог, по мнению пациентов, должен быть голоден и трезв.

Коньяк я накануне купил в алкомаркете, с сожалением глядя на то, как из кошелька уплывает очередная купюра.

Адрес, который дала Эльвира Аркадьевна, привёл в давно забытый городской район — забытый лично мною, потому что городские власти как раз не желали о нём забывать, усердно застраивая квадрат за квадратом. Лет двадцать назад на месте жёлто-белой, как яйцо, многоэтажки стояла смешная серая халабуда — здесь снимала комнату одна взбалмошная девушка. Я был в неё влюблён, а она отрабатывала на мне силу своих чар... Халабуду снесли в начале нового века — тогда в городе исчезли, одно за другим, почти все здания, которые имели для меня сентиментальную ценность: кто-то будто бы последовательно выпалывал их, чтобы я не имел возможности вспомнить о прошлом, привалившись боком к знакомой шершавой стене... Так пропал роддом, где я — синий и сморщенный, как замороженный куриный окорочок (сравнение мамино, не моё), появился на свет, мой детский сад, достроенный до нелепого офиса и утративший всяческое сходство с д/с «Ромашка», трёхэтажный барак, где жила моя жена, когда мы познакомились, и даже эта серая халабуда, о которой я не вспоминал всё те же двадцать лет, исчезла без следа. Кажется, перед окном взбалмошной девушки росли тополя.

Мастерская располагалась на первом этаже «яичного» дома — я нажал на кнопку домофона, и мне тотчас открыли.

Геннадий оказался высоким, бородатым и безудержно счастливым — лицо его чуть не разрывалось от улыбки пополам. Он бросился ко мне с таким видом, будто мы находились в реалиях индийского фильма, какие смотрела моя бабушка (она любила только индийское кино), и я по сюжету был его потерянным братом-близнецом. Впечатление подпортила бутылка коньяка, которую я вытащил из кармана куртки, как средство защиты от объятий. Геннадий сразу погрустнел.

— Я не пью, — с сожалением сказал он. — А вот работы покажу с удовольствием.

Он почему-то решил, что я хочу купить его картины — наверное, Эльвира Аркадьевна поняла меня на свой лад и на тот же лад настроила Геннадия по телефону. И теперь на пути к разговору о творчестве Модильяни лежали, как преграды, бесчисленные работы Геннадия — уму непостижимо, когда он успел всё это намалевать, если ещё год назад был искусствоведом, а не художником.

Мне сложно воспринимать творчество в чистом виде, не пытаясь поставить диагноз художнику. Я вижу страх вместо композиции, стыд вместо колорита, парейдолию вместо орнамента и так далее. Геннадий, судя по его произведениям, был типичным нарциссом, травмированным браком с властной женщиной. Рисовал он в абстрактном стиле — рваные полосы, цветные взрывы. Я вспомнил, что Геннадий — специалист по русскому авангарду, о котором защитил диссертацию. А вот я свою диссертацию похоронил — в прямом смысле слова. Зарыл под кустом сирени на родительской даче, предварительно запечатав в пластиковую папку. Сирень с тех пор стала чахнуть — и мама каждый год собирается её вырубить.

Если что и следует вырубить — так это привычку сравнивать себя с другими. Впрочем, я имею такое же право на ошибки и психотерапию, как Игорь и Алия. Психологами становятся многие, хорошими психологами — только те, кто имел собственные личностные проблемы.

Вот о чём я думал, разглядывая холсты Геннадия и стараясь, чтобы он приписал задумчивость в моих глазах своим творческим усилиям. Как огорчились бы многие художники, музыканты, поэты, узнав, сколь низко на самом деле ценят их работы близкие люди! Страх обидеть «натворившего», желание сохранить добрые отношения, поддержать, не дать скатиться к отчаянию — всё это заставляет нас отыскивать тысячу и один повод для восхищения там, где восхищаться нечем. «Всегда найдётся за что похвалить», — говорила моя бывшая жена. И добавляла: «Друзья и родные должны поддерживать друг друга, а желающих сделать нам больно и так хоть отбавляй».

Я пытался с ней спорить: а как же искренность? Как ни маскируй подлинное чувство, оно всё равно сбросит с себя покровы — как одеяло июльской липкой ночью — и предстанет однажды во всей своей прямодушной наготе. Но жена считала, что искренность ничего не стоит в сравнении с душевной раной творца — мы тогда обсуждали нашу институтскую подругу, выпустившую сборник стихов. Подруга жаждала обсуждений и восторгов, мы оба сочли стихи беспомощными, и в конце концов я просто ушёл из дома на весь вечер, а жена отдувалась в одиночестве, на все лады расхваливая поэзию этой самой Марины. Впоследствии Марина стала известной сценаристкой, и, по-моему, она до сих пор дружит с моей женой.

Иногда я понимаю, почему она от меня ушла.

Я бы тоже от себя ушёл, если б мог.

Геннадий слушал меня, сияя от счастья. Доставал всё новые и новые картины. Я боялся, что они никогда не закончатся, — как вдруг, на мою удачу, между натюрмортом в красно-зелёной гамме и портретом женщины, похожей на мурену, мелькнула обнажённая натура. Знакомый землистый фон, обнажённое тело, вместо глаз — чёрные прорези.

— А это здесь как оказалось?

Геннадий изображал удивление на лице немногим лучше, чем реальность на холсте.

— Это я поначалу копировал помаленьку, сами знаете. Модильяни.

— Поразительно точная копия! — сказал я.

Пациенты удивились бы мыслям, что роятся в голове доктора. Так роятся, что уже почти что роются! Глубокомысленное покачивание этой самой головой, сомкнутые кончики пальцев и внимательный взгляд часто скрывают неприязнь, осуждение, досаду. Да, я лицемер, но ведь и все остальные, за исключением детей, глупцов и юродивых, точно так же проживают одновременно в двух, если не больше, мирах.

Геннадий жарко вспыхнул от удовольствия, а я сказал:

— Удивительное совпадение, потому что я к вам пришёл именно по этому поводу! Очень нужна консультация насчёт одной работы Модильяни.

Это был жестокий удар в область тщеславия, прямиком по зонам радости и счастья. Геннадий начал прямо на глазах сереть и оседать, как подтаявший сугроб. Принялся убирать со стола работы одну за другой — небрежно, как грузчик в порту швыряет чемоданы.

— Коньяк-то давай, — сказал он, покончив с этим делом. Без улыбки лицо Геннадия стало одухотворённым и почти красивым — она уценивала его внешность ровно вполовину.

Мы выпили. Геннадий порозовел, закурил. Двумя пальцами поманил репродукцию с портретом Лолотты, как будто она была должна сама к нему приблизиться. Я помог. С минуту Геннадий разглядывал картину, а потом решительно хрюкнул.

— Это никак не Модильяни! — заявил он. — Эпигонство!

В доказательство притащил альбом — на обложке грустно улыбалась тонкая девушка с длинной шеей, такой длинной, что голова казалась насаженным на неё сверху посторонним предметом.

Как только Геннадий оказался на своём привычном поле, да ещё после двух стаканов, он тут же утратил трогательную неуверенность в себе. Теперь передо мной сидел настоящий знаток своего дела, неспособный робеть в принципе.

— Моя тема — русский авангард, — заявил Геннадий. — Но это не значит, что я не могу отличить подделку от оригинала.

— Тут же сказано: Чикаго, — встрял я. — Институт искусств.

Геннадий засмеялся. Подумаешь, институт! Знал бы я, сколько подделок висит на стенах уважаемых музеев, — содрогнулся бы.

Я еле успевал подливать коньяк в его стакан — лекция нуждалась в обильном смачивании, и, судя по всему, брак с Эльвирой Аркадьевной распался не только по причине неожиданно заявившего о себе призвания.

— Модильяни мечтал стать скульптором. Он начал красить холсты, потому что это было дешевле. Материалы стоили меньше. А ещё у него с детства был туберкулёз, и вся эта возня с гипсом, с камнями — это было очень вредно для его здоровья, понимаешь? Вот, смотри! Голова, известняк. Видишь? Это Модильяни. Вот Жанна Эбютерн, это тоже Модильяни. А твоя Лолотта — подражание. Неплохое, конечно, но никакого отношения к Амедею не имеет.

Амедео уже стал у него Амедеем.

Скульптурная голова на фотографии в книге выглядела довольно странно — нос и глаза были похожи на схематическое изображение пальмы, а рот крепился снизу, под носом. Идол, подумал я.

— Ему нравилось примитивное искусство, — зевнул Геннадий. Он тёр глаза как ребёнок.

— Две недели не пил, — признался художник, и только тогда я понял, как виноват перед ним. Внимание Геннадия было уже почти полностью расфокусировано, но сознание отступать не желало — он был обижен тем, что я увидел в нём не художника, а искусствоведа, и помнил, лелеял эту обиду. И в то же самое время он хотел мне помочь. Хороший человек был этот Геннадий.

Последнее, что он сообщил мне, прежде чем вырубиться лицом в палитру — я в последний момент успел её вытащить, — касалось глаз Лолотты.

— У него почему глаза у всех такие? Да потому что это — скульп-ту-ра! Он их не рисовал, он их рубил, понимаешь? А эта твоя Лолотта смотрит живенькими такими... глазками... Я бы её трахнул... м-да.

Геннадий уснул резко, в момент, как будто ему выключили подачу энергии.

Я был практически трезвым, коньяк вошёл в художника почти целиком — в бутылке осталось на донышке. Прежде чем уйти из мастерской, я выключил лишний свет, укрыл хозяина чем-то похожим на плед и прихватил с собой альбом Модильяни. Для Геннадия оставил записку с благодарностью и обещанием вернуть книгу при первой же возможности. Постскриптум: «У вас отличные работы, продолжайте творить, успех придёт!» Ни слова правды. Бывшая жена могла бы мною гордиться.

6

Как многим людям, недовольным своей жизнью, но любящим её вопреки здравому смыслу, мне нравится читать книги о преступлениях. Жаль, что я, как правило, догадываюсь о том, кто убийца, быстрее, чем хотелось бы автору. Вот и сейчас я чувствовал что-то похожее: как будто напал на след и вот-вот схвачу тайну в кулак, точно комара. Комары — страшный кошмар моего Игоря: он ненавидит и боится любых насекомых, но комары в этом списке — первым номером. Поэтому Игоря невозможно заманить куда-то на природу, в дом отдыха или санаторий, — летом он даже в городской квартире не ложится спать без включённого фумигатора.

— Я не обязан их вскармливать, — сказал он однажды. — Мне неприятно, когда моя кровь летает по воздуху.

Одержимость комарами и одержимость тайнами ничем не отличаются друг от друга. Главное здесь не предмет, а чувство. Это как с зависимостями: если человек хочет бросить курить, то, исполнив свою мечту, он, скорее всего, начнёт выпивать или, как говорит наш грубоватый, но честный народ, «жрать в три горла». Круг зависимостей можно растянуть до бесконечности, меняя одну дурную привычку на другую. Поэтому я стараюсь переключать таких пациентов на те привычки, которые доставляют удовольствие и приносят пользу. Их всего три: спорт, благотворительность, секс. Есть и четвёртая — любимая работа, но эта зависимость от психолога никак не зависит. Она либо есть, либо нет — как вера и любовь.

Когда-то давно у меня самого была тяжелейшая форма одержимости — деньги. С утра до вечера, а также ночью во сне, я считал, умножал, вычитал, делил реальные и воображаемые суммы, необходимые моей семье. Жили мы скромно, но моя бывшая жена (в отличие, например, от той же Лидии, в каждом из трёх своих счастливых браков усердно собиравшей материальные плоды матримониальных отношений) никогда не искала роскоши. Одежда из дорогих бутиков казалась ей смехотворной, в машинах она не разбиралась, путешествовать любила налегке. Ей вообще был близок спартанский дух, который и привёл её, как я теперь понимаю, к церкви, а к старости, возможно, доведёт и до монашества. Жена не ждала от меня подвигов добытчика, но это не играло в моём помешательстве никакой роли — я целыми днями соображал, где бы ещё подзаработать, а равнодушие жены лишь раззадоривало. Трудился без выходных и перерывов, не бросая учёбы: сразу после лекций торговал бессмертной душой на рынке, вечером играл на гитаре в привокзальном ресторане, ночью разгружал чьи-то вагоны — в девяностых все мыслили вагонами... Но денег всё равно не хватало — не семье, а моему травмированному тщеславию. Когда я понял, что не смогу заработать столько, сколько хочется, меня бросило в другую крайность — я принялся экономить на всём подряд. Жена быстро приспособилась к нашей новой жизни, когда любая упаковка использовалась как минимум трижды, когда сахар из кафе приносился домой, когда трепетно пересчитывались все монеты, включая бессмысленные теперь уже копейки. Такая жизнь была ей понятна, но я с каждым днём чувствовал, как внутри меня растёт желание ухнуть все сбережённые деньги на какую-нибудь нелепую и дорогую штуковину вроде фарфорового журавля, выставленного в витрине ювелирного магазинчика, мимо которого лежал мой ежедневный путь в университет.

Когда жена ушла от меня к Богу, я избавился как от привычки экономить, так и от желания сложить в карман все деньги мира. А года три назад у меня появилась новая пациентка — у неё было детское имя Настя и красный шрам на руке, изогнутый, как улыбка. Не смотреть на эту улыбку было выше моих сил, и Настя, поняв это, даже в жару стала носить кофты с длинными рукавами.

У Насти была такая же страсть к экономии, какую пережил я сам — поэтому и проникся к ней симпатией, выходящей за рамки профессионального интереса. Она рассказывала мне душераздирающие подробности своего падения — к психологу Настя записалась после того, как обнаружила себя рядом с мусорным контейнером разглядывающей «вполне приличные туфли», оставленные кем-то из соседей. Она и вправду была привязана к деньгам, как к живым людям: когда наставало время платить за консультацию, она всякий раз начинала печально вздыхать и так неохотно вытаскивала купюру из кошелька (красного, чтобы «приманивать деньги»), что я ловил себя на мысли отказаться от оплаты. Но это было бы нечестно по отношению к пациентке. Я действительно симпатизировал ей и не отказался бы ещё раз увидеть улыбку-шрам на руке, чуть ниже локтя... Сейчас Настя в порядке — как только она перестала переживать из-за своих странностей, к чему я и подводил её несколько месяцев, так тут же всё встало на свои места и стоит там по сей день, почти не шатаясь. Недавно я случайно встретил её на улице — туфли на ней были точно что не с помойки, шрам-улыбка на руке выглядел так, что только самый бесчувственный человек не захотел бы его поцеловать.

Но я и на сей раз сумел сдержаться. Никому не нужная этика и деонтология, проклятая корректность, а на деле — обычный страх.

С годами люди становятся трусливее. Молодым терять нечего — точнее, они не понимают, что могут потерять и сколько оно стоит на самом деле. В детстве я не понимал, почему отец приезжает на вокзал за час до отправления поезда — но сейчас, спустя тридцать лет, делаю ровно то же самое. Страх опоздать, быть обманутым, выглядеть смешным растёт в нас с каждым годом.

Алия позвонила на другой день после пьянки с Геннадием — назначила встречу в кафе недалеко от вокзала. Меня удивил этот выбор, но оказалось, она живёт поблизости, в коротком, как обрубок, переулке.

Я приехал за час, занял место с хорошим обзором — спиной к стене, лицом к дверям — и раскрыл альбом Модильяни.

За последние дни я пролистал его раз пять, не меньше. Ночами видел во сне длинношеих девушек с голубыми глазами — сны эти были яркими, какие обычно снятся в путешествиях. Я очень давно не был в путешествиях, потому что ещё одна моя странность — нелюбовь к гостиницам или, хуже того, чужим комнатам, которые можно снять прямо у хозяев. Я представляю себе, сколько людей спало до меня на этой подушке, укрывалось этим же одеялом, вытиралось тем самым полотенцем, что висит сейчас в ванной, — и не могу прогнать этих призраков. Бывшая жена считала, что я чересчур брезглив, Лидия советовала возить с собой личную подушку и заказывать номера в пятизвёздочных отелях — как будто у богачей не текут слюни во сне!

А вот Модильяни, когда приехал в Париж, не особенно переживал насчёт подушек и полотенец. В родном Ливорно ужаснулись бы, увидав его комнату в доме на улице Коленкура.

Деньги у Модильяни летают как птицы — то цветов купит всем девочкам, то друзьям поставит выпивку... Иногда натурщицы соглашаются позировать бесплатно — например, та проститутка, у которой пользовал кожную болезнь доктор Поль Александр, считала эти сеансы своей благодарностью. И та еврейка, портрет которой взяли на выставку. Альмаиза, Маргарита, Лолотта — вот этим приходилось платить... Курносая Лолотта требовала, чтобы «мсье художник уплатил вперёд».

Она была строгого воспитания, как всякая крестьянская девушка, выросшая в предместье, — ноги с трудом привыкали к туфлям, душный запах парного молока вместо ароматических масел. А как вы хотели, мсье, если девочке с малых лет приходится ходить за скотиной? Доить, корм задавать, чистить... Это у вас здесь, в Париже, барышни фыркают от простого труда.

— Что ж ты не вернёшься к своей корове? — весело спрашивает Моди, пытаясь вызвать улыбку на лице девушки, но она дерзко отвечает:

— А я нашла другую, мсье.

— Где же это?

— Да прямо здесь, в мастерской!

...Я хохочу во всё горло — нет, в три горла! Лолотта доит меня, как корову! Каждый сеанс приносит ей несколько монет — ещё до начала работы они будут завёрнуты в чистейший носовой платок, а потом нырнут за круглый вырез кофточки, чтобы согреваться там медовым теплом грудей.

Увидеть бы! Хоть на секунду! Но нет, не дозволит. Сколько раз уговаривал её раздеться — ведь и Маргарита, и Альмаиза согласились! Я ещё монетку подбавлю — всё равно почти ничего не осталось, а мать непременно пришлёт в конце месяца. Но Лолотта твердит одно и то же: «Нет, мсье. Нельзя нам».

Как ладно сидит на ней городская шляпка! Никогда не скажешь, что эта девушка ещё год назад ходила босиком по коровнику.

Я художник, мне нужно видеть её всю целиком.

...Я психолог, мне совсем не нужно примерять на себя роль Модильяни.

— Что с вами? — спросила Алия. Странным образом я пропустил момент, когда она вошла в кафе. Всё потому, что смотрел внутрь себя, а это ослепляет. — Вы какой-то... растрёпанный.

— Да я альбом смотрю. Увлёкся. Тут, кстати, есть ещё одна «Лолотта».

Алия заглянула в книгу и возмутилась:

— Но эта совсем на меня не похожа!

К нам подошла девочка с бейджем на груди («Светлана») и сообщила, что будет сегодня нашим официантом и буквально в лепёшку разобьётся для того, чтобы мы провели приятный вечер. Алия попросила Светлану принести «авторский чай с облепихой». Ни минуты в простоте — девиз нашего времени.

Пока готовился авторский чай, мы сравнивали обеих Лолотт, Алия хмурилась и выглядела их третьей сестрой. «Лолотта» из книги Геннадия напоминала свою предшественницу из «Крестьянки» разве что родинкой на левой щеке. Рыжие волосы выварились в обесцвеченное золото, прижатое дурацкой шляпкой, из-под чёлки дерзко смотрели равнодушные глаза, улыбка съехала набок, как слишком широкая юбка. Первая «Лолотта» была наивной и пугливой, а вторая примерила на себя не только чёрную шляпку, но и весь Париж — во всяком случае, весь Монмартр.

В те годы на Монмартре запросто можно было увидеть корову или курицу — такая же, в сущности, деревня, что и Лолоттино предместье, но в предместье не было художников, кафе и шляпок. И горничных никто не держал — утром вставали потемну и всё делали сами. Мать, намаявшись от такой жизни, своими руками выставила из дома Лолотту, лишь только ей исполнилось семнадцать. Ехай в Париж, говорит, и весь сказ. Может, повезёт, устроишься в богатый дом. Или замуж.

Коров на холме Лолотта обходила стороной — но они, заразы, как будто узнавали, чувствовали в ней бывшую крестьянку. Смотрели пристально — люди не могут смотреть так, как умеют животные. Лолотта слыхала от одного циркового, с которым, говорят, гуляла ещё мамаша Валадон, что никто не в силах вынести львиного взгляда. Будто бы лев смотрит в самую душу, и человек отводит глаза, чтобы не впустить в неё зверя. Удивительно устроены мужчины: этот цирковой взволнованно рассказывает про льва, а руками в это время сосредоточенно шарит у Лолотты под юбками, будто вентиль пытается нащупать. Глаза серьёзные, даже драматические, а дышит нехорошо, прерывисто.

Лолотта отлично знает, где у ней этот вентилёк. Без вас, мсье, разобралась, что к чему, ещё девочкой. Цирковой-то, ишь, разошёлся — а ведь старик уже, волосы редкие, белые. Шарит да шарит пальцами своими шершавыми. Пришлось лягнуть его — несильно, вот корова бы поддала так поддала! И смотреть она умеет не хуже льва; правда, львов Лолотта ещё не видала. Всё никак не дойдёт до зверинца на левом берегу.

Еле отбилась от старикана — все они одинаковы, всем подавай свежее блюдо: вчерашнее есть не станут, им надо такое, чтобы никто не отщипнул и кусочка. Ну да с деревенскими девушками такие номера не проходят! Чай, не в цирке с конями. Блюдо подадут в своё время законному мужу! Лолотта нагляделась на несчастных брошенок, в предместье у них жила по соседству такая Мари-Анж: нагуляла брюхо до самого носа.

А позировать — не в грех. Она ж в одежде! Правда, на исповеди сознаться не решилась — священники в Париже не похожи на деревенских, Лолотта с ними осторожничает.

Мсье Моди ей нравится — в первую очередь, собой красавец! Глаза чёрные, пышет, как от печки! Руки холёные, сильные... Во вторую очередь, он добрый. Жаль, что дурак, что экономии не выучен, последние монетки отдаёт друзьям-пропойцам, а однажды скупил все фиалки у цветочницы и отдал Лолотте! Зачем ей столь фиалок? Она ж не корова! Захоти — сама соберёт, ещё и почище какие выберет. Лучше бы деньгами дал. А он, главное, раскланивается, снимает шляпу:

— Это вам, — говорит, — синьорина, потому как вы сами собой прекраснейшая фиалка Монмартра!

А друзья его, пропойцы, хохочут!

Лолотта унесла фиалки на соседнюю улицу и отдала за полцены другой цветочнице. Денежка к денежке, монетка к монетке. За приданым и муж появится. Дорогой супруг.

Лолотте нравится, как звучат эти слова — «дорогой супруг».

Нам принесли счёт, а мы даже не помнили, что ели и пили.

7

Евгений Алексеевич, бывший психолог Игоря, — человек для своего поколения нетипичный. Он не боится ни чёрта, ни Интернета, а с мобильником управляется так, что подростки позавидуют. На мой звонок Евгений Алексеевич отозвался сразу же — и я поразился тому, как бодро звучит его голос. Я помнил его возраст — шестьдесят восемь лет. Игорь утверждает, что Евгений Алексеевич красит волосы и брови, но Игорь много чего утверждает.

— Сегодня никак, — сказал Евгений Алексеевич, — а завтра, пожалуйста, приезжайте. Но надеюсь, Мишенька, ваш разговор не по поводу Игоря, потому что я совершенно точно не возьму его обратно.

Я проглотил шутку про чулочно-носочные изделия, которые не подлежат обмену и возврату — с чувством юмора у Евгения Алексеевича дело обстоит значительно хуже, чем с современными технологиями.

В тот день опять была транспортная медкомиссия, и мимо моего кабинета носились табуны автовладельцев — каждый третий водитель пытался открыть дверь, но на сей раз я не забыл её запереть.

Игорь рассказывал мне о книгах, которые он сейчас читает, — я не знал ни одного названия, ни автора, даже не слышал о таких писателях. Юный пациент был разочарован:

— Вы что, совсем не следите за литературным процессом?

Я догадывался, что мальчик и сам пробует писать. Ждал, что он покажет мне свои опыты. Игорь много раз пытался заговорить об этом, но так до сих пор и не решился.

Родители у него были, по авторскому определению, «тёмные». И если матери Игорь — пусть и неохотно! — прощал равнодушие к изящной словесности, то отцу от него доставалось крепко:

— У него вместо мозгов — мышцы.

Это слово Игорь произносил по-детски: «мы-шы-сы».

Увы, сегодня я не мог сосредоточиться ни на Игоре, ни на других своих пациентах — теперь я думал только о Лолотте. Чуткий мальчик моментально просек моё состояние:

— Вы как будто не здесь!

Он надулся, и я взял себя в руки. Через силу общаясь с Игорем, я продолжал думать о Лолотте — и вспоминал всё больше деталей и тех мелочей, которые невозможно придумать.

Или только кажется, что невозможно?

... Мир вокруг нас — один, но каждый видит его по-своему, присваивает некую часть и назначает единственно верной. Тысяча миров для тысячи художников. Для кого-то мир — это цветы, для кого-то — пустые холодные улицы, для Модильяни — лица. Бесконечные лица, галерея овалов, кругов, треугольников и квадратов. Лица, и ещё — плечи, руки. Неважно, похоже или нет, неважно, доволен ли заказчик (какие там заказчики, не смешите!). Слова «я так вижу» пока что не стёрлись, не слились в одну строчку, как у пьяного наборщика. Лица, знакомые и нет, глаза — как прорези в масках. Толстяк-гуляка (цилиндр, гвоздика в петлице, под руку с бровастой хохотушкой: нарисовать бы такую!) вертит в руках листок с двойным портретом, который Модильяни предложил ему купить за пять франков, — а потом возвращает:

— Мазня! Мой сын рисует лучше!

И эти слова тоже пока что не стёрлись, звучат свежо и честно.

В плохие минуты Моди кажется, что лица на его портретах — маски, которые можно снять, но он этого почему-то не делает. Абсент — зелёная фея — утешает его, шепчет на ухо прохладными губами: придёт твоё время, придёт! Рассказывает сказку на ночь — сын толстяка в цилиндре вырастет в дородного мсье, станет коллекционером и однажды наткнётся на редкий рисунок великого Модильяни и вскрикнет: стоп, это же мой отец с какой-то женщиной! Мсье захочет купить рисунок, но теперь он стоит значительно дороже первоначальных пяти франков, а потом владелец и вовсе откажется его продавать. Зелёная фея рассказывает правду или то, что могло бы стать правдой: ведь человеку, художник он или нет, всегда показывают единственную вариацию, а их тысячи, тысячи! Но Модильяни не хочет ждать, пока придёт его время, — он вырывает у толстяка листок, рвёт его на четыре части и уносит в отхожее место: повесить на гвоздь. Самое то! Подотритесь моим талантом, покажите, каким местом вы цените душу художника.

В Ницце, с любимой Жанной, он зачем-то вспомнит об этом. Море шумит, будто кто-то листает альбом — страницу за страницей.

Певица в ресторане берёт верхнюю ноту — словно тянется рукой к высокой ветке, где трепещет зелёный лист.

...Прежде я ни разу не был в офисе Евгения Алексеевича — он переехал сюда недавно и с гордостью показывал теперь свои владения. Открывал дверь за дверью и остро взглядывал на меня, проверяя реакцию. Достаточно ли я восторгаюсь, сильно ли завидую. Я восторгался и завидовал от всей души! Мне такого офиса никогда не заиметь — даже если я буду принимать пациентов по двенадцать часов в день без выходных. У Евгения Алексеевича была светлая приёмная с панорамными окнами — за ними послушно лежал весенний город, свежий от дождя. Секретарша приветливо цокала каблучками, пофыркивала кофейная машина, и ковёр под ногами расстилался как скатертью дорога. В кабинете стояли классическая кожаная кушетка и уютный рабочий стол размером с бильярдный — так и тянуло сесть за него и задумчиво сложить руки «домиком», пока пациент, вытирая слёзы бумажными платочками, будет рассказывать историю своих горестей (с радостями к нам не ходят).

От меня разило завистью, как по́том, — Евгений Алексеевич был доволен. Но вскоре этот запах исчез — в новёхоньких декорациях коллега выглядел дряхлее обычного. Болтливые пигментные пятна на щеках, обвислая кожа норовит слезть с пальцев, и да, Игорь прав, — он красит волосы. И брови.

Евгений Алексеевич демократично сел со мной рядом на кушетку. Секретарша (чулки телесного цвета, а ноги небритые: волоски были хорошо заметны, и меня это некстати взволновало) прикатила столик с кофейными чашками, печеньем и конфетами. Евгений Алексеевич отпустил её властным жестом, каких я у него прежде не замечал. Но когда мы остались вдвоём, он снова превратился в старого доктора, которого я хорошо помнил. Евгений Алексеевич энергично потёр нос и так близко наклонился ко мне, что я невольно отшатнулся — показалось, он хочет меня клюнуть.

— Так что у вас стряслось, Мишенька?

Я не хотел рассказывать Евгению Алексеевичу о Лолотте, потому что он был лучшим в городе специалистом — долго работал как практикующий психиатр, потом занялся психотерапией... Врачевал и больных, и растерянных. Любил интересные случаи. Странно, что Лидия порекомендовала Лолотте не его, а скромного Михаила Психолога. Возможно, Евгений Алексеевич чем-то перед ней провинился.

Я аккуратно спросил, может ли человек помнить о том, чего с ним никогда не происходило?

Евгений Алексеевич оживился:

— А что именно помнит человек?

...Монмартр — прачечные, мельницы, пекарни. Под окнами ходят козы. Лачуги заняты художниками, двери не закрываются — утром уходишь в академию на Монпарнас, а по возвращении находишь дома нежданных, а то и вовсе незнакомых гостей. Или следы их присутствия. Модильяни менял жильё чаще, чем одежду, — переехал на улицу Лепик, в мастерскую, похожую на теплицу из Ботанического сада (жаль, что не размерами). В мастерской стеклянные стены, а потолок белёный — как-то ночью на спящего Моди упал кусок извёстки. Попал точно в лицо, как будто целились, хотели снять посмертную маску — спящий или мёртвый, какая разница. По вечерам он ходит в «Чёрную кошку» или «Бойкого кролика», запивает гашиш крепким кофе.

Новый переезд — уродливый дом на углу Равиньян и Трёх братьев, затем Бато-Лавуар, где по соседству живёт Пикассо, и у него всегда открыто: из имён гостей можно составить энциклопедию современного искусства. Но Модильяни так ни разу и не переступил порог жилища Пабло, он избегал любых объединений и групп — кубисты были так же далеки от него, как фовисты или экспрессионисты. Фернанда, тогдашняя подруга Пикассо, хотела бы видеть Амедео в гостях, но он предпочитает своих верных Утрилло и Сутина, художников без жанра и упрёка. На стенах в каморке висят прикнопленные копии Тициана и Веронезе. Стоит пианино без струн.

Когда Моди рисует в Академии, то прикрывает свою работу рукой — как школьный отличник, который боится, что у него будут списывать. Отличие от отличника: Моди вовсе не уверен в том, что рисунок достаточно хорош для того, чтобы его хотели скопировать. Он зависит от чужого мнения, поэтому и старается избегать Пикассо с его свитой. Пикассо уже знаменит и чудовищно работоспособен. А Модильяни всё ещё не знает, кто он — художник или скульптор.

Чужие слова Моди запоминает сразу. Один умник сказал, что щёки его моделей горят, как от по-

346

щёчин. Возможно, это комплимент, но Моди, призрачный принц гашиш и зелёная фея считают иначе...

— ...Мишенька, всё это написано в книжках по искусству, — сказал Евгений Алексеевич, прихлёбывая холодный кофе, как газировку. — Но ваш человек, кем бы он ни был, может страдать мнестическим расстройством — в психиатрии это называется парафренным синдромом, ещё точнее — фантастическими конфабуляциями. Больной присваивает воспоминания выдающихся, знаменитых людей, ему кажется, что он был знаком с ними, входил в близкий круг, возможно, сам был великим художником или его натурщиком. Человеческий мозг устроен так, что мы можем убедить себя в чём угодно — и если у больного в прошлом имелись некие познания, к примеру, в искусстве, он будет верить, что описываемые события происходили не с Модильяни, а с ним самим, живущим в двадцать первом веке. Память здесь оказывает дурную услугу — детали жизни гения, которые были когда-то прочитаны и забыты, оживают вновь, но теперь они уже не имеют отношения к прошлому какого-то художника парижской школы. Теперь это уже история другого человека — к сожалению, нездорового.

— А если этих знаний нет? Человек — не из самых образованных, кроме того, у него есть ещё и внешнее сходство — поразительное!

— А вы приведите мне этого человека, Мишенька, я его с удовольствием проконсультирую. — Старик увлечённо мял свой бедный нос, и без того крупный, с массивным, как у трости, набалдашником на самом кончике.

347

Секретарша заглянула в кабинет, чтобы напомнить о следующей встрече. В приёмной ждала своего часа красивая женщина — когда она повернулась к нам, в ушах её вспыхнули драгоценные камни. Я снова от души позавидовал Евгению Алексеевичу — и распрощался, сказав, что вскоре позвоню.

8

Парафренный синдром, конфабуляции, мнестическое расстройство... Если бы речь шла только о Лолотте, я, может, и сумел бы привести её в роскошный офис Евгения Алексеевича, уложить на кожаную кушетку и смиренно ждать диагноза в приёмной, любуясь секретаршей, точнее, её ножками в чулках телесного цвета. К сожалению, речь шла уже не только о Лолотте — я стал полноправным участником событий, как будто заразился от неё бредом. Через совместное просматривание репродукций, не иначе. Других контактов у нас не было.

В пору юности мои циничные друзья-студенты любили пугать юных девушек рассказами о том, что шизофрения передаётся половым путём... Некоторые дурочки верили, я весело смеялся со всеми вместе.

Если Лолотта больна — я тоже нездоров.

Можно допустить, что портретное сходство подтолкнуло вначале её, а потом и меня к безумию — к его первой ступеньке, стёртой до такой степени, что она даже не похожа на ступеньку. Стёртой, как затасканное выражение «мойсынрисуетлучше».

Подняться на эту ступень можно незаметно для самого себя. Ррраз — и уже примеряешься к следующей.

...Моди рисует быстро и помногу — он не из тех художников, которые годами мучают один и тот же портрет. Энгр двенадцать лет писал мадам Муатесье! Но у Энгра было чему поучиться — он говорил молодым художникам: избегайте, чтобы получилось «ни горячо, ни холодно». Не бойтесь преувеличений, пусть даже рисунок будет выглядеть карикатурой.

— Карикатура! Насмешка! — к подобным словам Моди привык, это обычный фон его жизни, но когда кто-то вдруг хвалит рисунки из синего блокнота, он смущается и не верит:

— Плохой Пикассо, вот что это, — так он сам отзывается о своих набросках.

В 1907 году Модильяни отправился в Англию. Участвовал в выставке прерафаэлитов — как скульптор. Особого успеха не было (вообще никакого не было). Познакомился с леди, она заказала портрет, портрет леди не понравился — на острове всё было в точности так же, как на континенте. Можно было и не ездить, а дальше напиваться с Утрилло — монмартрские остряки приклеили ему кличку «Литрилло», обидную и точную.

Пикассо, встретив их однажды на улице Коленкура — здесь теперь живёт Модильяни, после того как его выгнали из мастерской на площади Жан-Батиста Клемана, — язвительно сказал:

— Модильяни пьян уже только от того, что идёт рядом с Утрилло.

Моди рисует, рисует, рисует — сто, сто пятьдесят рисунков в день, и все сто пятьдесят никому не нужны!

С Лолоттой он не виделся года три, не меньше, хотя Лолотта по-прежнему живёт на Монмартре — но совсем в других условиях, мсье, совсем в других.

Она побледнела и похудела, умеет носить шляпки так, что они не выглядят каким-то инородным предметом на её рыжих волосах, — эти шляпки естественное продолжение самой Лолотты. Мсье Андре Ш., который углядел её однажды на улице Лепик — она была в тот день в своем лучшем платье и в том длинном ожерелье, которое нравилось мсье художнику, — снял для девушки квартирку в доме у Мулен де ля Галетт. Лолотта думала недолго — женихи всё как-то не подворачивались, а этот был хоть и без серьёзных намерений, зато нежный и щедрый... И красивый, почти как мсье художник, правда, этот — блондин. Приходил Андре вначале каждый день, потом — раз в неделю, сейчас навещает её дважды в месяц. Лолотте больше не нужно вставать затемно и отстирывать чужие рубашки: руки у неё теперь гладкие, как у настоящей дамы. Андре с ума сходит от её кожи — иногда Лолотта думает, что ему только кожа в ней и нравится. Как будто сапоги шить собрался! Но когда он шепчет, какая ты гладенькая, она перестаёт сердиться.

У Лолотты есть собственные сбережения, да и то, что даёт мсье Андре, она кладёт всё в ту же шкатулочку. Ключ от шкатулки всегда с Лолоттой — люди думают, нательный крестик спрятан под рубашкой... Когда Андре велит ей встать на четвереньки, ключ на длинной цепочке бьёт Лолотту по груди. Будто маятник качается, но только не в ту сторону. Однажды Андре чуть не сорвал с неё этот ключ — смял груди так, что она взвизгнула от страха: вдруг потеряется, закатится, ищи потом! Андре-то этот визг на другое записал, ещё пуще разошёлся! Но и ключик никуда не делся — только от цепочки осталась на шее красная полоска, Лолотта укрыла её под бархоткой. Она и бархотки носить научилась, не только шляпки. Правильно мать говорила: жизнь всему научит.

9

Весенние каникулы закончились, обожаемые мальчики (редкие, как я успел понять, оболтусы) вернулись в школу, и только тогда Лолотта наконец позвонила: сказала, что хочет прийти ещё раз. От этого «ещё раз» тянуло прощаньем, но мы не виделись так долго, что я был счастлив насколько умею и могу. После той встречи в кафе прошло больше двух месяцев. Я назначал дополнительные часы консультаций, ездил с матерью на дачу — на первую после зимы «разведку», в обеденных перерывах безнадёжно пытался развлечь барышень из соседнего кабинета. Та, что психиатр, могла бы обсудить со мной конфабуляции, но я раздражал её так явно, что даже нарколог — она была мягче, добрее — сочувственно хмурилась.

Три дня назад пришла Марина — моя «блуждающая» клиентка, которая исчезает и появляется по мере обострения проблемы, которую мы с ней так пока и не смогли решить. После долгого перерыва мы успели отвыкнуть друг от друга, но уже через десять минут всё было ровно так же, как полгода назад. Марина угрюмо вздыхала, от неё пахло табаком, — ничего нового.

Когда она обратилась ко мне впервые, я был удивлён тем, как странно сочетаются её внешность и голос. Точнее, они вообще никак не сочетались, и это был самый настоящий изъян, пусть и не такой заметный, как шрам на руке. Марина высокая, широкоплечая, сильная — настоящая физкультурница. Чем-то она напоминала девушку с картины Александра Самохвалова — первое сильнейшее эротическое переживание в моей жизни. Высококультурное советское время, когда подростку проще было найти репродукцию картины «После кросса», чем порнографический журнал.

Дома у нас было не так уж много альбомов: Самохвалов, Константин Васильев, Карл Брюллов — и, пожалуй, всё на этом. В детстве я полагал, что мне нравится творчество художников-передвижников — но, вероятнее всего, мне просто нравилось, как это звучит. Передвижники — почти «подвижники». Во всяком случае, ни о каком Модильяни я не слышал — а то, что узнал о нём позже, не выходило за рамки общеизвестного.

Опять Модильяни! Как бы я ни пытался отвлечься, мысли приводят меня к нему, как ноги приводят пьяницу в винную лавку.

Попробую ещё раз. Марина, Марина, Марина. Такая Марина и копьё метнет, и марафон пробежит. Но стоило ей раскрыть рот и произнести хотя бы слово, как люди начинали недоумённо оглядываться по сторонам — голос у девушки был высокий и при этом механически-кукольный. Казалось, что её озвучивает другой человек, который прячется сзади и дёргает за невидимые нити, чтобы Марина вовремя открывала рот. Контраст был таким сильным, что это сбивало с толку — то, что говорила Марина, терялось за её голосом. Это был поистине завораживающий эффект, и каждый раз, когда она появлялась после долгого перерыва, я заново привыкал к ней — и заново учился воспринимать её голос. Похоже на иностранный язык, который ты учил в институте и решил вернуться к нему спустя много лет.

Ко мне Марину привели сложные отношения с курением — она сама их так определила.

Впервые Марина закурила на школьном выпускном — и ей это не понравилось. Тем не менее спустя месяц она уже покупала в ларьках «ментоловое море» и «салям» (так звучали названия сигаретных марок *More* и *Salem* в вольном изложении торговцев девяностых) и умела прикрывать горящую спичку ладонью.

Ей не нравились запах, вкус и ощущения, но она продолжала курить, как будто участвовала в конкурсе на самого старательного курильщика. На мой вопрос «почему» Марина не задумываясь ответила своим кукольным голосом:

— Потому что этому нельзя найти замену.

Она пробовала иглорефлексотерапию, ходила к бабкам и попам, но всякий раз, покидая то кабинет врача, то храм, то деревенскую избушку, закуривала. Наслаждение было похоже на отвращение.

Накануне нашей первой встречи Марина познакомилась с известным хирургом, и он разоткровенничался:

— Я знаешь как раньше курил? Выхожу из операционной — одна сестричка с меня маску снимает, другая сигарету в рот вставляет, а третья спичку подносит. Во как курил! Три пачки в день. А потом чуть ногу не потерял, ну и бросил. В шестьдесят девятом.

— И как? — замерла Марина. — Не тянет?

Хирург помрачнел:

— Каждый день об этом думаю. Ночами снится, что курю.

Наша с Мариной терапия привела к следующим результатам — курить девушка не бросила, зато научилась анализировать свою зависимость и находить для неё оправдания, порой весьма элегантные.

— Курение в моем случае — это медитация, — заявила она год назад, прежде чем исчезнуть в очередной раз. Пропадала Марина чаще всего после того, как ей вновь удавалось на время бросить курить — она держалась иногда по целому месяцу, прежде чем зайти в ларёк и попросить «пачку "Вог" и зажигалочку». Картинки на сигаретных пачках пугали мою пациентку ампутацией, онкологическими заболеваниями и страданием: она выбирала пачку с импотенцией, если таковая имелась.

— Мне кажется, вы не хотите признаться самой себе в том, что курите. Прячете от себя эту зависимость, как подросток — от родителей, — заметил я однажды, и Марина выдала такую бурную реакцию, на которую не казалась способной. Она действительно не разрешала себе думать о том, что курит, — поэтому часто выбрасывала початые сигаретные пачки вместе с зажигалками (а потом, ночами, выуживала их из помойного ведра), никогда не покупала пепельниц или портсигаров и всегда подчёркивала в разговорах, особенно с новыми людьми, что она вообще-то не курит.

Любопытно, что Марина не переносила сигаретный дым — и, если рядом с ней курили, обязательно делала замечание.

Вот такая была у меня пациентка. И я заранее знал, что она скажет:

— Михаил Юрьевич, я опять!

— Ничего страшного, Марина, — отвечу я.

Но сегодня она спросила:

— А что, если попробовать гипноз?

Я верю в гипноз — если это не эстрада, результаты могут быть впечатляющими. Но я честно предупредил Марину, что курение — одна из самых труднопреодолимых зависимостей. Между актами курения — теми глубокомысленными стояниями в каком-нибудь углу с дымящейся палочкой в руке — проходит значительно меньше времени, чем у алкоголиков или обжор. Люди курят чаще, чем выпивают и объедаются. Поэтому курильщикам требуется больше сеансов, и, конечно, нужен хороший специалист. Я дал Марине телефон лучшего.

Зависимости, пристрастия, дурные привычки — человек, изначально склонный к ним, чаще всего меняет одну заразу на другую. Я верю, что Марина сможет бросить курить, — но буду приятно удивлён, если она при этом не растолстеет и не начнёт выпивать.

Спорт, секс, благотворительность и любимая работа — мой рецепт остаётся неизменным, но пациенты скучнеют, лишь только я начинаю расписывать им прелести такой жизни. Чувствуют, что сам я не очень-то продвинулся на этом пути. И что у меня тоже есть дурные привычки.

...Если Модильяни от чего и зависел, так это от собственного таланта. Всё прочее лишь помогало делать жизнь сносной — чтобы не сравнивать без конца свои картины с работами других, чтобы не жрали сомнения, чтобы Момо Утрилло не скучал в одиночестве — чем не повод? Моди и Момо — друзья навек. Другая пара — гашиш и абсент: о, эти два демона свили в душе Модильяни уютное гнёздышко. Зелёная фея и призрачный принц жили дружной, почти семейной жизнью. Это они подговаривали Моди разбивать чужие скульптуры и мазать красками чьи-то холсты потехи ради. Это они советовали раздеться перед всеми догола и плясать с розой в зубах. Это они вечером шептали ему, что он гениален, а наутро показывали, как бездарен. Стиль его — истинный бастард. Ни к селу ни к городу, сказала бы, наверное, Лолотта.

Весной 1909 года Моди перебрался на левый берег, в Сите-Фальгьер. Новинка сезона: теперь между Монмартром и Монпарнасом ходят поезда метро. Моди по-прежнему много работает, но он по-прежнему не в моде и почти ничего не продаёт. Каждый вечер у посетителей кафе «Куполь» и «Ротонда» (её открыли в бывшей обувной лавке — какой шарман!) есть возможность купить рисунок Модильяни. Художник предлагает свои работы, что называется, «из тёплых рук» — фея и принц вьются здесь же, неподалёку. Они не оставляют Модильяни без присмотра даже на полчаса, ведь за полчаса можно сами знаете чего натворить.

Например, Лолотте хватило тридцати минут, чтобы разорвать отношения с Андре и вступить в новые. Эта девушка идёт по мужским головам, как будто пересекает болото по кочкам. Новый мсье — солидный и красный, как сырая свёкла.

С Лолоттой он почти не разговаривает, зато долбит её так, словно хочет туннель пробить для новой станции метро! Лолотта с сожалением вспоминает нежные тёплые пальцы Андре — он долго и терпеливо гладил её, пока все лепестки не оживали, открываясь. Мсье Долбёжнику такие деликатности неведомы — он и за грудь-то её хватает, будто ощупывая, всё ли на месте, ничего не пропало? Бухгалтер, знамо дело. Зато неженатый и, по слухам, готов связать свою жизнь с приличной девушкой. А Лолотта приличная, не какая-нибудь с бульвара! У неё и мужчин-то было — на одной руке пальцев хватит перечесть. В крайнем случае можно добавить вторую руку. И ногу, но на этом — всё.

После ночи с бухгалтером Лолотту изнутри жжёт болью: то, что он с ней делает, какая-то жестокая гимнастика. Шлепок, переворот, шлепок, разворот. Алле-оп! Зато он не жадный и оставляет ей утром деньги на комодике — славные купюры шуршат, как осенние листья! Оставить деньги девушке, которую всю ночь выдалбливал, как пирогу, — это священный долг. Одной прожить не так уж просто, тем более в Париже.

Лолотта надеется, что бухгалтер это понимает.

А если нет?..

В середине мая она посылает Андре записку — пусть придёт или по крайней мере пришлёт ей с посыльным свои пальцы. Томление заполняет её снизу доверху, а от долбёжки бухгалтера никакого толку. Она, конечно, стонет, когда надо, чтобы это скорее закончилось, но бухгалтер, просто какая-то ненасытная прорва. Кровать ходит ходуном, за стенкой одобрительно смеются.

Андре, получив её записку, тем же вечером приходит в новую квартирку на улице Коленкура. Рюшечки, розочки, вышитые подушечки — и среди них Лолотта. Лежит, потому что ей больно сидеть.

— Сегодня он не придёт, — говорит Лолотта. — Погладь меня, пожалуйста, а то я уже забыла, как это бывает.

Потом она просит Андре уйти и ночью, оставшись одна среди своих розовых рюшек и вышитых картинок, горько плачет так, что от подушки начинает пахнуть мокрой курицей.

С мсье художником Лолотта не виделась так давно, что за это время он вполне мог умереть — а не только перебраться на левый берег. Лолотта, хотя в это трудно поверить, так и не была ни разу на левом берегу. Ей там делать нечего — жизнь проходит здесь, на Монмартре. Проходит, вот именно что проходит!

Лолотта хранит карандашный набросок, сделанный с неё в один из первых сеансов. Мсье Моди тот рисунок не понравился — *слишком красиво*, объяснил он. Лолотта подняла смятый листок, расправила — и сохранила. Не в память о мсье художнике, а в память о себе самой. Какая она была юная, робкая и красивая. Вовсе даже не *слишком*.

10

Когда мы познакомились с моей будущей женой, она была весёлой, до краёв налитой радостью девушкой. Пригласила меня к себе в гости, где были две её подруги. Крупная блондинка с лицом, забрызганным веснушками, — Юля, и миниатюрная, точёная, смуглая Вика — её хотелось аккуратно гладить кончиками пальцев, а после всего церемонно поставить на полку, как драгоценную статуэтку. Мы были тогда ещё очень юны и полагали, что музыка всегда лучше, чем тишина, — поэтому Юля включила радио, и девочки «гадали» на песнях — кому какая выпадет и что это может значить. Я в этом развлечении не участвовал, но вспомнил, как в пятом классе соседка по парте учила меня точно так же гадать по книгам — открывать их на случайной странице и зачитывать «пророчество». Ещё тогда я подумал о том, что всё зависит не от страницы, а от того, какую книгу ты выбрал для гадания — Шекспир это, Нострадамус или Аркадий Гайдар?

Тогда мы выпили на четверых две бутылки кислого болгарского вина, и девушки, сделав музыку громче, танцевали перед диваном, на котором сидел я. Юля беззвучно подпевала в такт, и рот у неё открывался пугающе широко. Вика порозовела, у неё случайно расстегнулась пуговица на блузке: я видел кружевную полоску белья и смуглую, блестящую, как у деревянной статуи, грудь. Моя будущая жена мотала головой, как рок-музыкант.

А потом Юля и Вика как-то очень быстро собрались и ушли, и я, дурак, упрашивал их остаться. Мне не давала покоя эта лазейка на блузке Вики, изводили мысли о влажных, намазанных чем-то бесстыдно красным Юлиных губах. Казалось, эти губы могут тянуться во все стороны, как резиновые... Мою будущую жену я хотел в этот вечер меньше всех, поэтому именно её и получил.

Вечером, накануне встречи с Алиёй, я вновь пожалел о том, что никогда больше не видел ни Юлю, ни Вику. Кажется, они уехали куда-то — в Москву, в Питер, в Париж: в те годы все легко снимались с места и уезжали. Моя жена никогда больше не упоминала об этих своих подругах, а спустя лет десять в связи с чем-то другим — или просто так — сказала:

— Тебе нужно обязательно найти в женщине какой-нибудь дефект, только тогда она тебе нравится...

Она была отличным психологом, моя бывшая жена.

Мне важно отыскать особую примету — не обязательно изъян, но примету, которая отличала бы женщину от других. Помню, как волновали меня в «Войне и мире» мраморные плечи Элен — их холодная, сияющая красота ослепляла, как вспышка белого света. Эти плечи и были самой Элен.

Моя бывшая жена считалась миловидной, но была непримечательной — такие лица любят, как мне кто-то объяснил, визажисты: можно с ходу нарисовать поверх другое лицо. Для меня это тоже стало особого рода приметой.

Что касается Алии, то она вся была сплошная примета. От тёмных, с глухим медным отблеском волос и до розового рубчика под глазом.

Телевизор в моём доме давно понижен до звания мебели. Пульт зарос пылью — или это плесень? Обиженно крякнув, телевизор всё же включился, и я решил, что погадаю сейчас на нём, как будто это книга или музыкальное радио.

Показывали что-то местное — в студии сидела журналистка с преувеличенно любезным, как у вышколенных продавщиц, выражением лица. Напротив неё расположился высокий мужчина в оранжевой майке, глядя на которого я сразу понял, что где-то его видел и откуда-то знаю.

Честно говоря, подобные мысли посещают меня гораздо чаще, чем радость от осознания того, что я вижу совершенно незнакомое лицо. Как все, я люблю новых людей и новые истории — это дарит иллюзию постоянных перемен.

Титры внизу экрана напомнили мне имя, а главное — профессию мужчины в оранжевой майке. Это был известный в городе йог, и, когда я видел его в последний раз, лет пятнадцать тому назад, он выглядел точно так же, как сегодня

— Скажите, это правда, что те, кто занимаются йогой, живут значительно дольше других? — с надеждой спросила журналистка.

Йог невозмутимо переспросил:

— Вы имеете в виду долгую жизнь в одном теле?

Я выключил телевизор.

Мне никогда не хотелось жить значительно дольше других.

Другое дело, если значительно лучше.

...Лолотта опоздала на приём. Она будет со мной всего тридцать минут, а потом в кабинет войдёт Игорь. Среда, автомобилисты, взволнованный топот в коридоре: дежавю устойчивое, как запах в парижском метро. Я никогда не был в парижском метро, но откуда-то знаю, как в нём пахнет.

Сегодня Лолотта в оранжевом платье — этот цвет ей, по-моему, не идёт. В ушах — какие-то слишком уж блестящие серьги.

— Вы сегодня очень красивая, — говорю я.

— Спасибо, — улыбается Лолотта. — На майские мы едем в Париж с Ларисой и мальчиками. Надо же им Диснейленд показать, пока не выросли...

— Париж! — Я рад за неё. Всегда приятно вернуться в город, где ты жил сто лет назад в другом теле.

— Вдруг я там ещё что-нибудь вспомню, — говорит Лолотта. — Хотя, знаете, я и так каждый день вспоминаю... разное. Иногда не очень приятное — мне кажется, в той жизни я была довольно-таки легкомысленной особой.

— Уверен, что не особо, — улыбаюсь я.

— Лишь бы с погодой повезло, — невпопад заявляет Лолотта. — Там очень переменчиво, а у младшего — слабое горло.

Мы встали, прощаясь, и она вдруг поцеловала меня в щёку сухими губами — так целуют нелюбимого дядюшку, который пришёл на именины и подарил деньги в конверте, поэтому его так или иначе приходится целовать.

— Спасибо вам большое, вы мне очень помогли. Я напишу из Парижа, хотите?

— Все хотят, чтобы им написали из Парижа.

— Кстати, тот мальчик, в коридоре, который с мамой... Я его почему-то помню. Знаю.

11

Скульптор Константин Бранкузи пришёл в Париж пешком, как истинный паломник. Но Модильяни любит его не только поэтому — благодаря Бранкузи он в очередной раз выбирает скульптуру. Моди оплачивает счета от дантиста, нарисовав его портрет — как другие рисуют фальшивые купюры, но это всё не то. Не настоящее. Ради денег. Он ваяет кариатид и женские головы, проводит лето в Ливорно, работая с каррарским мрамором и задыхаясь от этого. Нас убивает то, что мы умеем и любим делать лучше всего, — но поначалу оно дарит нам жизнь и надежду.

Моди слишком часто переезжает, скульптуры разбиваются, теряются по пути из «Улья» в дом на бульваре Распай. Потом опять Монмартр, и снова Монпарнас, улица Гран-Шомьер...

Скульптуры и холсты пропадают, а вот зелёная фея и призрачный принц неуклонно сопровождают Модильяни во всех его парижских метаниях.

Зимой 1910 года, когда в Париже случилось то жуткое наводнение, Моди не расстаётся с феей и принцем ни на минуту — они работают втроём, и, если Париж уйдет под воду, как Атлантида, в мастерской этого никто не заметит.

Модильяни как будто бы ещё и мало воды — пусть парижане добираются до работы на лодках, пусть статую зуава поглотят воды Сены, пусть торговцы оплакивают размокший в погребах товар, он знай поливает скульптурные головы из садовой лейки, глядя, как переливается мокрый камень, восхищаясь живым блеском застывших глаз.

Вода уходит только весной, Париж долго приходит в себя, а Моди участвует в выставке, и вновь почти ничего не продаёт, и почти всё тратит.

Зато Лолотта не расходует ни франка — она становится прижимистее с каждым годом. Ключик от шкатулки всегда с ней, горячий, как её кожа. Деньги Лолотта держит в шкатулке, никаких глупостей, вроде как отнести их в банк, ей и в голову не приходит. Бухгалтер-долбёжник однажды пропустил свидание, а потом и вовсе пропал. Андре уехал из Парижа.

Однажды, спустившись с холма, Лолотта встретила Модильяни, но он её не узнал, и это оказалось очень обидно. Она считала, что не очень-то изменилась и уж точно не постарела, но Моди скользнул по ней взглядом и уже через секунду смотрел мимо. Лолотта прижалась к холодной стене кабачка, откуда как раз выметали опилки — дневная уборка. Вот и Лолотту вымели из памяти художника — а ей казалось, он в неё влюблён...

Рядом играли ребятишки, гвозди на их каблуках стучали так, будто кто-то вбивал их в сердце Лолотты. Или заколачивал гроб с её надеждами. В груди тяжело ворочалась обида, как человек, который никак не может уснуть.

В следующий раз Лолотта увидела мсье художника через год, у станции метро *"Lamarck-Caulaincourt"*. Он был с такой дамой, что Лолотта вся прямо дёрнулась от расстройства. Черноволосая, из благородных, фигура в синем платье ровная, как статуя, а нос хоть и с горбом, но всё равно красивый — не чета Лолоттиному пятачку.

Что ж, и на её скромную внешность находятся любители! Сейчас таких было двое — для удобства она звала их Чётный и Нечётный. Шесть вечеров в неделю — на Чётного с Нечётным, а по воскресеньям она ходила в ближайшую церковь. Над холмом уже нависали чудовищные телеса новой базилики, ощетинившейся строительными лесами, но Лолотте было страшно даже смотреть на неё, не то что представить, как там можно падать на колени и молиться. Её Бог жил в маленьких храмах и сам был маленьким, уютным и всепрощающим, как добрый дедушка, грешивший в юные лета.

Нечётный любовник жил неподалёку, на улице Равиньян. Чётный приезжал к Лолотте аж с левого берега. Он тоже был художником, рассказывал про Лувр. Там есть большие комнаты с египетскими богами. Есть бог-карлик по имени Бес. Есть богиня-кошка Бастет, у которой на руке висит корзинка и платье как будто современное, по моде. Есть львиная богиня Сехмет — она сидит, сложив руки на коленях. Чётный рассказывал про египетские раскрашенные гробы, Лолотта забыла, как они называются, про сосуды для внутренностей и статуи бабуинов с неприличностями (на этом месте Лолотта начинала жарко хохотать, и рассказ прерывался). Она обещала и себе, и Чётному доехать до Лувра, посмотреть на эту кошку с корзинкой, и на раскрашенные египетские гробы, и на бабуинов!

...Модильяни приводил Анну в Лувр, и сразу у них было *бегство в Египет!* Скарб и скарабеи, зеркала и арфы, смирные сфинксы и статуэтки из могильного габбро, лодки с гребцами, горшки и боги, боги и горшки...

Среди богов была Бастет с кошачьей головой, и бог по имени Бес, и бог по имени Птах. Анна объясняла, как это смешно по-русски. Не менее смешно, чем медовый месяц в Париже без мужа.

Из Лувра они шли на другой берег, в Люксембургский сад — денег на платные стулья у них не было, так что они гуляли по дорожкам или садились прямо на траву. Какая-то пара торжественно вносила в сад свои собственные, домашние стулья — чтобы не платить за казённые. Эта пара пришла в нашу повесть из чужой — но их помнил весь Париж!

... — Ты любишь живопись, Игорь? — спросил я.

Сегодня мальчик выглядел спокойнее обычного, но вокруг него клубилось нервное облачко. Он дёрнул себя за палец — только один, на пробу, — прежде чем ответить:

— А помните, Михал Юрьевич, как вы приставали ко мне со всякими рисунками? Чтобы я вам свою семью изобразил?

Был такой эпизод, стыдно вспомнить. Обычный тест — как правило, дети справляются с ним без труда. Но Игорь — это не ребёнок. Взял у меня листок и намалевал чёрные каракули.

— Образ отца, — пояснил этот маленький мерзавец. — Исполнение оставляет желать лучшего, но суть я передал верно. Видите, как он давит на меня своей чёрной волей — даже за границы рисунка выплеснулось! Себя я даже изображать не стал — зачем, если моя сущность полностью подавлена?

Игорь глумился надо мной, но говорил при этом чистую правду.

Ему стало бы легче и лучше, разведись его мать с отцом, но этот вариант мы, конечно, не рассматривали. А жаль.

— Так почему вас заинтересовала моя жизнь в искусстве, Михал Юрьевич? — спросил Игорь, всё-таки сыграв ужасную гамму щёлкающих пальцев от первой и до последней ноты. — Сам я рисовать не умею, Господь не одарил, но чужие ухищрения ценю. Отто Дикс, Фрэнсис Бэкон, Джон Беллани.

— А Модильяни? Нравится?

— Попса для девочек, — сказал Игорь. — Плохой Пикассо. Если уж становиться художником, то таким, как Ротко. У него в каждую картину можно войти, как в дом. И дверь за собой закрыть.

Игорь вздыхает так искренне, что я чувствую: он действительно хочет закрыться в одной из картин этого Ротко, кем бы тот ни был.

Он хочет закрыться от всех, но мы с его мамой упорно тянем его наружу. В люди.

12

Модильяни меняет квартиры с той же скоростью, что и мнения о том, кто же он всё-таки, живописец или скульптор. Бульвар Распай, Сен-Готар, Дуэ, Дельта, Гран-Шомьер — названий улиц хватит на целую адресную книгу. Вечерами, в компании феи и принца, он рисует — в свете зелёных газовых рожков, на оборотах собственных картин, так быстро, что редкие заказчики возмущаются: разве можно за столь короткое время изобразить их неповторимые лица?

Если бы Моди снизошёл до них, то объяснил бы — неповторимых лиц в природе *molto poco**. Число вариаций ограничено, как винный ассортимент в кабачке добрейшей Розалии с улицы Кампань-Премьер. Каждый из нас похож на кого-то, и вопрос лишь в том, насколько часто встречается подобная внешность.

Новые лица Модильяни всегда рассматривает придирчиво, как покупатель в лавке.

В 1913 году в Париж приезжает обладатель действительно оригинальной внешности — японец Цугухару Фудзита. Он художник, и Моди находит в нём друга. Вертикальные строки иероглифов

---

* Очень мало (*ит.*).

спускаются вниз, как вьющиеся локоны барышень из прошлого века. Моди приводит Фудзиту в Гран-Пале, где проходит художественная выставка, и японец мечтает принять участие в следующем Салоне. Модильяни тоже представит там несколько картин. Жаль, что слава идёт к нему так медленно, постоянно сворачивает с пути — как алкоголик, который всё никак не может добраться до дома.

«Какой художник, такая и слава», — считает зелёная фея, а призрачный принц молча протягивает Модильяни лепешку гашиша.

Утрилло, Сутин, Кислинг, Сандрар — друзья и собутыльники Моди. Сутин не имеет понятия о личной гигиене, а Моди при всём своём образе жизни болезненно чистоплотен — но это не повод для ссоры с другом, скорее — повод для того, чтобы научить Хаима чистить зубы.

Моди — отличный друг, зелёная фея и призрачный принц не дадут соврать. Он верен им душой (днём) и телом (ночью).

Лолотта не жалует разговоров о теле и душе́ — с телом всё понятно, а душа только мешает, вырвать бы её с корнем! Нечётный любовник с улицы Равиньян взял вдруг моду приходить навеселе, а однажды привёл с собой приятеля. Сам, главное, уснул, а приятель решил откусить от торта, да ещё и рассвирепел, что отказались угощать. Прижимался к Лолотте, сопел, ухо облизывал, пока Нечётный храпел в кровати... Она еле как отбилась, хотя в голове пару раз пронеслись быстрые мысли, как облачка в ветреный день на Монмартре — Нечётный-то всё равно не проснётся, а у приятеля в штаны будто скалка засунута: хотелось бы посмотреть, конечно, из чистого любопытства, неужели бывают такие большие и твёрдые? Но Лолотта знала, что где посмотреть, там и потрогать, дальше сами знаете, не маленькие. Она себя соблюдала, и замуж собиралась, а сплетни по Монмартру носятся быстрее тех самых облачков в ветреный день.

Приятель — очень недовольный — ушёл. Обозвал Лолотту грязным словом и пнул красивый комодик, оплаченный бухгалтером. На плече в память об этой ночи остался синяк — большой и ужасно болючий. Чётный любовник неосторожно прихватил её на другой день за это место, и она взвыла, как шавка мамаши Валадон.

Чётный Лолотте нравился: ей даже удавалось через раз получить для себя приятственное ощущение — горячее, но какое-то слишком уж быстрое, не как с Андре. Чётный тоже был художником, правда, рисовал не лица, а домики, как Момо Утрилло. Но у Момо домики были настоящие, точно из жизни, а у Чётного — кривые, косые, будто летят куда-то. И цвета, каких взаправду не бывает, — сиреневые крыши, красные стены... Как будто модистка свихнулась и собрала в один ансамбль остатние лоскуты. Картинки Чётного Лолотта увидела, когда он принёс их на Монмартр — продать. Тогда на Монмартре все подряд продавали картины — и кабатчики, и прачки, и цирковые. Художники малевали столько, что можно было весь холм закрыть полотнами. Но у Чётного никто не покупал, а «будтобы-прекрасная» Габриэль даже обсмеяла его домики. Сама бы что понимала!

Однажды Лолотта показала Чётному рисунок Модильяни — похвалиться, какой она была в юности. Чётный прямо из рук не мог его выпустить, даже замял с одного краю — и Лолотта пожалела о своём доверии. А вдруг он увидит, где она прячет рисунок, — и выкрадет?

Права была мать: никому в этой жизни верить нельзя, а счастье — в деньгах, и точка.

13

В середине апреля, когда уже были почки на деревьях и сухой асфальт, и мои коллеги ходили в лёгких платьях (нарколог даже в босоножках явилась — пятки у неё оранжевые и круглые, как мандарины), выпал снег. Снежинки падали на землю, будто в свежую рану, и тут же превращались в жидкую грязь, как сбывшиеся мечты.

Алия больше не появлялась; я мог рассчитывать разве что на открытку из Парижа — да и то после майских.

Снегопад прекратился только к вечеру. По улицам ездили чумазые машины, и брюки у всех пешеходов были выпачканы до колен. Я зачем-то вспомнил урок-наставление своей бывшей жены: ни в коем случае не пытаться стереть грязные брызги, а дать им высохнуть до конца и потом *пройтись щёточкой.*

Удивительная вещь — люди исчезают из нашей жизни, но их слова и советы остаются в ней надолго, если не навсегда. И даже если жизнь заканчивается, слова всё равно остаются — непостижимым образом прорываются к нам через годы.

Я думал об этом, перешагивая через лужи на пути к мастерской Геннадия. Под мышкой — альбом Модильяни в пластиковом пакете, в портфеле — расстегаи из больничного буфета. Вкусные, кстати сказать, расстегаи: когда я вижу их в буфете, то радуюсь, будто встречаюсь с приятными людьми.

Геннадий открыл не сразу, лицо у него было распухшее, как толстая книга, упавшая в воду.

— Здорово, Модильяни! — сказал он. — Я тут что-то приболел слегка. Лечусь коньячищем. Будешь?

Сегодня, во всяком случае, я не был виноват.

Расстегаи уместно оттеняли букет напитка, который мы пили из гранёных стаканов, не виданных мною с юности.

Геннадий долго и сбивчиво рассказывал о напастях, которые сыпались на него в последнее время буквально отовсюду. Лишь только он договорился с одной частной галереей о выставке, как галерея тут же разорилась. Стоило ему продать картину через Интернет, как именно эта работа неожиданно пропадала из мастерской — хотя ещё вчера подпирала стены вместе с другими, как девушка на танцах, которую не спешат приглашать... Добила Геннадия на редкость приставучая инфекция, свившая гнездо в организме, а контрольный удар нанёс некий Женька Падерин, который вдруг неожиданно сменил стиль и начал *красить*, как Геннадий. Художник утверждал, что Женька изменил курс на следующее же утро после совместной лечебной пьянки в прошлый понедельник, что ночью он жадно рассматривал свежие работы Геннадия, после чего беззастенчиво украл у него идеи, а вместе с ними — кураж, смысл существования и *joie de vivre*.

— Зачем мне теперь всё это? — спрашивал Геннадий, указуя свободной от стакана рукой на пристыженные холсты. Они были как несчастные страшные бесприданницы, на которых польстится разве что слепой.

Я хотел утешить Геннадия — он нравился мне и не был виноват в том, что не имеет таланта. Поэтому я долго и терпеливо слушал его, задавал правильные вопросы, поддакивал — в общем, вёл себя не только как психолог, но прежде всего как друг.

Мы допили коньяк, и Геннадий отправился в алкомаркет за новой бутылкой. Пока его не было, я читал названия альбомов, напечатанные на корешках, — книгами была заставлена целая стена. Утрилло, Сутин и Фудзита (правда, на английском) стояли дружно в ряд, как будто, став книгами, не желали расставаться. Я полистал альбом Утрилло — рисунки казались сделанными белым по белому. Открыл Сутина — и на меня дунуло даже не ветром, а вихрем, который крутил спирали из домов, деревьев и детей. А работы Фудзиты показались мне просто очень странными, какими, впрочем, и должны быть картины, рождённые на стыке двух культур, у которых в принципе не может иметься никакого стыка.

— Геннадий, ты веришь в двойников? — спросил я у художника, который как раз открыл дверь ключом и страшно топал ногами по коврику в прихожей, чтобы не разносить грязь по мастерской. Эта аккуратность, проявленная крупным и крепко пьяным человеком, показалась мне очень трогательной — однажды Эльвира Аркадьевна научила мужа вытирать ноги, прежде чем войти в дом, и он будет делать так до самой смерти (а может, и после неё).

Геннадий поставил бутылку на стол и сказал:

— Я даже в тройников верю!

В ту ночь я давал Геннадию советы и творческие рекомендации, спрашивал, почему бы ему не рисовать так, как это было принято до импрессионистов? Абсолютный реализм в изобразительном искусстве сегодня может быть воспринят как смелый вызов, и, возможно, это будет иметь успех. Геннадий промычал, что художнику следует воспарить над реальностью, а не барахтаться в ней, как в грязной луже. И что после Пикассо о реализме даже думать неприлично. Вот разве что всё созданное доселе человечеством однажды погибнет — тогда история искусства вернётся к истокам, и наш далёкий потомок схематически изобразит на стене пещеры какого-нибудь оленя, в точности напоминающего оленя работы нашего далёкого пращура.

Мы сидели почти до утра, и с каждым новым стаканом я всё лучше понимал, что́ со мной происходит — глубина тех мыслей была непостижима, как вечность, и потом я пожалел, что не записывал свои озарения. Конечно же, они забылись — я восстановил лишь одно. Внешнее сходство не может гарантировать схожести судеб, упорно объяснял я Геннадию, который давно уже спал лицом в стол и лишь изредка вздрагивал всем телом, как собака, которой снятся лес и лето.

14

В жаркие летние дни Модильяни охлаждал бутылки вина в Сене, обвязывая их верёвкой и спуская в воду близ Нового моста. Он давно привык к левому берегу — каждый день ходил в «Ротонду», где подыскивал себе натурщиц и дразнил хозяина, милейшего папашу Либиона. Привык даже к полицейскому участку на улице Деламбр, где трудились ажаны, знавшие толк в изящных искусствах, — один комиссар собрал впоследствии неплохую коллекцию работ проштрафившихся художников.

Моди простился наконец с надеждой стать скульптором, да и с молодостью — тоже. Повзрослеть — означает делать то, чего никогда не позволял себе прежде: он впервые в жизни подновляет свои старые работы, счищая с них плесень и представляя как новые. Для действительно новых портретов ему по очереди позируют две очень разных девушки с одинаковым именем Эльвира, а потом он знакомится с англичанкой Беатрис Гастингс.

«Поле битвы при Гастингсе»! Моди предпочитал Бодлера Гейне и всем прочим — Данте. Без Данте жить не мог — даже зелёная фея и призрачный принц смирились с терцинами «Божественной комедии».

Модильяни и Беатрис разглядели друг друга в кондитерской, где он передавал ей под столом лепёшечки гашиша. Она не слишком красива, но это не имеет значения — такое лицо хочется рисовать. Беатрис к тому же писательница, работала в журнале, где издавали Шоу и Честертона, была замужем за боксёром (он же кузнец) и сразу увидела, как прекрасен этот итальянец. Голубоватое от пробивающейся щетины лицо, взгляд, перед которым хочется вывернуть себя, как карманы — наружу. Ранимый, как девочка, и по любому поводу у него — Данте. Беатрис пытается бить Данте Мильтоном-тузом, но к Моди всегда приходят лучшие карты. Должно же хоть в чём-то везти!

Впереди у них два года буйной любви с драками, оскорблениями, угрозами, уходами и возвращениями. Залейте всё это абсентом, и можно не заметить, что началась война.

...О том, что Франция вступила в войну, Лолотте рассказал Нечётный. Он одним из первых прошёл комиссию — чуть ли не до того, как объявили мобилизацию.

— Зачем тебе? — удивилась Лолотта, но Нечётный не ответил — он не любил разговоров с женщинами. Женщина, считал Нечётный, должна быть нежной, терпеливой и послушной. И очень важно, чтобы чистенькой — неряшества у дамочек он не терпел и бросил Мадо, предшественницу Лолотты, потому что волосы у той воняли горьким жиром.

Лолотта — аккуратная, ручки и ножки одинаково гладкие, а у Мадо кожа на пятках шуршала, как сухие листья на кладбище, когда она снимала чулки. И когда пришпоривала Нечётного своими сушёными пятками, это были вот именно шпоры — он вздрагивал от боли, а не от удовольствия. Даже вспомнить неприятно! А ведь с лица Мадо была симпатичнее Лолотты, хитрой крестьяночки, которая никогда не снимает с шеи цепочку с ключом и умело выпрашивает у него деньги. Её не интересовали ни наряды, ни конфеты, ни выпивка. Только деньги.

Лолотта «закопила», по её собственному выражению, уже немало — хватит на покупку собственного домика, но недостаточно для того, чтобы перестать задирать юбки перед Чётным и Нечётным. К тому же Нечётный уезжает на фронт в ближайший понедельник, значит, нужно срочно найти ему замену. А вдруг с этой войной все сбережения обесценятся? Лолотте не спится — в спальне душно, и это единственная ночь на неделе, которую она проводит одна. В зеркале, поставленном у кровати так, чтобы Чётный и Нечётный могли смотреть на свои непотребства с Лолоттой, отражается одинокая фигурка, закутанная в кружевной пеньюар.

Лолотта встаёт, подходит к окну, и видит за ним грозное, в тёмных тучах, небо, и чувствует, как начинает вдруг зудеть родинка под глазом. Чешется, будто укусил кто — и оставил яд под кожей.

Нечётный однажды укусил её за грудь. А Чётный, вот чудак, в первый же раз, как пришёл, лизнул зачем-то в подмышку.

Родинка зудела так, что было не до смеха. Лолотта позабыла и о войне, и о грозовом небе, и даже о шкатулке, доверху набитой золотыми стофранковыми монетами — на Монмартре говорят, их вот-вот перестанут чеканить, но ведь золото есть золото, вряд ли упадёт в цене...

Страшно подумать, если так.

Не зря всё-таки Монмартр — гора мучеников.

Лолотта с трудом дождалась рассвета — помчалась к знакомой лавочнице с улицы Дельта. У этой Франсуазы племянница замужем за доктором.

Родинку обметало чем-то красным со всех сторон, будто в огненное кольцо взяло.

Лолотта, пока бежала, закрывала щёку ладонью и чувствовала на руке своё же горячее дыхание. Спускалась с горы — шлёпала подошвами, так что ноги заболели.

И так ей стало вдруг себя жаль — не перескажешь! До горьких слёз, до холода, булькнувшего вдруг в животе. Одним лишь чувством успокоилась — маленький ключик, влажный от пота, всё так же висит на цепочке.

Те прочные узы, которые будто бы связывают людей, часто оказываются не цепями, а сгнившими верёвками. Все мои пациенты винят в своих несчастьях тех, кто живёт с ними рядом (при этом жалеют далёких, рыдают над судьбами незнакомых, страстно сочувствуют неизвестным). Главные враги, конечно же, мужья и жёны, за ними следуют родители, братья и сёстры, зятья и невестки и, разумеется, взрослые дети. Кровь — не водица, но самый настоящий яд.

С друзьями всё обстоит несколько иначе: друзей любить проще, чем родных, особенно если они неудачливы и так явно нуждаются в нашем участии. В годы юношеского неразборчивого общения легко и естественно появляются завязи долгих лет дружбы с людьми, не подходящими нам ни по характеру, ни по жизненным интересам, ни по темпераменту. Впоследствии, когда ты осматриваешь поредевший от времени круг друзей суровым взглядом домохозяйки, добравшейся наконец до шкафа в дальней комнате, то понимаешь, что ценность ваших отношений измеряется совсем не теми параметрами, которыми с такой лёгкостью жонглируют в юности. Верности проще требовать от собак, тогда как в друзьях мы ценим общность апперцепционной базы и умение по-хамелеоновски быстро менять фон, на котором дивно сверкают наши многочисленные достоинства.

Самыми близкими моими друзьями в последние годы были те люди, общаясь с которыми, я нравился в первую очередь себе и с наслаждением слушал собственный голос. Увы, один из этих друзей скоропостижно скончался, а второй сразу же после похорон первого продал квартиру в нашем городе и переехал в Петербург. В России это нечто вроде рефлекса: если проблема выглядит нерешаемой, значит, нужно переезжать в Петербург. Я, как психолог, несколько раз имел дело с такими случаями и должен сказать, что многим Петербург помогает, как вовремя принятое лекарство.

Потеряв обоих своих близких друзей, любой человек, привыкший к заместительной терапии, поневоле начнёт общаться с неблизкими. Я стал чаще видеться с Лидией и её нынешним мужем Сергейкой. Это не я так его зову, конечно, — Сергейка. Прозвище подарила ему Лидия — любопытно, что дочерей своих она всегда называла Софьей и Валерией даже в раннем детстве, когда они совершенно точно были Сонечкой и Лерочкой. Да и своё собственное имя Лидия сокращать не любила — никому из приближённых людей даже в голову не пришло бы звать её «Лидой» или, хуже того, «Лидусей». Нарушителей повторно в дом не приглашали.

Сергейка был невысоким, даже чуть ниже меня — а я, как все поняли, не из крупных мужчин. Но в отличие от меня муж Лидии выглядел хорошо задуманным и крепко сколоченным: так твёрдо стоял на ногах, что они могли казаться прибитыми к полу. Сергейка был успешным коммерсантом, любил вкусно поесть и терпеть не мог всяческих неясностей — однажды мне посчастливилось попасть вместе с ним и Лидией на премьеру фильма французского режиссёра, классика новой волны и большого любителя подразнить зрителей. Неожиданные звуковые эффекты, обнажённое тело, снятое с непривычного ракурса, перескоки во времени и в пространстве, а то вдруг вообще кажется, что плёнка оборвалась и «кина не будет». Сергейка одним из первых покинул зал после эпизода, где главный герой довольно долго сидел на унитазе. Справедливости ради следует заметить, что люди уходили с того сеанса целыми рядами. В конце концов в зале остались лишь мы с Лидией и ещё одна упрямая пара на заднем ряду — они так громко черпали попкорн из ведёрка, как будто там кто-то грузил лопатами гравий.

Сергейка уходил и со спектаклей Виктюка, и с малоприличных, по его разумению, художественных выставок — ждал Лидию под дверью, возмущённо надувая щёки. «Искусство должно быть понятным и добрым» — эти Сергейкины слова я никогда не повторяю при Лидии, но вспоминаю с огромным удовольствием.

Лидия же проявляла царственное великодушие — она считала, что «художнику нужно дать высказаться до конца», и просила для себя в кинопрокате не просто фильмы, а *чтобы подумать*. Сергейкину нетерпимость она воспринимала спокойно — судя по всему, это соответствовало её крайне сложным стандартам. Ну и потом, Лидия, в отличие от многих других своих ровесниц, сознаёт, что уже не так молода и красива, как прежде, и что все усилия её косметологов с тренерами приводят к эффекту хрущёвки, где установлены стеклопакеты. Это в прошлом она могла позволить себе крутить романы с двумя своими будущими мужьями одновременно, а потом оставить их последовательно, одного за другим, как шахма-

Анна Матвеева

тист бросает короля в знак проигранной партии. Мужья были полностью дезориентированы и несколько месяцев пили вдвоём — то на одной, то на другой кухне звучали тосты: «Чтобы нам больше никогда не видеть эту женщину!» Лидия одинаково легко бросала мужчин и надоевшую работу, но при этом всегда оставалась надёжным другом и удивительно нежной матерью.

...Беатрис много раз пыталась расстаться с Модильяни — слишком уж бурным был этот роман. Она уходила от него к другому итальянцу — тоже скульптору, по имени Альфредо, она купила себе пистолет, а Моди, когда перед ним закрывали дверь, разбивал окно, чтобы зайти. Беатрис хотела позировать Мойше Кислингу, но Моди устроил из этого целую историю — нет, нет, и *ancora* нет, потому что все знают: если женщина позирует, она после этого обязательно отдаётся художнику. Иначе и быть не может, проверено годами практики.

Друзья один за другим отправлялись на фронт, и Модильяни тоже пытался пройти комиссию — но проклятый туберкулёз вместе с зелёной феей и призрачным принцем сделали так, что врач отправил его домой, не дослушав.

В 1916 году Беатрис окончательно бросила Модильяни и вернулась в Англию, где снова вышла замуж за боксёра.

Моди гулял по кладбищу Монпарнас с Диего Риверой, буянил в кабаках и случайно попал бутылкой в лицо незнакомой девушке: она тоже туберкулёзница, а ещё — канадка, пианистка. Симона Теру. Рассечённая бровь — и любовь на всю жизнь, но не у Моди, а у Симоны. Она даже родит ему сына, которого никто не признает, — и уйдёт в могилу через год после Амедео. Мальчика вырастят приёмные родители, он станет священником и умрёт, так и не узнав о том, кем был его отец.

Судьба, как и Амедео, не любит исправлять уже намеченных линий.

...Я вспоминал всё больше подробностей — как будто перечитывал любимую в детстве книгу, заново переживая не только сюжет, но и себя в этом сюжете: вот на этой странице я вдруг вспомнил, что читал её в пионерлагере, где страшно скучал по маме. А когда добрался до пятой главы, меня прервали крики под окном — Вовка и Серый звали играть в войнушку. Незатейливый интерактив реальной жизни. Рассказывать кому-то о том, что я вспоминаю в мельчайших подробностях жизнь итальянского художника Амедео Модильяни, было бы как минимум неразумно — останется лишь шаг до того, чтобы *называть* себя Модильяни и считать себя его новым воплощением. В то же самое время я не хотел забывать все эти подробности — чтобы рассечённая бровь Симоны Теру, пистолет Беатрис и прогулки по кладбищам с Риверой ушли туда, откуда явились.

Вот почему я решил записывать всё, что вспоминал, — и начал с того дня, когда Лидия попросила принять знакомую «девочку». Я провёл почти все выходные у компьютера, а ближе к вечеру в воскресенье позвонила Лидия и велела приехать к ним на ужин. Спросил, что принести, и она продиктовала мне целый список — почти как в песне: «Шампанское, икра и запах сигарет». Лидия очень практична, и Сергейке в ней это особенно нравится.

— Рубля зря не потратит! — восторгается он.

16

Война идёт где-то очень далеко от Монмартра, но Лолотта на всякий случай старается тратить как можно меньше денег. Тратить, вообще, не так интересно, как копить. На днях Лолотта выпросила у Чётного большой красивый ларчик с розовой крышкой и металлическими стебельками, которые как бы обвивают его целиком, — здесь отныне хранятся все её немалые деньги. Ларчик она каждый вечер заворачивает в старые газеты, чтобы походил на что-то мусорное, а потом кладёт в сундук с тряпьём.

В очередной раз комкая газеты, которые приносит в дом Чётный, Лолотта случайно натыкается взглядом (как глазом на ветку) на объявление о выставке художников в Гран-Пале. Имена набраны жирным, в самом низу — «Модильяни».

Вот бы повидаться! У неё как раз и шляпка новая, тоже подарок Чётного. Надо же хоть раз дойти до этого левого берега, не так уж он и далеко.

Лолотта почти собралась спуститься с холма, но её остановили сразу два важных события: было у неё такое свойство — притягивать к себе, как сказал бы Чётный, парные явления.

Вот, например, та неприятная история с родинкой, которая зудела, — оказалось, это всё ж таки кожная немочь, — притянула к себе случайное знакомство с лекарем. Он жил на улице Карпо, у кладбища, имел длинные усы и врачевал по старинке: словами да травами. Жаль, что денег за свою услугу запросил немало, — но Лолотта была так напугана тем ночным зудом, что рассталась с монетами сравнительно легко. Родинку ещё с три дня подёргало, а потом она сошла начисто, будто и не было никогда на щеке Лолотты этой привычной отметинки. В память осталось лишь розовое пятнышко — Чётный любил дотронуться до него пальцем, но он вообще много чего любил потрогать.

Он пришёл в тот день раньше обычного — и ещё даже раздеть Лолотту не успел, как вдруг в дверь постучали тяжёлым и, хочется сказать, весёлым кулаком. Так стучит тот, кто очень ждёт ответа — надеется, что ответ этот будет быстрым.

Лолотта давно перестала соблюдать чётные и нечётные дни — сегодня был понедельник, но замены воевавшему любовнику она найти не смогла и потому принимала Чётного, когда тому заблагорассудится — кроме, конечно, воскресенья, которое нужно посвящать Богу. Молодой кюре из новой базилики был таким красивым, что Лолотта всю мессу только и делала, что мысленно срывала с него сутану — а потом тут же, по свежим следам, замаливала греховные помыслы.

Итак, был понедельник, весёлый кулак стучал в дверь, и, распахнув её, Лолотта увидела Нечётного, с чёрной повязкой на глазу.

— Вытек в итоге ранения, — любезно пояснил Нечётный, для него это был какой-то невероятный всплеск откровенности. Потом он прямо у двери полез к Лолотте за этим самым, нетерпеливо задирал юбки, как мальчишка, который распаковывает подарок, — а в спальне-то её ждал Чётный, который тоже пришёл не разговоры разговаривать. Несчастная Лолотта сказала: ей пора уходить — они могут вот только если очень быстро и прямо здесь, стоя; а в следующий раз пусть приходит в среду, в своё обычное время. Она держалась руками за дверь, надеясь, что всё пройдёт скоро, — и, думая только об этом, вдруг неожиданно поймала такую долгую и горячую волну, что едва не крикнула об этом на весь дом. На прощанье Нечётный поцеловал её в щёку, но не спросил, куда делась родинка. И денег не оставил. Лолотта обмылась, как могла, холодной водой из чашки, потом вытерлась старой юбкой и пошла в спальню, где Чётный шуршал газетами и недовольно спрашивал куда она подевалась?

— Сюзон приходила, — соврала Лолотта.

Чётный бросил газету на пол; она долго шуршала, оседая.

А наутро в дверь постучал почтальон — принёс письмо из предместья, написанное кривыми квадратными буквами, похожими на покосившиеся ульи.

Оказалось, что мать умирает и просит Лолотту приехать.

Она ведь не только на левом берегу не бывала. Она и домой, в предместье, так ни разу и не выбралась за все эти годы.

17

— Долго же ты к нам ехал! Мы думали, так и не выберешься! — Лидия обняла меня, и я, коснувшись её плеч, удивился тому, какие они, оказывается, мягкие. Она очень стройная, можно даже сказать, худая — но на ощупь её тонкие руки оказались даже слишком мягкими. И тёплыми.

«Даже странно, что она живой человек», — сказала бы здесь моя бывшая жена, не любившая Лидию.

Мы познакомились в начале девяностых — Лидия торговала собачьими шубами на рынке, а я пришёл туда, чтобы купить жене шапку-капор на день рождения. Жена мечтала о такой шапке — хотя, на мой взгляд, это была на редкость уродливая модель, превращавшая женщин в чудищ с огромной мохнатой головой. Но жену моё мнение не интересовало: она просто хотела капор, и чтобы обязательно с бомбошками на шнурках.

Был январь, холодный и ясный. Торговки приплясывали на месте, закрывали носы варежками и потом отплёвывались от клочков пуха, попавших в рот. Когда я появился в меховом ряду, женщины буквально напали на меня, и каждая тащила к своим шапкам и шубам, распятым на плечиках. Мех трепетал на ветру.

— Ондатра, нутрия, норочка? — заискивали торговки. У одной из них губы от холода были такими синими, как будто она съела ведро шелковицы. Руки, которыми она пыталась меня ухватить, не согревались даже в варежках.

Я решил, что возьму капор именно у этой — самой из всех замёрзшей. «Отмороженной», как шутила впоследствии Лидия, рассказывая кому-то историю нашего знакомства. Она и вправду окоченела уже почти что до самых костей, но упрямо не уходила с рынка — потому что верила в примету: как только продастся первая вещь, так тут же пойдёт вся торговля.

Лидия положила капор в пакет, моментально задубевший от ледяного воздуха, и сказала:

— Вы мне оставьте свои координаты! На той неделе придут новые шубы, как раз к вашему капору.

Худенькая, невысокая, промёрзшая, она без труда командовала всеми вокруг — во всяком случае, я покорно продиктовал ей шесть цифр нашего домашнего номера, и через неделю Лидия действительно позвонила. Потом она приезжала к нам домой, показывала какие-то вещи, пыталась подружиться с моей женой, но, как я уже сказал, не понравилась ей.

— Что она к нам повадилась, в самом деле? — возмущалась жена (редкий случай). — Будто вынюхивает что-то!

Лидия в те годы действительно напоминала собаку, идущую по следу, — она тогда бросила своего первого мужа, который оставил ей квартиру, но всё остальное требовалось обеспечить самостоятельно. Сейчас она похожа, скорее, на лисицу — умное, хитрое личико, золотистые волосы, бесшумная походка. Сколько раз я вздрагивал, услышав её голос за спиной, когда рядом, кажется, никого не было!

Я понимал, что она должна нравиться, — и знал, что многие наши знакомые теряли из-за неё голову и деньги, без всяких «или-или», — но меня Лидия в этом смысле никогда не привлекала. Она была слишком уж сильной личностью — а мне нравятся другие, такие, чтобы не умели добывать огонь трением и решать любые вопросы в полчаса.

За столом в гостиной сидели Сергейка в белой рубашке, Софья и Валерия (совсем не похожие ни на мать, ни друг на друга), незнакомая женщина с красивой грудью, обтянутой платьем, и, вот сюрприз, Геннадий!

— Старик, как я рад! — Художник изо всех сил старался показать, что он действительно рад, но думал при этом явно о другом: чтобы женщина с красивой грудью не переключила внимание на нового гостя. Не желая мешать Геннадию, я сел рядом с Валерией, которая тут же принялась нагружать мою тарелку салатами, явно радуясь тому, что у неё появилось хоть какое-то занятие.

Валерия училась в юридической академии, была тоненькой и очень белокожей. Губы у неё от природы красивого, светло-оранжевого цвета, а глаза — голубые.

...Когда фея и принц брались за дело всерьёз, Моди соглашался со всем, что взбредало им в голову. Именно в угоду этой парочке он увлёкся обнажённой натурой — фея считала, что это принесёт ему успех, а принц уговаривал изображать натурщиц «до» и «после», ведь разница очевидна! Но даже фея и принц не могли углядеть за всем, что происходит в жизни Амедео, — именно поэтому в 1916 году он познакомился с Леопольдом Зборовским, его женой Ханкой и ещё одной прекрасной польской девушкой по имени Люния — она жила вместе со Зборовскими, ожидая, когда муж вернётся с фронта.

Эта Люния была действительно очень красива — она не отказывалась позировать Модильяни, но всё прочее отметала решительно. А Зборовский — или просто Збо — стал вначале близким другом Амедео, а потом — его самым верным поклонником, агентом и меценатом. Фея с принцем никогда бы такого не допустили. Пятнадцать франков в день, холсты, краски, натурщицы — отныне за всё платит Збо, и даже работает Моди в их с Ханкой доме на улице Барра.

Впервые в жизни у Модильяни действительно что-то получается: он пишет портреты чуть ли не всех своих знакомых, и каждое лицо для него — как задача. В Париже начинают говорить о манере Модильяни, стараясь не замечать при этом его ужасных манер.

Заказчики протягивают деньги — 10 франков за сеанс плюс выпивка. Женщины вытягивают шеи, как жирафы, чтобы хоть немного походить на красавицу Люнию с портрета, мужчины сердятся, что Моди работает слишком быстро. Где это видано, чтобы работа была готова за два часа! — возмущается один такой мсье. — Мы позировали разным художникам, так у них целые месяцы уходят, чтобы только манишку нарисовать, — а тут какое-то мошенничество!

У Моди желваки под кожей прыгают так яростно, будто бы там кто-то играет в бильбоке, и жена дёргает своего мсье за рукав — окстись, не позорься!

В академии Коларосси, где Модильяни теперь не столько учится, сколько подыскивает себе натурщиц — чтобы притушить вечный голод новых лиц, — его знакомят с художницей, мечтавшей расписывать фарфор. Она и сама как фарфоровая — хрупкая маленькая девушка, зовут самым что ни на есть французским именем — Жанна. Старый друг Утрилло был помешан на другой Жанне — д'Арк. Собирал статуэтки, ликовал, когда в 1909 году папа Пий X провозгласил Орлеанскую деву блаженной.

Фамилия Жанны — Эбютерн, её родители живут на улице Амьо. Благополучная семья, жаль, что дети решили стать художниками; вначале старший сын Андре, потом — малютка Жанна.

Белая кожа, светло-голубые глаза и от природы яркие, оранжевые губы.

Художница станет натурщицей быстрее, чем успеет это обдумать.

А Моди наконец-то найдёт то единственное в мире лицо, от которого невозможно устать.

...Я смотрю на гладкое белое личико Валерии и думаю о том, что время ещё не успело нарисовать на этом холсте ни единой морщинки. Кроме того, я думаю, что это было бы слишком просто — объяснять причуды памяти рядовым физическим сходством. Да, Алия помнит о том, как была Лолоттой, но я-то совсем не похож на Модильяни. К сожалению для меня — я и вполовину не так красив, точнее, я не красив вообще. Теперь ещё и Валерия кажется мне похожей на малютку Жанну, а Софья, сидящая справа, напоминает её подругу, Жермену Лабей.

Лидия ставит точку в моих размышлениях — точнее, она ставит на стол блюдо с пловом, круглое, как точка. Готовит Лидия изумительно — впрочем, почти всё, чему она решала научиться в жизни, было выполнено на самом высоком уровне. Да и сама продавщица собачьих шуб давным-давно превратилась в хозяйку агентства, где устраивают всё что угодно: от свадеб до конкурсов красоты, от аукционов до детского обучения за рубежом. У Лидии ровно столько знакомых, сколько живёт в нашем городе и представляет собой хоть какой-нибудь интерес, — и каждый ей чем-то да обязан.

Сегодня, судя по всему, обязанным назначили меня. Слишком уж сладко улыбается Лидия, очень уж старательно Валерия наполняет мою тарелку, а Софья — льёт вино в бокал. Геннадий ел плов, стараясь не греметь приборами, дама с красивой грудью задумчиво разглядывала люстру, Сергейка пытался расслышать что-то из телевизора, тихо бубнившего новости. (Лидия не разрешала прибавить звук.)

— Михаил, ты уже познакомился с Катей? — спросила Лидия. Дама с красивой грудью послушно вспыхнула, а Геннадий, в свою очередь, так же резко потух.

Вот зачем я так срочно понадобился Лидии — меня решили свести с подходящей женщиной! Сводничество — излюбленное хобби моей подруги, но раньше я наблюдал за этими экзерсисами со стороны. Совсем другое ощущение, когда ты вдруг становишься участником процесса, а не сторонним свидетелем, который в любой момент может бросить скомканную салфетку на стул и попрощаться.

— У Кати собственное турагентство, — сказала Лидия, явно жалея, что нельзя положить кусочек Кати мне в тарелку, как плов или салат.

Катя была милой, прелестно краснела — в обычное время всё это доставило бы мне удовольствие, но время было необычным, и я не мог представить на месте Лолотты никакой другой женщины, пусть даже у неё собственное турагентство и такая красивая грудь.

Робко поглядывая на меня, Катя завела разговор о путешествиях, и я честно признался, что давно никуда не ездил.

— А хотели бы? — загорелась Катя.

Я не решился говорить о том, по какой причине не люблю турпоездки, — о моей болезненной брезгливости знала только Лидия, почему и называла меня в редкую весёлую минутку «сапожником без сапог». Сказал, что в ближайшие месяцы это для меня невозможно, потому что я работаю, как алкомаркет, от рассвета до заката.

— У нас есть отличные предложения, — не сдавалась Катя. Возможно, я интересовал её не как жених, а как потенциальный клиент? От Лидии можно ждать чего угодно.

Катя перечисляла страны, в которые её агентство готово отправить меня прямо сейчас, — я отключил слух, но он вернулся на слове «Тунис».

Я в самом деле чудовищно брезглив — даже пользоваться чужими вилками для меня самое настоящее испытание, и в гости я пришёл сегодня по единственной причине — потому что искал любых напоминаний о Лолотте, а с ней в этой моей жизни была связана только Лидия. Точно так же девочка-подросток общается с компанией чужих для неё людей из-за того, что все они любят какого-то известного актёра или музыканта, — упоминание бесценного имени дарит ей утешение и надежду.

В Тунис мы ездили вдвоём с бывшей женой, по ощущениям — лет сто назад. Странно, что Тунис всё ещё существует — в своих мыслях я отменил его вместе с другими историями из прошлого, вроде тех ленивых завтраков, которые жена устраивала по субботам. Это как не желать знать, который час, когда ты сильно опаздываешь, и вдруг услышать точное время по радио — оказывается, ты опоздал даже сильнее, чем думал. Оказывается, в Тунис по-прежнему ездят туристы. Они пьют мятный чай из крошечных стеклянных стаканчиков, встречают рассвет — или закат — в Сахаре, примеряют расшитые тесьмой джеллабы... Верблюды, качаясь, идут по песку, а бедуины-погонщики с тёмной, как печёная картошка, кожей отыскивают хрупкие «розы пустыни». В солёной воде плавают медузы, похожие на презервативы, и воздух пропитан жасмином — этот скромный цветочек благоухает как целый букет. От моей жены тоже пахнет тунисским жасмином — и я могу в любой момент прикоснуться к её разгорячённой коже.

В Тунисе красивые деньги, которые приятно держать в руках. Там розовое вино, которого мы выпили, наверное, несколько ящиков, — лично я пил его как воду каждый день, и не было ни похмелья, ни пьяной печали. Жена попросила купить ей птичью клетку — их продают здесь на каждом углу, — и я купил сразу две, большую и маленькую, «тебе и мне».

— Хорошо, в общем, съездили, — кивает головой Катя, заканчивая долгий и подробный рассказ о чьём-то путешествии.

В дверь позвонили так коротко, что графически этот звонок мог быть изображён как ещё одна точка.

Опоздавшие гости, пара — мужчина мне незнаком, а женщина ещё на пороге пугается, узнав моё лицо.

18

Хорошая память на лица — ничуть не менее полезное качество, чем хорошая память на имена. Говорят, художник должен помнить всех, кого рисовал, но Моди, навещая Утрилло на Монмартре, не узнаёт своих прежних натурщиц — за каких-то десять лет они приобрели совсем другие лица. Теперь их можно рисовать заново.

Лицо Жанны неизменно, в нём есть постоянство иконописного лика. Лишь Моди видит его по-разному.

Он живёт с Жанной, а рисует всех подряд. Целый Париж в лицах, сотни глаз, тысячи ртов, длинные шеи — десятками. «Мадемуазель не против раздеться?»

Единственная натурщица, которую он никогда не просит позировать нагишом, — это Жанна.

Моди должен быть счастлив, но не умеет, попросту не знает, каково это. Зелёная фея, призрачный принц и старый друг туберкулёз — их уже трое, верных советчиков и надсмотрщиков.

Художнику нужен источник гниения, ведь из тех же самых вод бьёт фонтан вдохновения. Проще всего найти его на Монмартре, где спивается Утрилло, копируя открытки с видами. В отличие от Лолотты Моди с лёгкостью меняет один берег на другой, порой и дважды в день. От горы Парнас до горы Мучеников давным-давно ходит метро. Фонари Ауэра горят зелёным светом — фея абсента передаёт нежнейшие приветы.

На выходе со станции *"Lamarck-Caulaincourt"* Моди встречает полноватую простушку в чёрном берете — она вспыхивает таким ярким румянцем, что его видно даже в темноте.

— Вы не помните меня, мсье?

— Не имею чести.

— Но как же, это ведь я, Лолотта! Прекраснейшая фиалка Монмартра!

На календаре — 1916 год, так сколько же они не виделись?

Моди ни за что не узнал бы своей давней натурщицы — теперь она плоть от плоти Монмартра. Таких женщин здесь — сотни. Один глаз смотрит на тебя, другой подсчитывает, сколько с тебя можно поиметь.

— Зачем ты свела родинку?

— Она сама меня бросила, мсье.

Лолотта так крепко сжимает руку художника своими горячими ладошками, что ему больно. В ней столько силы, что она легко утащит его к себе в нору.

— Быть может, в следующий раз, — он смеётся над собой, а Лолотта считает — над нею. Она вдруг выпускает его руку и становится похожей на вчерашнее пирожное: ещё красивое, но уже несъедобное.

— Хорошо, — сдаётся художник, и через десять минут они сидят в её квартирке, такой вульгарной, что это даже кажется милым. На стене вместо бумажной иконки со святой Ритой — раскрашенная фотография Клео де Мерод.

Лолотта ни на секунду не смолкает — слова так и сыплются из её ротика, всё ещё, между прочим, прелестного. Помнит ли мсье художник, как они с ней смеялись давным-давно? Сейчас-то ей не до смеха, жизнь стала трудной, война... К тому же у Лолотты недавно скончалась мать, она была на похоронах в предместье. Надо же, мсье, ехать всего ничего, а там совсем другой мир. Ничего не изменилось, всё те же коровы, мсье. Запах навоза повсюду, а её с него прямо выворачивает. Петух кричит ржавым голосом, как будто дёргают туда-сюда старую калитку. Она от такого отвыкла. Младшего брата убили на войне, старший пришёл покалеченный, но собрался жениться. Не знал, как говорить с сестрой, — она выглядит барыней.

Ещё и курить выучилась, а в предместье этой моды не понимают.

Моди исцеляет людей, когда рисует их, — только поэтому, слушая болтовню Лолотты, он пишет с неё быстрый портрет. Только для этого дарит ей стройную длинную шею и возвращает родинку.

Рисунка он ей, к сожалению, не дарит, уносит с собой — но перед тем как уйти, бросает на комод три монеты. Три минуты, три монеты, трое мужчин, оставлявших частичку себя в её комнате — кто что смог, то и принёс.

Модильяни отправляется к Утрилло. Монеты отправляются в сундук, в ларец — тяжёлый, как надгробный камень.

Портрет Лолотты, в который превратится тот беглый набросок, вскоре купят за хорошие деньги. Слава наконец-то поворачивается лицом к Модильяни — жаль, что он по-прежнему не может её разглядеть.

Збо снимает квартиру для Моди и Жанны в доме на улице Гран-Шомьер, где прежде жил Гоген. Стены здесь окрашены в оранжевый и красный цвета — закат или рассвет, всё зависит от взгляда. Всё и всегда зависит от взгляда. Красные и оранжевые стены появляются на портретах Жанны, которые Модильяни рисует без устали, но когда он уходит из дому, то ищет других натурщиц — тех, кого можно писать обнажёнными.

Вот и Рафаэль часто писал фигуры обнажёнными, а потом «одевал» их в костюмы. Только так тела смогут выглядеть живыми.

На выставке в галерее Берты Вейль происходит скандал — большие «ню» Модильяни выставлены в витринах, их дерзкие позы так возмущают полицейских, что они заставляют хозяйку убрать работы. Теперь слава уже не просто поворачивается лицом к Модильяни, но смотрит ему глаза в глаза — теперь весь Париж хочет увидеть эти возмутительные картины, а может, и купить их!

У славы глаза статуи, один закрыт — как после инсульта. «Одним глазом ты смотришь на мир, а другим — внутрь себя», — объясняет художник.

Обнажённые и смущают зрителей, и возбуждают их. Неловкость обращается страстью, застенчивость превращается в пыл, а потом волны успокаиваются, и в тишине завязывается новая жизнь.

В самом начале 1918 года Жанна сказала Моди, что ждёт ребёнка.

19

Я никого не ждал — и не надеялся встретить у Лидии знакомых. Я был бы счастлив любым напоминанием о Лолотте, даже упоминанием о ней. Пусть её называют Алиёй, «одной девочкой», Ларисиной няней, мамой Миры — как угодно.

Но в жизни много сюжетов, и перемещаются они хаотически.

Два новых гостя за столом — это Ирина Викторовна, мама Игоря, и его отец, на которого он удивительно похож.

Я много раз хотел увидеть отца Игоря, но лучше бы это случилось при других обстоятельствах. На Ирину Викторовну было страшно смотреть — как любой нормальный пациент, она считает психологов неспособными хранить тайны. Мы, дескать, только и ждём, чтобы рассказать всему свету о том, что они на самом деле думают и чувствуют. Мы специально выспрашиваем подробности, чтобы потом посмеяться.

Повторюсь, это совершенно нормально. Только дети могут доверять чужим людям.

— Вы знакомы? — приветливо щебечет Лидия. На столе появились чистые тарелки и приборы для опоздавших.

— Нет! — я успеваю сказать это раньше, чем мама Игоря, и бедная женщина выдыхает с такой силой, как будто это не званый ужин, а выездные курсы правильного дыхания по Стрельниковой, Бутейко или по кому там нынче дышат.

Папа Игоря садится напротив меня — как будто специально для того, чтобы я мог его как следует рассмотреть. У него довольно красивое надменное лицо. Небольшие руки постоянно задействованы в беседе — они буквально летают над тарелкой, описывая окружности, ломаные линии и треугольники. Пальцы трепещут как перья. Я, разумеется, вспомнил Игоря — как он трещит пальцами и как часто ему прилетает по щекам от отца.

— Пощёчина — не значит, что он меня бьёт, — как бы мальчик ни презирал отца, он всё равно будет защищать его.

— А как надо бить, чтобы считалось?

— Ну, не знаю... Ногами в живот?

Однажды Игорь пришёл ко мне с синяком на щеке, так точно повторяющим форму пальцев, как будто его нарисовали. Я с трудом вытерпел до конца сеанса, чтобы позвать в кабинет Ирину Викторовну. Но именно в этот день она сказала, что очень торопится, хотя в обычное время её из кабинета не выгонишь.

Сейчас Ирина Викторовна сидела рядом с мужем такая тихая и пришибленная, что мне стало её жаль. Лидия сказала:

— Знакомьтесь, это Ира и Алексей.

Сергейка гостеприимно наклоняет бутылку с вином над бокалом, но папа Игоря ловко прикрывает посудину ладонью — она лежит неподвижно, как ломтик хлеба на рюмке покойника.

— Спасибо, не надо.

— Алексей не пьёт, — объясняет Ирина Викторовна. — И я тоже.

Геннадий с вызовом наполняет свой бокал — вино льётся с таким звуком, как будто ошалевшая от жажды собака лакает воду из миски.

Воспитанная девочка Софья спрашивает:

— Может быть, сок или морс? У нас есть клюквенный и облепиховый.

— Воды, — говорит Алексей. Это не просьба, а приказ.

Софья поднимает тонкую бровь, но послушно приносит кувшин с водой. Алексей жадно выпивает стакан, затем другой. Я представляю себе экорше — скульптурного человека со снятой кожей — и вижу, как вода течёт по его организму, питая сердце и другие жизненно важные органы. Сердце, вспоённое водой, не может быть добрым — оно холодное, как мясная заморозка.

Ирина Викторовна просит морса, и это, по-видимому, дерзость, которой она себе обычно не позволяет. Алексей читает нам небольшую лекцию о пользе воды и вреде всех других напитков. У него красивый голос.

— Даже чай не пьёте? — ужасается Катя.

— Разумеется нет. Чай — один из самых вредных напитков, в нём содержатся танины, — объясняет Алексей, неодобрительно разглядывая глубокое Катино декольте.

Тут очень кстати появляется Лидия с тортом и Валерия с чайными чашками.

— Чёрный, зелёный? — спрашивает Лидия.

— Чёрный, да покрепче, — просит Сергейка. Впервые в жизни он кажется мне приятным человеком.

— Зря вы так, Сергей, — журит его папа Игоря. — Чай — это настоящий яд. А человеческое тело больше чем наполовину состоит из воды.

— Торт вы, наверное, тоже не будете? — догадывается Софья.

— Разумеется нет. Я ем только полезную пищу. Зелёные овощи, фрукты, отварная рыба.

— Какой интересный у тебя муж, Ирочка! — восторгается Лидия. — Теперь я понимаю, почему ты его от нас так долго прятала.

Все, кроме родителей Игоря, едят торт — Ирина Викторовна тоскливо смотрит, как Валерия слизывает нежный крем с десертной ложечки. Язык — как шустрая розовая змейка.

Геннадий встаёт со своего стула, и становится видно, что он уже больше чем наполовину состоит из вина. Его бокал, полный до краёв, красиво падает из рук, орошая Алексея с ног до головы — я и не догадывался, как много жидкости вмещает обычный бокал! Папа Игоря полит вином щедро, как мясо по-бургундски, которым Лидия, помнится, угощала нас в прошлый раз.

— Пардон, — неискренне кается Геннадий. — Мне нужно в туалет.

Он действительно уходит в туалет, пока женщины суетятся с тряпками и полотенцами. Лидия предлагает Алексею снять испорченную рубашку, но он не соглашается.

— Нам всё равно пора, — говорит он жене. — У меня ещё пробежка.

Мне страшно за Игоря — разъярённый отец вполне может сорвать свою злобу на мальчике, но я не знаю, как удержать Алексея, и понимаю, что не хочу его здесь удерживать. Лидия тем не менее пытается что-то исправить — в этом, как и во многом другом, ей нет равных.

— Я прошу прощенья за Геннадия, — она понижает голос. — У него сейчас трудный период, он, видите ли, художник, а творческие люди такие непредсказуемые! Эльвира Аркадьевна попросила присмотреть за ним, вот я и решила хотя бы в гости...

Алексей уже в прихожей, обувается. Катя куда-то исчезла, Геннадия тоже не видно. Ирина Викторовна натягивает плащ; она такая бледная, как будто у неё разом выкачали всю кровь и перелили её мужу.

Как только закрылась дверь за родителями Игоря, мы с Сергейкой и Лидией вернулись к столу. Софья и Валерия, отыграв роли прилежных дочерей, стремительно перевоплотились в независимых молодых женщин. Сначала одна, потом вторая заглянули в комнату, прощаясь, и в глазах этих юных красавиц было такое явное предвкушение вечера, что мне захотелось увязаться за ними, как тому смешному старику, который бегал в моей юности за студентками по институту, приговаривая:

— Дайте хотя бы посмотреть!

Совсем скоро этот старик перестанет казаться мне смешным.

— А где Катя и Геннадий? — спохватилась Лидия. — Миша, будь другом, позови их к столу. Нам всем нужно выпить. Сергейка, достань коньяк!

Я заглянул в одну комнату, в другую, в третью — никого. Открыл дверь в ванную — и увидел картину настолько прекрасную, что её не сумел бы написать даже Ренуар, не говоря уж о Геннадии. К счастью, Геннадий с Катей не увидели меня — а вот я успел заметить полукруг соска, выползшего из лифчика, — он был как солнце, встающее на горизонте. Финал не за горами, вот-вот настанет утро...

Я тихо закрыл дверь и вернулся к гостям.

— Кажется, Кате понравился Геннадий, — шепнул я Лидии.

— Давайте выпьем! — радушно предложил Сергейка.

Розовая счастливая Катя и Геннадий с мокрой бородой присоединились к нам через десять минут. Лидия сказала Кате, что ей срочно нужна большая скидка на летний тур — Катя, от которой несло жаром, как от костра, кивнула. И ещё льготные билеты для знакомых, — наглела Лидия. Катя ещё раз кивнула, на этом торги можно было бы прикрыть, но тут Геннадий очень не вовремя вытер бороду льняной салфеткой, и Лидия сказала, что у Софьи заканчивается британская виза.

В общем, вечер явно удался, но жаль, что я так ничего и не услышал о Лолотте.

И ещё жаль, что нельзя позвонить Игорю, узнать, как у него дела. Он мой пациент, а не сын, напоминаю я себе. У меня даже его номера нет — все контакты через маму.

Однажды я спросил у Игоря, есть ли в его отце хоть что-то такое, что ему нравится?

— Деньги, — ответил мальчик.

20

Деньги — верные друзья, только они утешают Лолотту. Пересчитывая их каждую неделю, она видит перед собой не засаленные купюры и стёртые монеты, а своё безбедное будущее. Она ещё не решила, как будет их тратить, — пока что ей вполне хватает мечтаний. Война окончилась, и Чётный с Нечётным вновь чередуются, как гласные и согласные буквы, день и ночь, приливы и отливы, левый и правый берег. Лолотте нравятся губы Чётного, нравится, как Нечётный хватает её за волосы, — но больше всего ей нравится шелест купюр. Чётный отсчитывает деньги быстро, чтобы скорее покончить с этим грязным делом, Нечётный медленно отслюнявливает каждую купюру, прощаясь с ней навек.

Лолотта давно привыкла спать до обеда — в предместье такого не понимают, но сами попробовали бы рано встать, если провели в трудах всю ночь. Обычно она просыпается с первым лучом солнца, спросонья улыбается Чётному или Нечётному (по утрам это для неё один и тот же мужчина) и засыпает вновь. Чётный или Нечётный уходят рано, тихо закрывая за собой дверь, иногда даже с ботинками в руках, чтобы не будить соседей. Деньги с вечера лежат на комодике, Лолотта их будто бы не замечает — ритуал соблюдается неукоснительно, роли исполняют ведущие артисты Монмартра. С восьми до полудня Лолотте снятся дурные сны — тяжёлые, как зимнее платье. Снится, что снова война и к дому подходят немцы. Во сне Лолотта со своим тяжёлым ларцом бежит по узким улицам Монмартра — эти улицы переплетаются, как жилы, которые уже, к сожалению, так чётко проступают на тыльных сторонах ладоней. Лолотта, как любой человек, стареет по ночам. Перед тем как проснуться, она обязательно теряет свой ларец, набитый бумагой и металлом, и горячо плачет, так что на подушке остается влажный след.

В день 29 ноября, когда у Жанны Эбютерн родилась дочь, Лолотта проснулась не от страха и слёз, а потому что на улице кто-то кричал её имя.

Она занимала квартирку в верхнем этаже — бывшие комнаты прислуги, скошенные потолки, окно падает вниз, как нож гильотины. День был очень холодным: пока Моди с семейством нежился на солнышке Ниццы, в Париже стояла такая лютая осень, что зимы бывают краше. Разумеется, Лолотта не открывала окон на ночь и потому слышала свое имя как будто на расстоянии. Кричит кто-то, и пусть себе кричит: мало ли какую Лолотту зовут. А человек вдруг возьми и выкрикни её фамилию. Здесь ли, дескать, проживает, и в каком номере? Консьержка, видать, отлучилась, но это же не повод орать, как деревенскому петуху.

— У меня к вам дело!

Лолотта рванула раму кверху. На тротуаре — приличный мужчина в хорошем костюме. Не из красавцев, лицо бледное, длинное: это она даже сверху приметила. Лолотта вообще приметливая.

— Поднимитесь через четверть часа! — велела она, тряхнув волосами, как Прекрасная Отеро.

Брызнула в лицо водой, спрятала деньги в ларец. На кровать — покрывало, в рот — конфект из бонбоньерки, что принёс вчера Чётный. Руками пригладила волосы, груди спрятала под рубашкой, потом все-таки выпустила частично наружу. Намёк, обещание, тайна, продолжение следует, как пишут в «Ревю де Пари». За ушами — маленькими, но мясистыми, — провела хрустальной пробкой от *La Rose Jacqueminot*. Хрусталь оказался ледяным, Лолотта вздрогнула. Ей всё ещё мерещился сигарный запах усов Чётного, поэтому она провела ледяной пробкой между грудями, как будто разделяя их. Мысль, которая пришла ей в голову при этом будничном действии, оказалась такой похабной, что Лолотта сама собой возмутилась. Кажется, не ей жаловаться на одиночество!

Вернула флакон на место. И тут в дверь как раз постучали.

Вблизи незнакомец оказался ещё более бледным — «иззелена», определила бы мать-покойница. Хворый, видать. Бросил взгляд на Лолоттины грудки и тут же отвёл глаза в сторону — как если бы смотрел на неприятное. Одет хорошо: добротный костюм, трость в руке почти новая.

— Я прошу мадам извинить меня за беспокойство, — сказал гость, слегка поклонившись. Голос у него был неприятный — именно так говорило бы протухшее мясо, имей оно такую способность. — Разрешите представиться — мсье Луи.

— Луи-без-фамильи? — хихикнула Лолотта. Какой-то на неё шутливый слог напал, и ещё жаль стало, что столько духов зря вымазала: бледный мсье лишь сморщил нос.

— Зачем забивать хорошенькую головку чужими фамилиями? — он подошёл ближе, и Лолотта, почуяв дичь, шелестнула юбкой. — Меня на холме все так называют. А вот эти ваши холмики лучше спрячьте, я по причине болезненности женским полом не интересуюсь.

— И что же вас привело ко мне, мсье Луи? — спросила Лолотта.

Он огляделся по сторонам, будто их могли подслушивать, и шёпотом сказал:

— Модильяни.

Как если б это было не имя, а название неприличной болезни.

— Мне рассказывали, будто он писал ваши портреты и они хранятся здесь.

Негодяй смотрел прямо на сундук, в котором Лолотта прятала бесценный ларец.

— Вас обманули, мсье Луи, — сказала она, подойдя к нему едва ли не вплотную. Он так явно мучился от запаха *La Rose Jacqueminot*, что ей даже стало его жаль, но лишь на миг. — Я не имела чести позировать мсье Модильяни. И картин его у меня нету. Вообще ничего у меня здесь интересного нету, я простая девушка, мсье. Если вас интересуют картины, вы зайдите к папаше Сулье. Или к Сюзон, она живёт неподалёку, в синем доме.

— Я же не праздно интересуюсь, — мсье Луи как будто не слышал Лолоттиных слов. — Я серьёзный человек, торговец искусством. Вы хотя бы мадам Валадон спросите или мсье Уттера. Я заплачу отдельно за каждый холст, но вначале нужно посмотреть.

— А сколько вы платите? Мне просто интересно.

— Ну это же смотря какая картина.

А сам рыщет глазами по стенам. И опять на сундук уставился. Хорошо, что тот старый набросок

Лолотта хранит не в сундуке, а в шляпной коробке. Сверху лежат пожелтелые кружева — уже не поносишь, но выбросить жаль.

— Картина у нас с вами такая, мсье Луи, что ко мне сейчас прибудет брат из предместья. Он человек прямой, нетерпеливый. Ему может не понравиться, что к его сестре-девице приходят незнакомые господа.

— Конечно, мадам, конечно! И всё же я оставлю вам карточку с адресом. Если надумаете, пришлите записку.

Лишь только он ушёл, Лолотта тут же бросилась проверять ларчик, как будто он мог опустеть от этих рыскающих взглядов.

Хорошо она придумала про брата!

На самом-то деле брат на холме ни разу не был — он в Париже только до рынка доезжал. Но мсье Луи о том знать необязательно.

21

Впервые в жизни я с нетерпением ждал встречи с Игорем. О том, что мы познакомились с его отцом, конечно, говорить не стану — но мне обязательно нужно было увидеться с мальчиком. Я волновался о нём ещё больше обычного.

Почты из Парижа по-прежнему не было. Майские праздники в самом разгаре, и даже если Лолотта действительно отправила мне открытку, она придёт не раньше чем в июне, когда сама Лолотта давным-давно вернётся.

Думаю, мне нужно снова звать её именем Алия.

Я проверял почтовый ящик дважды в день, утром и вечером, и благодаря этому впервые в жизни аккуратно оплатил счета за квартиру.

Наконец настала среда. Обычно Ирина Викторовна заглядывала в кабинет после консультации, но сейчас вошла первой, оставив сына в коридоре.

— Михаил Юрьевич, сегодня мы в последний раз. Алексей нашёл для Игоря другого психолога, — сказала она, глядя мне при этом не в глаза, а в лоб. Как будто надеялась рассмотреть там третий глаз. — Игорь хотел с вами попрощаться.

Сунула мне деньги и вышла, столкнувшись на пороге с барышней-наркологом.

— Ты занят? — спросила нарколог.

— Через час освобожусь.

— У Рады сегодня день рождения. Сейчас приём закончим и будем немножко праздновать. Придёшь в двадцать пятый?

— С удовольствием! А подарок?

— Мы вот как раз скидываемся, — сказала нарколог, глядя на купюру, которую я всё ещё держал в руках. — Самый лучший подарок в наше время — это деньги, правильно?

У неё была поистине наркотическая манера говорить, трудно спорить с таким человеком. Я отдал наркологу свой гонорар, она ушла, и я позвал в кабинет Игоря.

Ещё каких-то три месяца назад меня невозможно взволновало бы это происшествие — аутсайдера не только приняли в стаю, но даже позвали на день рождения к Раде-психиатру. И пусть это вызвано лишь нехваткой денег на подарок, я всё равно был бы счастлив — но сейчас мне было не до этого.

Я не хотел расставаться с Игорем. Я не мог представить себе, что никогда больше не увижу этого мальчика — насколько невыносимого, настолько же и дорогого мне.

Если я попрошу у него адрес электронной почты, это может быть расценено как преследование. Игорь — несовершеннолетний. Раб своих родителей, заложник воспитания, жертва семьи.

— Михал Юрьич, мама сказала, вы больше не сможете со мной заниматься? — спросил Игорь. Он выглядел сегодня каким-то особенно развинченным — как будто его наспех собрали из не подходящих друг другу деталей.

— Она так сказала? — удивился я. Могла бы хоть предупредить, чтобы врали, как выражалась моя бывшая жена, с одного голоса.

— Ну да. А что, не так? О, я понял. Папочка подсуетился, верно?

Я молчал. Мне столько нужно было ему рассказать, а я не мог выдавить из себя ни слова. Какой уж там психолог, правда что *босой сапожник*.

— Михал Юрьич, давайте о вас поговорим, — попросил Игорь. — Помните, вы спрашивали, верю ли я в двойников? Так вот, я тут кое-что интересное нарыл по этой теме. Оказывается, двойники действительно встречаются, зря я на вас тогда наехал. Я даже своего нашёл — вот, смотрите. Матадор Энрике Понсе.

Он вытащил из кармана сложенную вчетверо страницу, распечатанную на принтере.

Фотография была чёрно-белой, но сходство и вправду оказалось поразительным. Брови, улыбка, взгляд... Игорь, наверное, станет красивым мужчиной.

Мне хотелось сказать ему что-то особенно важное, то, что будет поддерживать его в нелёгкие минуты. Но вместо этого я начал рассказывать о Лолотте.

Мальчик слушал, дёргая себя за пальцы. Расстреляв все патроны, сказал:

— Мне кажется, Михал Юрьич, она всё это придумала, чтобы вам понравиться. Двойников я не отрицаю — мы вон с Энрике тоже похожи. Но то, что она вспомнила свою прежнюю жизнь, и Париж, и Модильяни — это, извините, бред. Надо её к психиаторше отправить, в соседний кабинет.

— Тогда и мне нужно в соседний кабинет, — засмеялся я. — У меня вся жизнь Модильяни перед глазами проходит — как в кино.

— Я думаю, — важно сказал Игорь, — вся причина здесь в том, что вам, Михал Юрьич, просто не нравится ваша жизнь. И вы примеряете на себя чужую, ну как будто маскарадный костюм. Чужая-то всегда интереснее. Знаете, бывают такие люди, которые весь год ждут поездки на море — потому что здесь им противно и скучно. А там — две недели чужой жизни, и реальность временно исчезает. Потом эти люди опять уезжают домой и ещё год вкалывают, чтобы заработать на две недели отдыха в следующем году. Предложите им переехать к морю — они ни за что не согласятся, и не из-за денег. Просто, если они будут жить на море весь год, их будет тянуть в прежнюю жизнь. А вы, не обижайтесь, действительно живёте как-то не очень интересно. Пациенты, бывшая жена, скукотень. И тут эта чокнутая Алия, которая считает себя Лолоттой — как Наполеон из психушки.

Ясно, что вас повело. Вообразили себя Модильяни: как на карнавале, в пару девушке, которая уже купила себе костюм Лолотты. Модильяни жил интересно — наркота, абсент, искусство, женщины... Вот вас и вштырило! Бывает.

— Игорь, ты отличный психолог. А вот я — так себе.

— Научитесь ещё, — улыбнулся мальчик. — Не старый ведь.

— Мне будет тебя не хватать.

— И мне вас.

Мы неловко обнялись и похлопали друг друга по спине. Игорь уже сейчас был выше меня на голову.

Он ушёл, а я сел на его место, пока оно не остыло. Мне хотелось сохранить это тепло. Я сидел на диване — и вдруг совершенно отчётливо увидел перед собой море.

22

Нежное песчаное дно было сплошь покрыто аккуратными разводами, как орнаментом. Оно напоминало картофельное пюре, по которому провели вилкой, — и было таким же точно мягким и тёплым. Конечно, при условии, что вы принимаете морские ванны, а не рисуете проституток в номерах.

В Ниццу Моди приехал с большой компанией: Жанна, её мать, Зборовский, Сутин, Фудзита, а также зелёная фея, призрачный принц и туберкулёз — эти тоже не пожелали остаться в Париже. Пригород Ниццы — лимонная Ментона, где в про-

шлом веке целыми колониями жили русские ту-
беркулёзники. На кладбище у храма святого Михаила — ряды надгробий с кириллицей. «Спи, дорогая Оля, до светлого дня». Таким, как Оля,
хватало сил только на то, чтобы добраться из ледяной России к лазурным берегам — и там уснуть
навсегда.

У Моди сил хватает даже на то, чтобы разру-
гаться с тёщей и съехать из снятого дома.
И Жанна — с ним, точнее — сразу две Жанны,
большая и маленькая. Стать отцом — событие
для любого мужчины, но у Моди и прежде было
много детей. Портреты, кариатиды, каменные
головы — каждого он вынашивал и производил
на свет. Эти дети с недавних пор пользуются
спросом — недавно Збо продал Неттеру целую
серию картин.

Известие об отцовстве означает не только радость, но ещё и расходы, и ответственность, которой теперь все от него ждут. Но какой с него
спрос, о какой ответственности можно говорить?
В Ницце у Моди крадут документы — он этого
даже не замечает. В Кань-сюр-Мер, куда они пере-
бираются позднее, Модильяни знакомят с Ренуа-
ром, но эта встреча ничего не значит ни для молодого художника, ни для старого. Перекручен-
ные стволы олив в саду Ренуара напоминают
Модильяни насухо выжатые простыни — так умеют только самые сильные прачки.

Лишь в конце мая 1919 года, спустя год после
отъезда на Лазурный Берег, он возвращается в Париж, где ходит с Люнией в кино или выпивает
в компании Утрилло. А обе Жанны остаются
в Ницце. И старшая снова беременна.

23

Лолотта не боялась забеременеть. Ещё в предместье у неё перед глазами торчал страшным пугалом пример бедняжки Мари-Анж, вот почему она не спешила *распечатывать коробочку*. Но когда они с Андре — тогда, давно — совместными усилиями всё же сделали это, на другой же день Лолотта побежала к Сюзон. Та по мере сил избавляла девиц Монмартра от нежелательного плодоношения и за небольшую плату выдала Лолотте рецепт чудодейственной мази. Нужно было обмакнуть в эту мазь палец, а потом засунуть его в себя так глубоко, чтобы в глазах потемнело. И обязательно повозить хорошенько — делать так следовало каждый раз за полчаса до того, как предполагалось утешить собой клиента.

— Возлюбленного! — поправила грубиянку Лолотта. Та, между прочим, предлагала провести ознакомительную операцию самостоятельно и заодно спросила: может, Лолотта согласится позировать нагишом для фотографа? Он недавно спрашивал, нет ли у Сюзон на примете свеженьких девушек, таких, чтобы как только что вылупились? Лолотта позировать решительно отказалась и от пальцев Сюзон — тоже. Дома смешала ингредиенты и сделала всё, как сказали. В глазах и вправду потемнело, а внутри жгло, будто она курица, фаршированная перцем.

Но средство действительно помогало. Всё-таки Сюзон что-то понимала в этом деле, как, впрочем, и в других — она и сводничала понемногу, и картинами приторговывала. Лолотта за все эти годы ни разу не забеременела, и её это только лишь радовало — никогда не хотела детей. Она ничего другого в жизни не умела делать, кроме как радовать собой мужчин, — а дети здесь только помеха. Да и не прокормить ей ребёнка — самой еле хватает. Ларчик следовало пополнять ежедневно, Лолотта свято блюла его интересы.

За столько лет — ни одного сбоя, ни единой ошибки. Женские дни приходили так же регулярно, как звенели колокола базилики, — едва ли не в один и тот же час.

Как вдруг однажды её личный колокол промолчал, и Лолотта заподозрила дурное. Побежала к Сюзон, а той, как нарочно, не было дома. Искала её по всему холму и нашла только к вечеру, когда до прихода Нечётного оставалось едва ли не полчаса.

Сюзон велела лечь на диван, развести ноги.

— Похоже, на этот раз кое-кто попал в цель, — сказала она через пять минут, вытирая руки тряпкой. Очумевшей от новости Лолотте эта тряпка в пятнах напомнила о старой мастерской Модильяни — там повсюду валялись такие, в бурых, красных, чёрных разводах...

— Уберёшь? — спросила Лолотта. Сюзон сказала, что нужно немного подрастить младенчика, чтобы его можно было выскрести. Велела прийти через месяц.

Целый месяц жить с этой дрянью внутри!

Домой Лолотта вернулась в слезах, еле-еле поднялась по лестнице в свою квартирку. Думала, Нечётный ждёт её под дверью, но там никого не было, а дверь — открыта настежь.

Лолотта ринулась к своему тайнику, вытащила ларец из сундука — и он вдруг показался ей таким тяжёлым, будто бы там лежали булыжья, а не деньги. Открыла дрожащими пальцами — и выронила. (В полу осталась вмятина.) В ларце лежала каменюга, немного похожая на женскую голову, а денег не было. Лолотта вцепилась пальцами себе в волосы и дёрнула со всех сил — как будто ей и без этого не больно. Как будто нужно было добавить острого, жгучего, нестерпимого...

Бедная Лолотта теперь стала ещё и просто бедной. Всё, что ей удалось скопить за долгие годы, исчезло вмиг. А ведь это были не просто деньги! В ларце хранилась память о её мужчинах, её любви, её ночах. Мсье Андре Ш., молчаливый и ненасытный бухгалтер, Чётный и Нечётный и ещё пять-десять (максимум сорок) человек, которых она одно время хотела взять на главную роль в спектакле о собственной жизни. Без содержимого ларца не было и самой Лолотты, она исчезла вместе со своими деньгами и надеждами на скорую безбедную жизнь — а та, что рыдает на полу с глубокой вмятиной и вырывает целые пряди рыжих волос, как сорную траву, это совсем другая женщина. И путь ей теперь один — в петлю. Вместе с младенчиком, который покамест не дорос даже до того, чтобы его можно было выскоблить. Или подвесить на собственной шейке.

Лолотта кричала так, что ей самой потом казалось, кто-то другой голосил в её квартире, на полу, рядом с бесполезным ларцом, пустым, как чрево, которое уже никогда не сможет произвести на свет милый белёный домик в деревне, лошадей, дорогие платья и фруктовый сад. Сбежались жильцы, с первого этажа поднялась консьержка, вся пузырями пошла от любопытства!

Лолотта обвиняла всех и каждого: украли, ограбили, забрали всё до последней монеточки! Хоть бы одна купюра осталась, завалилась куда-нибудь — так нет ведь, проклятый ларец был сработан на совесть, ни зазоров, ни щелей.

— Голосит, будто ребёнка потеряла, — с сочувствием сказал жилец из второго этажа.

Консьержка клялась, что наверх никто не проходил — но от неё так разило винищем, что мог бы пройти целый полк, она бы не заметила.

Зато сочувственный жилец из второго этажа опознал каменюку: он будто бы имел знакомого скульптора и приготовил для него эту гранитную чушку, потому как она и без обработки напоминает собой женскую голову. Каменная голова лежала у него под дверью последние два дня, и теперь он хотел бы получить её обратно. Лолотта сразу поняла, что жилец врёт, — но в каменюке у неё заинтересованности не было, пусть забирает.

Неужели вор считал, что Лолотта так легко обманется весом ларца и не раскроет его? Разве есть что-то более приятное, чем сидеть над сокровищами, перебирая денежные билеты, как золочёные осенние листья? Деньги и шуршат, и пахнут точно так же, если не лучше. Но теперь шуршать было нечем.

Консьержка послала мальчишку в комиссариат, и вскоре пришёл ажан — молодой, с вишнёвым румянцем. Поговорил с Лолоттой, дал совет повесить на дверь замок — лучше английский.

— Теперь-то зачем? — грустно спросила она. Как вдруг вспомнила: рисунок!

Еле дождалась, пока все ушли из комнаты, враз ставшей ненавистной со всеми её рюшечками и бантиками. Клео де Мерод высокомерно смотрела с раскрашенной фотографии. У ней-то, конечно, денег куры не клюют — а у Лолотты склевали, курочка по зёрнышку...

Ажан не уходил дольше всех, топтался на пороге, сопел. Потом спросил, можно ли ему вечером навестить мадам в частном порядке?

Лолотта согласилась. Почему бы и не навестить, если Нечётный всё равно не пришёл — он теперь тратит её многолетние сбережения на какие-нибудь прекрасные и ненужные вещи, а ей необходимо успокоиться. Счастливый ажан откланялся, и Лолотта полезла проверять шляпную картонку.

Ну хотя бы с этим ей повезло — рисунок оказался на месте.

24

— Ты почему всё ещё здесь? — в моей двери опять торчала голова нарколога. Я закрыл кабинет и пошёл следом за коллегой. День был жаркий, белый халат девушки просвечивал так, что смотреть приятно; жаль, что с тех пор как мы почти перестали общаться, я забыл её имя. Кто-то забывает лица, а у меня плохая память на имена. Табличка на двери справа — врач-нарколог Мурашова А.И., врач-психиатр Клименчук Р.П. Клименчук — это Рада, а нарколог — Анна. Вспомнил.

— Туда не смотри, все давно в двадцать пятом, — сказала Анна, спиной, не иначе, отследив мой взгляд.

Действительно, в двадцать пятом кабинете собрались, кажется, все врачи клиники, включая тех, кого я ни разу не видел раньше. Обычно меня не удостаивали приглашениями, и сейчас где-то таился подвох, просто я его пока что не понял. Но торопиться мне было некуда, дома ждал разве что пустой почтовый ящик — поэтому я сел на диван с самого края и тут же вспомнил ещё одного своего давнего пациента. В детстве пожарный чуть ли не последним вытащил его из горящего дома, и с тех пор ему нужно было обязательно сидеть поближе к выходу. В кинотеатре, автобусе, в самолёте — где угодно, важно, чтобы с края. Если что — он быстро встанет и первым побежит, спасётся от землетрясения, цунами, аварии, убийц и пожара. Когда люди так дорожат своей жизнью, это хороший признак. Оправданная мания.

— Психолог, ты почему не пьёшь? — спросила именинница, судя по голосу, уже успевшая принять пару бокалов. Она была в том состоянии, в которое некоторые женщины сознательно вгоняют себя перед важным разговором, — нервы оголены так, что искры летят в разные стороны. Рада громко смеялась, и это ей не шло — впрочем, привлекательным бывает только фальшивый смех, а Рада хохотала от души, пусть нервно, но искренне. Я взял себе стакан, налил вина — оно выглядело мутным, как застоявшаяся вода в луже, подкрашенной осенними листьями. На вкус было немногим лучше, зато от шеи к плечам спустилась приятная тяжесть, как будто кто-то бросил на спину бархатный занавес.

— Я рад, что ты меня позвала, — обратился я к имениннице. Она снова засмеялась — металлическим смехом, похожим на автоматную очередь:

— А я просто — Рада!

417

Тут же подскочила Анна, налила ещё вина, и теперь оно не показалось мне мутным.

— Приятно, когда тебя спаивает нарколог, — пошутил я. Анна польщённо улыбнулась:

— Тебе алкоголизм не грозит.

— Может, у меня просто не было шанса проявить себя на этом поприще? — Я чувствовал, что этим вечером любая моя шутка будет принята не хуже, чем остроты хирурга — деревянные, в заусенцах. Не зря хирург бросал на меня раздражённые взгляды, режущие не хуже скальпеля.

С каждым новым стаканом тяжёлый бархатный занавес спускался всё ниже и ниже. Я понял, что хочу напиться и напьюсь.

Мне нравились и Рада, и Анна — других женщин здесь я не отражал, всё крутилось вокруг нарколога и психиатра. Струнный дуэт: виолончель Рада — крупная шатенка, совсем безгрудая, но с широким задом и тонкой, как у подростка, талией. Скрипка Анна — миниатюрная быстрая мышка с прелестными, чуточку оттопыренными ушками и гладкой блестящей кожей. Я с удовольствием сыграл бы на обеих, даже вспомнил подходящие музыкальные термины — легато, стаккато, фермата, и снова — легато, стаккато...

Анна протянула мне одноразовую тарелку с бутербродом — кусок колбасы походил на высунутый по просьбе доктора язык. Рада резала торт, снимая пальцем крем с ножа и облизывая его так, что не только мы с хирургом, но даже пожилой невролог смотрели на неё преданно, как стая голодных собак.

Незнакомая женщина вдруг начала говорить о том, как упали в последнее время цены на недвижимость. Это прозвучало как сигнал: мужчины перестали пялиться на Раду и её нож, Анна уселась рядом со мной, и — будто кто-то нажал невидимую кнопку — полился общий разговор.

Вначале поздравляли именинницу, расписывая её видимые и невидимые достоинства. Вручили конверт с деньгами и букет цветов, явно постоявший в чьей-то вазе пару дней. Рада принимала восхваления спокойно: было видно, что она не особенно верит им, но и не видит причин обнародовать это. Потом все начали вспоминать недавние *случаи*, больных с причудами — в общем, это был именно такой вечер с коллегами, каким я его себе и представлял. За исключением того, что я не представлял себя настолько пьяным — меня потянуло на подвиги в объятиях скрипки или виолончели. Мысленно раздевая Раду и Анну — как тех бумажных кукол в одежде с отгибающимися белыми защипами, в которых играли мои одноклассницы, — я не сразу услышал, что красавец-хирург обращается ко мне:

— А вот скажите, Михаил, почему сейчас все хотят учиться на психологов? У моей дочери прямо бзик какой-то — иду на факультет психологии, и всё тут!

Рада при его словах заметно дёрнулась — такая судорога пробегает по телу слишком быстро уснувшего человека: мозг получает сигнал, что человек умер, и устраивает ему небольшой шоковый приступ. Но Рада, конечно, не спала — судорогу вызвала другая причина.

Я был благодарен хирургу за то, что он перестал бросать на меня недовольные взгляды и даже придумал тему для разговора, которая

Анна Матвеева

могла быть мне интересна! Спьяну хирург показался мне очень славным человеком — пусть и чересчур красивым для мужчины. Поэтому я сказал ему то, что сказал бы любому славному человеку, правду:

— Психология в наше время — это как финансы в девяностых и юриспруденция в нулевых. Мода! Молодым людям кажется, что разбираться в чужих проблемах — лёгкое, интересное, к тому же хорошо оплачиваемое дело.

— Ну вот с этим они не ошибаются, — встряла неизвестная женщина, обеспокоенная ценами на недвижимость. — Вы наверняка не жалуетесь на оплату!

— Стоматологи тоже не жалуются, — я пальнул наугад и, как выяснилось, попал. Женщина смеялась вместе со всеми, хоть и была стоматологом, но потом парировала удар:

— И всё-таки у нас — конкретная специализация. Заболевания зубов, дёсен, протезирование... А у психологов что? Что вы можете сделать такого, чего не умеют неврологи или психиатры?

— Вы перебили его, Ольга Викторовна, — заступился за меня хирург (просто отличный парень!).

— А я отвечу Ольге Викторовне, — раздухарился я. — Мы врачуем заболевания чувств и патологии эмоций, но делаем это вместе с пациентом. Психолог не даёт готовых рецептов, не делает надрез в нужном месте — но знает, как помочь человеку сделать это самостоятельно.

— Болтовня, — махнула рукой Ольга Викторовна. — Демагогия.

Я заставил себя посмотреть на неё внимательно. Тщательно одета, накрашена сегодня уже явно не в первый раз — макияж свежий, не размазан. Уголки губ опущены вниз, в глаза смотрит с вызовом. Разведённая женщина в лихорадочном поиске нового мужа.

— Хотите, расскажу, что вас беспокоит? — спросил я. И, не дожидаясь ответа, выпалил: — Вы недавно развелись. Слишком много работали, мало бывали дома. Скорее всего, муж нашёл кого-то помоложе.

— Эй! — возмутилась Рада, почувствовав, что общее внимание отходит от неё, как волна от берега, но прикрыв своё недовольство более уместной женской солидарностью. — Вот только не надо никого оскорблять!

Ольга Викторовна пылала как закат над морем. Попал в десятку по всем пунктам.

— Даже если так, — выдавила она, — вы могли узнать о моих жизненных обстоятельствах в клинике. Я не делала тайны из развода.

— Да я только сегодня услышал ваше имя! И увидел вас — тоже.

— Михаил, ты прямо Шерлок Холмс, — от восторга хирург перешёл со мной на «ты». — А про меня можешь?

Ещё пару бокалов, и смог бы. К счастью, именно в этот момент Анна включила музыку и подрулила ко мне в танце. Хирург — его звали Олег — не сводил с меня глаз.

Обнимать девушку-скрипку было очень приятно. Она оказалась невероятно худенькой — косточки прощупывались под тонким платьем, как если трогаешь сложенный зонтик.

— А вот чего я не понимаю, — шепнул я Анне в ухо, прикрытое прядью душистых волос, — так это зачем меня сюда пригласили?

Скрипка улыбнулась:

— У Рады с Олегом сложные отношения. Он женат, ты в курсе, наверное.

— Догадался. А я тут при чём?

— Так ты здесь самый молодой! Не к Рудольфу же Григорьевичу ревновать, — она показала на старенького невролога, который смотрел перед собой невидящим взглядом.

— Какая пошлость! Лучше бы ты сказала, что на подарок не хватало.

— И это тоже! — рассмеялась Анна. — А ты, оказывается, не такой зануда, как мы думали.

Олег еле дождался, пока мы дотанцуем, — ухватил меня за рукав и посадил рядом с собой.

— Слушай, вот как психолог, скажи... — и тут на меня обрушился девятый вал личных проблем. Я изо всех сил пытался уловить суть рассказа, но она всё ускользала и ускользала от меня.

Всё же я ему что-то советовал, Олег кивал, мы пили и говорили, перекрикивая музыку, — и последним, что я помню в тот вечер, было злое лицо именинницы, бледное как луна.

25

Лунные ночи или безлунные — для Модильяни давно нет никакой разницы. Успех или безвестность — теперь не так и важно. Всё должно происходить вовремя, судьбе следует гримасничать поменьше.

Жанна с малышкой давно вернулись в Париж, правда, дочка живёт у Люнии Чеховской — так удобнее всем. Для выставки в Англии отобрано

пятьдесят девять работ Модильяни, картины наконец-то начинают расходиться — да так, что Збо
думает попридержать самые лучшие. На всякий
случай — мало ли что.

Зелёная фея, призрачный принц и туберкулёз
не оставляют Моди ни на минуту, а теперь к ним
добавилась четвёртая спутница — слава. Неудач-
никам слава видится очень привлекательной особой — мягкие руки, плавные движения, ласковые
взгляды. На самом деле — и Моди теперь это знает — у славы трубный голос и грубые манеры, она
криклива и надоедлива, как торговка из овощных
рядов. Жадная, бесцеремонная, ненасытная — но
такая при этом желанная, что не снилось и пре-
краснейшей из женщин.

Как Жанне совладать с этой компанией? Поу-
бивать по одному или взорвать всех разом? Жанна плохо себя чувствует, ребёнок растёт слишком
быстро — кажется, он душит её изнутри. Когда-то
давно Фудзита рассказывал о ритуальных япон-
ских самоубийствах — сэппуку, и Жанна ещё тогда
подумала: какие удивительные люди живут на
этих дальних островах! Кому ещё пришло бы в голову не только оправдать, но и поэтизировать са-
моубийство?

Вскрыть себе живот — ни за что. Ей надо жить
для Модильяни, дочки и ребёнка, который появится на свет в следующем году.

— Кыш! — говорит Жанна принцу, фее, туберку-
лёзу и славе, но они лишь теснее смыкают жуткий
хоровод.

Художник чувствует себя всё хуже, и маршаны
начинают разыскивать его работы по всему Парижу, рыщут на правом и левом берегу. Живой ху-

дожник продаётся по одной цене, мёртвый — совсем другое дело!

В январе Амедео Модильяни попадает в госпиталь. Субботним вечером 24 января в 20 часов 50 минут душа его покидает доведённое до полной непригодности тело. У смертного одра сидит только лишь слава — в одиночестве. Туберкулёз завершил свою работу, а принц и фея имеют дело исключительно с живыми душами: опустевшие тела интересуют их не больше, чем картонки из-под шляпок.

Жанна была дома; чёрную весть ей принесли художник Ортис де Сарате и Ханка, жена Зборовского.

Вечный вопрос тех, кто остался, не успел уйти первым: почему я не почувствовала, что тебя не стало в этот самый момент? Чем я тогда занималась — ела, спала, читала? Почему пол не пошёл трещинами, потолок не упал мне на голову, почему не грянул гром и чёрная птица не влетела в комнату? Ну хорошо, не чёрная — хотя бы рядовой парижский воробей?

Смерть — главное событие в человеческой жизни, но она приходит так буднично и тихо, что иногда её не сразу и узнаешь.

Родители забрали к себе Жанну прямо из госпиталя — не было сил смотреть на её немое прощание с Модильяни. Увезли в родной дом на улицу Амьо. Самый короткий путь к любимому — через окно шестого этажа, на мостовую.

Утром 26 января двадцатилетняя Жанна Эбютерн покончила с собой и с нерождённым ребенком.

— Этот ребёнок не должен родиться, — сказала Лолотта специально для Клео де Мерод, которая пристально смотрела на неё с раскрашенной фотографии. Нечётный окончательно пропал — Лолотта искала его по всему Монмартру, чтобы плюнуть в глаза и потребовать назад свои денежки, но это было примерно то же самое, как искать свою молодость и свежесть. Чётный и отзывчивый ажан утешали её по очереди, и однажды Лолотта решилась попросить Чётного о необычной услуге.

— Сможешь закончить один набросок?

Вначале он, конечно, отказывался, но Лолотта умела добиваться своего.

Она настояла, чтобы Чётный работал у неё в квартире — купила кисти, краски. Сюзон притащила чей-то старый мольберт. Чётный долго не мог прикоснуться к наброску, сделанному самим Модильяни, который, говорят, совсем плох и вот-вот отдаст Богу душу — ну, или то, что от неё осталось. Ходил вокруг листа так и этак, потел, тёр глаза рукой, пока Лолотта не прикрикнула: или он будет работать, или ночью поедет к себе на левый берег.

В конце концов он прикоснулся к листу робким движением кисти, как мальчик к девичьему лицу.

Получилось очень красиво, по мнению Лолотты.

Рыжая, молодая, смущённая девушка в ожерелье. Румянец не из баночки, а свой собственный, родной. Заметный наклон головы. Модильяни вместе с Чётным нарисовали Лолотту именно такой, какой она была в своё первое парижское лето.

— Теперь сделай то же на холсте, — велела Лолотта.

Чётный не стал отказываться. Кто бы мог подумать, что манеру Модильяни так легко скопировать!

Пока он вонял в квартире красками, Лолотта отправилась в базилику — вся сопрела, поднимаясь по ступенькам. Интересно, как там эта штука внутри — ей тоже жарко или нет?

В базилике было мало народу, она специально пришла до мессы. Красивый кюре тут же угадал в Лолотте исповедницу, подошёл, но она выбрала другого — старого. Ей не хотелось рассказывать красавцу священнику о своих мытарствах, к тому же от неё несло по́том, как от кобылы. Старик занял место в исповедальне, Лолотта села за решёточку с другой стороны — сценка как в тюрьме. Она думала, что не сможет рассказать правду, — но правда так застоялась в ней, что изливалась водопадом. Старый кюре мог бы захлебнуться, если бы не опыт долгих лет.

— Не избавляйся от ребёнка, деточка! — сказал он Лолотте. — Это будет тебе радость и утешение на склоне лет.

— Но я не хочу! — вскинулась Лолотта. Чуть носом не ударилась в решёточку.

— Я видел много девушек, которые не хотели рожать, — могу тебя заверить, именно из них получаются самые нежные и заботливые матери.

Лолотта вышла из базилики, когда в небе уже слабо сиял январский закат. Целый Париж лежал под ногами, как подарок, — наклонись, и поднимешь. Где-то там есть левый берег — далёкая мечта!

Что, если вправду родить? Вдруг старый кюре прав, и дитя станет не обузой, а поддержкой? Лолотта зажмурилась, пытаясь представить своего сына. Он будет красивым и талантливым, как мсье Модильяни, щедрым, как бухгалтер, ласковым, как Андре и сговорчивым, как Чётный. Вот только на Нечётного, своего родного, как она подозревала, отца, сын будет ни капельки не похож.

Спускаясь с холма, Лолотта встречала знакомых, одного за другим. Пьяный Утрилло, сердитый Уттер, прекрасная Габриэль с загадочной миной, и уже почти рядом с домом — мсье Луи. Он ещё пуще позеленел с той последней встречи и кутался от ветра в широкий шарф.

— Мадам, не надумали продать вашего Модильяни? Я заинтересован купить его у вас по очень хорошей цене.

Узнав эту цену, Лолотта расхохоталась так, что даже птицы вокруг зашлись взволнованным щебетаньем.

— Да я за такие деньги и коробка спичек не продам! Приходите через неделю — отдам картину маслом и рисунок, но в десять раз дороже. Устроит?

— Я в любом случае приду, — обещал мсье Луи. Он не стал рассказывать Лолотте, что за Модильяни все галерейщики нынче просят в сто, а не в десять раз дороже названной цены. Моди вот-вот помрёт, а когда художник умирает, он тут же дорожает в разы — эту арифметику мсье Луи знал на «отлично». И ещё он не стал рассказывать этой монмартрской потаскушке, что на прошлой неделе ему удалось выманить у одного кабатчика другой её портрет, — написанный, судя по всему, совсем недавно. Есть такие лица, которые не забываются — вот и Лолотте досталось такое.

25 января 1920 года в 21:00 мсье Луи приобрёл у мадемуазель Лолотты Л. две работы Модильяни. Рисунок был безупречен, а вот краски на холсте показались торговцу ярковатыми.

Моди уже целые сутки не было в живых, и мсье Луи узнал об этом одним из первых в Париже. Как только сердце художника смолкло, сердце торговца застучало с удвоенной силой. Мсье Луи прочёсывал город по квадратам — как свинья ищет трюфели, так и он не пропускал ни единого дома, кабака или галереи.

Лолотта считала, что продала фальшивки очень выгодно, — но в глубине души ей было немного жаль своих портретов.

27

Ни одной картины Модильяни на весь Париж! Может быть, Алии просто не везло, или она не знала, где искать — но ни в Помпиду, ни в других музеях не было даже намёка. Она залезла в справочник улиц — оказалось, что в честь Модильяни не названо и переулка. Не говоря уже о доме-музее или ещё чём-нибудь таком. Разве что в «Ротонде» на стенах висят постеры его картин.

Алия давилась дорогим кофе в этой «Ротонде», жалея и деньги, и время — Лариса неохотно дала ей сегодня единственный выходной. Как все богачки — пусть они при этом и бывшие соседки, — Лариса считала, что поездка в Париж — и так подарок для няньки, так что нечего претендовать на какое-то собственное, личное время. Питаются они в ресторанах, живут в *четырёх звёздах*, и на шопинг Лариса милостиво выделила Алии целых сто евро. Но нянька настояла на своём. Ей нужен был целый день для того, чтобы пройти по следам Модильяни — и, может быть, вспомнить Лолотту.

Мальчишки отпустили Алию легко — им в радость было побыть целый день с матерью. Увы, Лариса этого не понимала и явно избегала собственных детей. Алия удивлялась — ей самой, когда Мира была маленькой, каждый день казался бесценным: так жаль было, что девочка становится взрослой и совсем скоро перестанет нуждаться в ней. Лариса, как и её муж Коля, напротив, будто бы ждали, когда младшие наконец вырастут. Толику десять, Антошке — восемь, а старший, Борис, тот самый, что орал ночи напролёт в старом доме, давно уже окончил университет в Америке. Толик и Антошка в старших классах тоже поедут учиться за границу, тогда и Лариса с мужем эмигрируют. Коля часто говорит:

— Я, конечно, патриот, но жить в России — значит всё время с кем-то бороться и что-то преодолевать. Иногда хочется просто пожить в своё удовольствие. Без борьбы.

Мальчишек беспощадно пичкали английским языком, а способности у них были средние, Антошка заболевал после каждого урока. Алия занималась с мальчиками математикой, проверяла уроки, готовила обед и ужин — в общем, была истинной хозяйкой большого красивого дома.

Мира стеснялась маминой работы: вечерами в скайпе уговаривала бросить Ларисино семейство и переехать в Москву. Дочка давно уже купила себе там квартиру, получала в своём банке какие-то баснословные деньги.

— Будешь жить не хуже Ларисы, — клялась Мира, но Алия не хотела переезжать. Она не могла себе представить, как можно сняться с якоря после сорока лет и заново привыкать к людям, пейзажу за окном, да хотя бы к магазинам в округе. И потом, Толик с Антошкой без неё пропадут — Ларисиного терпения хватает разве что на день, а найти хорошую няньку сложнее, чем главного бухгалтера, это вам подтвердит любой, кто сталкивался.

Алия вышла из «Ротонды», держа в руке листок с выписанными адресами. Улица Гран-Шомьер. Данциг. Амьо. Пер-Лашез. Это что касается Модильяни, а Лолотту она будет искать на Монмартре, вечером. Если успеет — Лариса велела вернуться не позже восьми.

Историю с Лолоттой Алия выдумала от первого и до последнего слова — правдивым было только сходство с безвестной натурщицей, действительно поразившее в своё время подругу Алии. Подтолкнула её к этой выдумке Лидия — старинная приятельница Ларисы, с которой хозяйку связывало не менее старинное соперничество. Не сосчитать, сколько раз Лидия пыталась переманить Алию — обещала, что в другой семье ей и платить будут больше, и чуть ли не машину купят. Алия каждый раз отказывалась — машина ей была без надобности, деньгами Лариса с Колей её не обижали.

Другое дело — личная жизнь. Здесь у Алии не было никаких вариантов. Она знала, что неплохо выглядит и ещё может нравиться мужчинам — но «неплохо» и «может нравиться» вряд ли растянутся больше чем на несколько лет. Алия чувствовала, что старость стоит рядом — как будто они едут с ней в тесном лифте. Так обидно доживать свой женский век без любви! После того как ушёл муж, у неё не было ни романа, ни интрижки, ни даже пошлого секса на одну ночь: Алия не знала, почему так происходит, — точнее, почему ничего так и не происходит. Даже малосимпатичные, не самые молодые женщины легко находят себе спутников, а она — как планета Венера — всё время была в одиночестве. К ней никто не приставал на улицах, никто не приглашал, как говорят в кинофильмах, выпить чашечку кофе — её вообще не замечали ни молодые мужчины, ни ровесники, и даже старики не смотрели в её сторону.

Подруги пытались познакомить Алию с какими-то перспективными холостяками, но это всякий раз заканчивалось неловким и скомканным разговором, после которого ей никто не перезванивал.

Обращаться в брачное агентство Алия стеснялась. И уже совсем было решила махнуть рукой на эту часть жизни — существуют же в конце концов на этой земле отшельники, монахи и воины, умеют обходиться без любви! — как вдруг однажды её умело разговорила Лидия.

Она пришла в тот вечер в гости, но хозяева по дороге из «Меги» застряли в пробке и по телефону попросили напоить Лидию чаем. Гостья была даже как будто рада, что они могут поговорить наедине, без зоркой Ларисы и шумного Коли: Толик с Антошкой играли в компьютер, Алия заваривала любимый зелёный чай Лидии — японскую «генмайчу» с жареным рисом. Не передать, какими все вдруг стали изысканными — будто бы не эта самая публика жарила когда-то пельмени и лакомилась пирожками с запечёнными внутри карамельками.

Лидия вдохнула чайный аромат и улыбнулась:

— Какие у тебя ловкие руки, Алия! Даже чай вкуснее, чем у всех. Удивительно, что мужчины ходят мимо такого сокровища.

Алия выронила из рук тарелочку с пастилой, но Лидия ловко поймала в воздухе и пастилу, и саму тарелочку. Кажется, она когда-то занималась большим теннисом и даже ходила в чемпионках.

— У меня есть для тебя идеальный вариант, — заявила гостья. — Психолог, умница, ростиком, правда, не вышел, но это не смертельно.

— Не надо мне никого, — начала протестовать Алия, но щеки у неё вспыхнули так ярко, как будто умница психолог уже взял её лицо в свои горячие ладони.

Лидия продолжала рассказывать, демонстративно не замечая этого позорного румянца:

— Жена от него ушла несколько лет назад, и он с тех пор так один и живёт. Деток у них не было. Какие-то девицы время от времени появляются, но ничего серьёзного — поверь мне, мы с Мишкой давно дружим.

«Мишка», — Алия повторила про себя это имя и решила, что оно ей нравится. И мужественное, и нежное. Миша, Михаил...

— Но! — Лидия подняла вверх указательный палец, как будто поставила в воздухе восклицательный знак. — Его нужно заинтересовать — так, чтобы клюнул наверняка. Холостяка на раз с места не сдвинешь, тем более, что у него теперь проблема с доверием. Даром что психолог.

Алия молчала. Налила в чашку Лидии ещё немного чая. Молчание стало первой ступенькой на пути к этому грандиозному вранью, из которого теперь и не знаешь, как выпутаться.

Про «Лолотту» она вспомнила случайно — и Лидия, услышав об этом, сказала:

— То, что нужно! Больше ничего искать не будем. Его это просто зачарует, вот увидишь!

Велела зайти к ней в воскресенье вечером и вручила Алии целую стопку книг о Модильяни и жизни в Париже на рубеже XIX–XX веков. Алия читала книги внимательно, делала выписки — она всегда хорошо училась и, если бы жизнь сложилась иначе, могла бы сделать карьеру.

Она поменяла причёску, купила несколько новых вещей — чтобы сильнее походить на Лолотту — и записалась к Михаилу на консультацию.

Было очень тяжело его обманывать — потому что он ей сразу понравился. Да, действительно невысокий, но когда это сорокалетних женщин волновали такие мелочи? Ну не будет Алия носить каблуки, подумаешь. Зато глаза у него красивые, к тому же умный, с интересной работой и — Лидия клялась — почти не пьёт.

Невозможно стыдно было врать такому человеку. Алия чуть не сбежала — но потом всё же взяла себя в руки и показала ему репродукцию.

Даже Лидия, опытный кукловод, не могла угадать такой реакции. Михаил буквально заболел «Лолоттой», Алия поневоле начала ему подыгрывать — и доигралась до того, что теперь ходит по Парижу и пытается вызвать у себя настоящие воспоминания. Призвать к ответу не придуманную потаскушку из предместья, а настоящую Лолотту, которая ходила по улицам Парижа сто лет назад и вполне могла быть прапрабабушкой Алии. Пото-

му что все люди друг другу — не братья, а бабушки
и внуки, и значит, она почти не соврала...

Алия уже свернула к улице Гран-Шомьер, как
вдруг увидела перед собой почтовое отделение
и вспомнила, что так и не послала Михаилу открытку.

28

Итальянским родственникам Модильяни сразу же
сообщили о его смерти, но приехать на похороны
никто не смог — Италия всё ещё воевала, и пере-
сечь границы не дозволялось даже по самой ува-
жительной из причин. Похороны пришлось опла-
чивать в складчину — Мойше Кислинг организовал
сбор средств, и получилось не как-нибудь, а по
высшему разряду. Попрощаться с Моди пришло
больше тысячи человек, а в похоронные дроги
впрягли четвёрку вороных. Были Жакоб, Сутин,
Бранкузи, Дерен, Леже, Валадон и Утрилло, Вла-
минк, Фудзита — весь цвет двух холмов, Парнас-
ского и Мученического.

В тот же самый день хоронили и Жанну — на
скромненьком кладбище Баньё. Родители даже после смерти дочери не разрешали ей быть с Модильяни — в конце концов, кто, как не он, стал причиной её самоубийства?

— То, что он сделал с собой, — то же самоубий-
ство, просто растянутое во времени, — сказал какой-то мужчина в спину Константину Бранкузи,
когда кортеж свернул к Пер-Лашез. Бранкузи повернулся, чтобы в упор расстрелять взглядом ум-
ника, но отвлёкся на двух женщин — одна из них,

кажется, позировала Модильяни. Хорошенькая, пухлая, и глазки живые, яркие.

Лолотта кивнула взъерошенному бородачу и взяла под руку Сюзон.

Сегодня она впервые очутилась на левом берегу!

Оказалось, не так уж это и далеко — поезд метро, завывая, как бес в преисподней, провёз Лолотту и Сюзон под землёй и водой, доставив прямиком к воротам клиники Шарите.

Мсье Модильяни провожала целая уйма людей, но Лолотта узнала немногих. Вот мелькнул пьяный Утрилло, которого крепко держала под локоть мамаша Валадон, вот ей кивнул — явно из вежливости — Фудзита, а вот и бледное лицо мсье Луи.

Лолотта не знала, что сегодня, в день похорон Модильяни, в галерее мсье Луи выставлено двадцать работ художника, в том числе «Женщина в ожерелье. Лолотта». Пока гроб везли в дальний угол кладбища на правом берегу, в галерее на левом вокруг портрета ходил кругами высокий молодой американец — и, решившись, попросил продавца оставить для него эту картину. Он заберёт её завтра.

На Пер-Лашез Лолотта потеряла Сюзон и встала поодаль толпы, у памятника в виде каменного ангела с печальными глазами. Когда гроб с телом Модильяни опустили в землю, малыш в утробе Лолотты шевельнулся в первый раз.

Как прекрасна жизнь, не правда ли? Конечно, жаль умерших, но, к счастью, мы продолжаем жить, и с нами никогда не случится ничего по-настоящему плохого.

29

Алия купила открытку с видом бульвара Распай, написала, что Париж прекрасен, и ещё что-то банальное. Почтовый служащий указал рукой на жёлтый почтовый ящик — вуаля! Почта всегда завораживала Алию, и она ещё в детстве мечтала быть причастной к этому миру — люди, которые отправляют конверты с неведомым для них содержимым из одной части света в другую, казались ей особенными, влиятельными, важными. Всё, что имело отношение к почте, — конверты, марки, штемпели, сургуч — казалось ей исполненным особого смысла. Она давно решила, что, став пенсионеркой, пойдёт работать на почту — поближе к тайнам, запечатанным в конверты. Будет фасовать чужие жизни, оценивать секреты и выдавать извещения о подарках судьбы.

Жаль, что её собственный подарок был, судя по всему, утерян при доставке. Чем старательнее пыталась Алия вызвать к жизни дух Лолотты, тем дальше от старого Парижа уносились её мысли.

Вот улица Гран-Шомьер — нужный дом под номером восемь выглядит таким же безликим, как его соседи. Справа от двери фасад дал заметные трещины. На мемориальной доске указано — ателье Гогена и Модильяни. У входа припаркован мотороллер, за открытыми ставнями на первом этаже можно разглядеть принтер и цветок в горшке.

Вот улица Амьо — родители Жанны Эбютерн тоже занимали квартиру в доме под номером восемь. Жаль, что Алия не верит в нумерологию, как, впрочем, и в гороскопы, и в расстановки по Хеллингеру, ретроградный Меркурий, хиромантию и прочую чепуху. Дом Эбютернов выглядит представительно — белые стены, окна в кремовых окантовках, чугунные решётки. Над синей дверью парадного — каменный барельеф с женской головкой и цветами. Тротуар огорожен столбиками, похожими на перевёрнутые восклицательные знаки, — здесь лежала мёртвая Жанна, пока её не увезли в полицейский участок. Брат Андре, обнаруживший тело, испугался, что мать не сможет пережить это зрелище, и не сразу открыл родителям правду. Алия долго стояла возле дома на улице Амьо, но не почувствовала ничего, кроме обычного человеческого сострадания к чужой трагедии.

Вот «Улей» — как выражался автор книги, которую Алия читала зимой, «знаменитый парижский фаланстер». Она едва отыскала эту коллективную мастерскую, заблудившись на улице Данциг. Общежитие художников, где какое-то время обитал Модильяни, теперь тщательно скрывается от досужих глаз — Алия проскользнула на территорию с группой телевизионщиков, которые распаковывали во дворе своё сложное оборудование. Прежде чем её выгнали, самозванка успела заметить полуобнажённых кариатид у входа, густо заросшие плющом стены дома и колонны балюстрад, напоминающие кегли. Негусто.

День между тем перевалил за экватор — парижане занимали места в ресторанах, туристы жевали на ходу сэндвичи. Алия купила в кондитерской кусочек орехового торта «нуазетт», в соседнем бистро выпила чашку кофе и спустилась в метро. На станции *"Strasbourg Saint-Denis"*, где она делала пересадку, продавали симпатичные недорогие букеты — всего за восемь (снова восемь) евро. Алия не решилась купить букет — принести цветы на могилу показалось ей вдруг чем-то наигранным, будто она не реальный человек, а персонаж фильма. К тому же неизвестно, сумеет ли она отыскать могилу Модильяни — в Интернете писали, что на кладбище Пер-Лашез очень легко заблудиться, так и не навестив тех, к кому пришёл.

Именно это с ней и случилось. Алия сняла на телефон карту «знаменитостей», висевшую у главного входа, — но фотография получилась мутной, не разглядеть, какой именно номер «дивизиона» (так назывались наделы кладбища) ей нужен. В итоге несколько часов проблуждала среди надгробий, повстречав по дороге Эдит Пиаф, Пруста, Гертруду Стайн и двух бородачей из Питера, отчаявшихся найти могилу Джима Моррисона. Когда она уже была готова сдаться — не ночевать же на кладбище! — появилась группа туристов под предводительством целеустремлённой женщины-гида, как знамя державшей над головой заламинированную репродукцию. Портрет Жанны Эбютерн! Алия догнала группу — это были поляки — и уже через пять минут вместе с ними свернула к скромному надгробию, похожему на раскрытую книгу, которая лежит переплётом вверх. Гид рассказала, что родители Жанны в конце концов дали своё согласие на то, чтобы тело дочери перезахоронили рядом с возлюбленным. Туристы сфотографировали могилу и пошли дальше, по плану у них был Оскар Уайльд.

Алия осталась с Модильяни и Жанной, кляня себя теперь уже за то, что не купила букет. На могиле лежали две увядшие розы, с десяток камушков прижимали выцветшее письмо, начинавшееся словами *"Dear Amedeo"*. Ёлочка, что росла у могилы, болела — пожелтевшие ветки с редкими иглами напоминали рыбьи скелеты. Моди и Жанна молчали. Алия положила рядом с чужими увядшими розами пару карамелек, которые всегда лежали у неё в сумке, — потом вспомнила про малыша, погибшего вместе с матерью, и добавила ещё одну.

Вскоре она снова сидела в вагоне метро — от станции *"Alexandre Dumas"* до *"Anvers"*, потом пересадка до *"Lamarck-Caulaincourt"*. И вот на этой самой станции, где вверх поднимаются не на эскалаторе, а только лишь пешком или в лифте, Алия дождалась того, о чём мечтала весь день. В очереди к лифту — грузовому чудовищу, способному проглотить целую толпу пассажиров, — она встретила Жанну Эбютерн. Тонкое, чуткое, подвижное лицо, нос с небольшой горбинкой. Одета в истинно парижском духе — что-то чёрное, мягкое, удобное. Длинные волосы небрежно сколоты, бледнооранжевые губы... Выйдя из лифта на улицу, Жанна достала пачку сигарет.

— Мадам? — она заметила, что незнакомая женщина разглядывает её в упор.

— Я хотела спросить, — Алия обратилась к ней по-английски, и Жанна слегка надула губы, — как пройти к улице Корто?

Жанна махнула рукой вверх и вправо, а сама ушла в противоположном направлении. Человека невозможно удержать, если он решил уйти, даже когда этот человек — ответ на твою молитву.

На выходе из метро смуглый подросток продавал краденые из супермаркета фрукты. Алия купила у него большое красное яблоко. В метро она чувствовала себя по-настоящему уставшей — как будто целый день делала генеральную уборку в Колином гараже, но встреча с Жанной взбодрила её, как чашка кофе, — теперь Алия точно знала, что не зря затеяла этот крестовый поход за несуществующими воспоминаниями.

Подниматься на холм и спускаться в город было испытанием во все времена. Монмартр живёт самостоятельной жизнью, как не самый успешный, но при этом гордый и упрямый выходец из обеспеченной семьи. Он не желает иметь ничего общего с родственниками и обходится собственными силами. А когда родственники всё же решают его навестить, то обязательно собьются с пути, свернув не в тот переулок или пропустив нужный поворот.

Вот и Алия заблудилась — уже второй раз за сегодня. Прошла по авеню Жюно, свернула вправо — и уткнулась носом в стену кладбища с табличкой «Сен-Венсан». Многовато кладбищ для одного дня, но Алия не смогла обойти стороной приглашение. Это же не Пер-Лашез, а компактный и вполне обозримый участок, плотно заставленный каменными надгробиями. Над стеной — жилые дома, вот повезло кому-то с видом!

Алия шла по дорожке кладбища, впервые за весь день ни о чём не думая. В конце аллеи заметила белую статую: думала, ангел, оказалось — муза. В одной руке палитра, в другой — вправленная кем-то живая роза. Золочёные буквы надгробия — «Морис Утрилло». Смерть надолго разъединила Моди с его закадычным собутыльником — Морис скончался лишь в 1955 году, навеки оставшись жителем своего любимого Монмартра.

Алия положила на могилу две карамельки — для Утрилло и его жены Люси Валор, — и окинула кладбище прощальным взглядом. На часах — уже семь, она только-только успеет вернуться в гостиницу к назначенному Ларисой времени. Алия развернула ещё одну карамельку и сунула её в рот.

Постойте, а что это там?

Она запнулась на ровном месте, ушибла ногу, но не заметила боли. Карамелька выпала изо рта.

В двух шагах от Утрилло.

Серый гранит.

«Лолотта Лепаж. 1885—1971. Дорогой матери и любимой бабушке. Ты всегда в нашем сердце».

Алия родилась в 1971 году.

И, на тот случай, если ей мало, в головах могилы имелась небольшая статуя. Скорбящий ангел, больше похожий на девушку с наклонённой головой и аккуратно сложенными руками.

— Здравствуй, Лолотта, — сказала Алия.

30

— Здравствуйте, Михаил Юрьевич, это Марина! — моя курильщица позвонила ни свет ни заря, когда доктор переживал расцвет похмельного синдрома. Я только в молодости так напивался, и переносилось всё это значительно проще. Сейчас я даже Лолотте не был бы рад — а тут всего лишь Марина.

— Можно мне приехать сегодня?

— К четырём, — просипел я.

Вчерашнее пьянство выплеснулось далеко за полночь. Олег решительно не хотел со мной расставаться, и я помню, что мы с ним шли по улице, качаясь, как матросы. Помню даже какую-то девушку, с которой мы спьяну пытались познакомиться, поскольку Анна, Рада и Ольга Викторовна давно исчезли. Девушка была в белых брюках, сквозь ткань просвечивали цветастые трусы — видимо, других чистых не нашлось, предположил хирург. Потом девушка куда-то исчезла, и я рассказывал Олегу про Модильяни, и даже, к стыду своему, кажется, цитировал Кокто, силясь произнести: «Его рисунок — это беззвучный разговор». Потом Олег куда-то исчез, а я оказался в мастерской Геннадия, и он вроде бы дал мне приглашение на свою выставку, и мы с ним снова пили. После этого я очутился у себя дома (неизвестно как — возможно, телепортировался). Уснул, но почти сразу же очнулся от головной боли, тошноты и громкого пения птиц: за окном рассветало, и небо выглядело так, будто его намазали йодом.

Я выпил весь аспирин, какой нашёл, потом принял ледяной душ и всё-таки поехал на работу.

Там не было никого, кроме бодрого старичка-невролога — он шаловливо погрозил мне пальцем и хлопнул дверью в свой кабинет, как будто ударил меня ею по голове.

Помимо Марины на сегодня было записано четверо пациентов — трое пришли в первый и, боюсь, в последний раз, а вот четвёртая женщина посещала меня уже несколько лет. Это драматическая история — пациентка так сильно волновалась за подросшую дочь, что ездила за ней по пятам, и однажды, когда та задержалась по дороге из музыкальной школы, случайно сбила её собственной машиной. Девочка выжила, но на мать всё это подействовало катастрофически. К повышенной тревожности добавилось ещё и чувство вины — в общем, работы нам с ней хватало.

Из коридора доносились шаги коллег — я старался не прислушиваться, любой звук был му́кой.

Марина опоздала на двадцать минут, десять минут извинялась, а потом рассказывала о том, что гипноз не помог и она снова пытается бросить курить. Напротив её офиса открылась студия йоги, и Марина видит в окно, как люди укрепляют своё здоровье, тогда как она крадёт у себя лучшие — да пусть даже и худшие! — годы жизни.

Я с трудом дождался вечера.

Выставка Геннадия открывалась в семь тридцать. Галерея в самом центре, много людей, наконец-то материализовавшаяся Эльвира Аркадьевна — вполне приятная женщина, но, конечно, не чета Кате. Катя тоже присутствовала — в узком платье с ещё более глубоким, чем в прошлый раз, декольте. Лидия с Сергейкой махали мне от стола с закусками, но я решил вначале поприветствовать художника.

Геннадий стоял перед самым большим холстом, старательно исчерканным цветными полосами. Я обнял художника, поздоровался с окружавшими его коллегами и решил, что если это и выставка, то не произведений искусства, а плохих зубов.

Если бы у меня были такие зубы, я стал бы грустным, унылым человеком, но художники охотно скалились и хохотали.

Я расхвалил выставку, как только мог, и пошёл к Лидии и закускам, а точнее — к пластиковым стаканчикам с вином, которые приметил ещё с порога.

Лидия взяла меня за руку и сказала:

— Ты не представляешь, кто мне сегодня утром звонил!

Вариантов, честно сказать, было множество — самые невероятные люди звонили Лидии по поводу и без, но я почему-то сразу понял, о ком идёт речь.

Более того, по взгляду Лидии я понял, что человек, звонивший ей с утра, уже находится здесь, на выставке. Что она стоит у меня за спиной.

Я вернул стаканчик на прежнее место — и обернулся.

Благодарности

Спасибо тем, кто помогал мне в работе над этой книгой, был рядом и всячески поддерживал – прежде всего, моей маме и моим сыновьям, а также Александру Дроздову, Елене Шубиной, Марине Голомидовой, Екатерине Ружьевой, Виталию Воловичу, Алексею Курошу, Наталии Купиной, Юлии Ильницкой, Вере Потеряевой, Екатерине и Наталье Щербаковым, Ольге Зайченко, Марине Карлин, Ксении Рождественской, Сергею Алещёнку, Владиславу Толстову, Маше Гроссман.

Содержание

Красный директор 5

Рыба в воде 47

Мой город 92

Немолодой и некрасивый 103

Дорога в никуда 128

Вздохнули львы 152

Минус футбол 222

Шубка 243

Лолотта 309